視光學

五南圖書出版公司 印行

尤振宇、江芸薇、吳昭漢、林蔚荏
孫涵瑛、陳雅郁、葉上民、蔡政佑 著
（照姓名筆畫排序）

作者簡介

尤振宇

現職

馬偕醫護管理專科學校視光學科講師

學歷

中山醫學大學生物醫學科學研究所碩士

中臺科技大學視光系學士

經歷

小林眼鏡公司配鏡師

宏恩眼鏡配鏡師

江芸薇

現職

中山醫學大學視光學系助教

學歷

中興大學生命科學院碩士

中山醫學大學視光學系學士

經歷

小林眼鏡 一級驗光師

吳昭漢

現職

馬偕醫護管理專科學校視光學科講師

學歷

中山醫學大學視光所碩士

中山醫學大學視光學系學士

經歷

光明分子眼鏡公司鏡片部主任、門市驗光師

林蔚荏

現職

康寧大學視光科講師

學歷

臺南大學特殊教育學系碩士

中山醫學大學視光學系學士

經歷

國際獅子會MD300 TAIWAN視力照護網驗光師

寶島眼鏡公司驗光師

孫涵瑛

現職

中山醫學大學視光學系副教授

學歷

中山醫學大學醫學研究所博士

國防醫學大學航太醫學所碩士
中山醫學大學視光學系學士

經歷
中山醫學大學講師
中山醫學大學助理教授

陳雅郁

現職
大葉大學視光學系助理教授

學歷
中山醫學大學醫學研究所博士
中山醫學大學生物醫學科學學系視覺科學組碩士
中山醫學大學視光學系學士

經歷
美國太平洋大學視光學院訪問學者
優視眼鏡行驗光師

葉上民

現職
中山醫學大學視光學系助理教授

學歷
國立中興大學生命科學院碩士
中山醫學大學視光學系學士

經歷

中臺科技大學視光學系助理教授

大葉大學視光學系兼任助理教授

蔡政佑

現職

康寧大學視光科講師

學歷

中山醫學大學生物醫學研究所視覺科學組碩士

中山醫學大學視光學系學士

經歷

日本金澤醫科大學眼科研究員

馬偕醫護管理專科學校視光學科兼任講師

康寧大學視光科兼任講師

序言

人類接收外界訊息有90%經由視覺傳達，視覺的過程中「看見」的傳遞路線不單單只有眼睛中的感光細胞，是需要經過一連串的訊號傳遞至大腦，其中又有許多神經將訊號整合。並且，經過雙眼的肌肉、內部構造組織間配合，才能夠清晰又準確的看到一個影像。隨著社會經濟的進步，大量的訊息經由視覺，人們對於視覺的要求也不斷的提高，也衍生出很多眼睛相關的問題。人對視覺的需求也從看見進而到舒適、美觀以及預防保健。

視光學的領域中包含有基礎眼球生理、視覺光學以及臨床視光等，其中基礎與臨床以及理論與實務之間相結合。本書從基礎視光談起包含：視力、屈光原理與檢查、調節，再至雙眼視覺、景深和融像，以及最後斜視與弱視等。編輯者皆爲於視光學科系中任教的老師，將學科內的基礎理論與歷年教學中學生容易混淆處加以說明，希望此書能夠提供視光學科學生或臨床從業者入門的工具書。

臺灣的視光學發展剛剛起步，與美國和英澳國家仍有差距，其中因人種問題，相關視覺的問題也不相同，例如臺灣地區有很高的近視盛行率；人民對於通訊設備的視覺依賴性也不相同；對於雙眼視功能異常的認知也不相同。臺灣的視光領域還有許多成長的空間，教育與實務的銜接還需要努力與扶持。因此希望以本書作爲一個基礎，持續不斷在視光教育上繼續充實，提高視光從業人員的專業度，以及加入更多高階的視光知識和提升臨床技能，不斷成長及提高視覺保健相關知識。

本書在多位作者努力下產出，他們爲此書的出版付出很多心血，在各位的支持下完成此書。在此，本人由衷的感謝。而出版社編輯群們也付出了很多心力，在此一併感謝。

孫涵瑛

2018 年 12 月

目錄

第1章 視力表示與視力表原理

孫涵瑛、葉上民

視覺是光感受器接收外界的刺激而產生反應，刺激的型態爲光線，光線由不同的波段組成。感知的內容包括：光覺、色覺、深度、運動與空間感等。光感受器有特異性，對於特定頻率的光刺激敏感，人的可見光波段介於 380 nm～700 nm，如圖 1-1。對亮度感受範圍廣，眼睛感受亮度的範圍從最亮到最暗的可感受亮度差異可達 10^{13} 倍（Kalawsky, 1993）。眼睛感知物體狀態稱爲能見度（Visibility）；而辨視物體細微能力稱爲視力（Visual acuity）。除了色彩因素外，影響視覺能見度及視力的主要因素爲：物體尺寸、亮度、對比及時間。正常的視力依賴視軸的對正、角膜與水晶體的清澈度，以及視網膜上感光細胞的狀態。而在感光細胞接受到視覺刺激的訊號後，經過視覺傳導路徑最後會到達大腦 V1 初級視覺皮質區。視神經系統中大細胞始於網膜桿狀細胞，訊息傳遞快，對明暗對比刺激較爲敏感，對顏色刺激較不敏銳，到大腦 V1 區後通向頂葉，與運動皮質和感覺皮質交匯，執行立體視與運動視覺相關訊息；小細胞始於錐狀細胞，訊息傳遞較慢，對明暗刺激較不敏感但

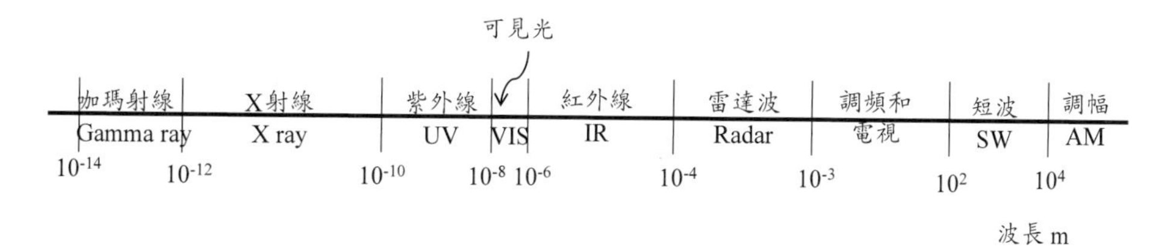

圖 1-1 光譜圖

對顏色刺激敏感，到大腦 V1 區後通向顳葉，與色彩辨別和精密辨識有關的視覺功能。

第一節 視力表示

視力是透過眼睛接受刺激和大腦一起完成的認知，人眼並不能完全分辨光譜上的所有波長，也無法分辨形體過小的物體，例如：細菌、微生物等微小生物，已超過人眼辨識的極限，必須依靠輔具儀器來觀察。人眼對物體的分辨度通常用視力作爲表示，而能夠區分取決於物體在視網膜上對應的成像，即爲感光細胞能夠分辨物體兩點對眼睛的最小夾角，稱最小分辨角。視角越小表示視力越佳，所以常常用視角的倒數來表示視力值。決定人眼的分辨率包括：光感受器的排列、光波動理論、環境因素和視覺障礙等等。

一、光感受器的排列

黃斑部中心小凹內是錐狀細胞最多的位置，錐狀細胞直徑約爲 1.5 μm，細胞間的空隙爲 0.5 μm，所以兩個錐狀細胞中心的距離約爲 2 μm，一個錐狀細胞與相鄰兩個錐狀細胞中心距離爲 4 μm，如圖 1-2。用眼睛節點距離中心小窩的距離 16.67 mm 計算，兩個錐狀細胞中心對節點的夾角爲 49 秒角。因爲人眼利用相隔一個視錐細胞的兩個視錐細胞受到刺激，才能夠區分。因此，受到視網膜細胞大小的限制，理論上光感受器能區分的極限爲 49 秒角，但還是有個體差異存在。最小視角的大小，根據視網膜上單位面積所包含

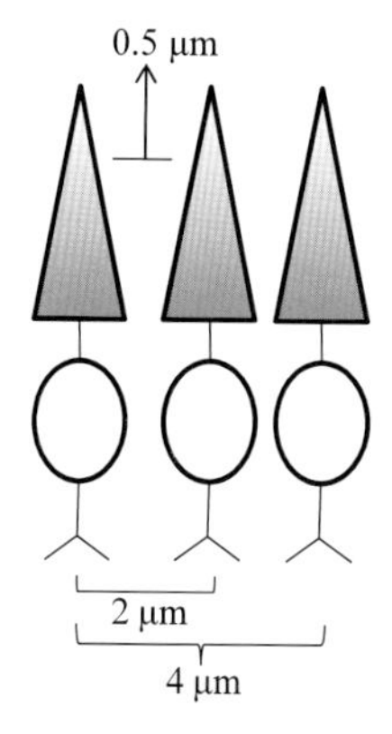

$\tan\theta^{o} = 4 \times 10^{-3} / 16.67 = 0.0002399$

$\theta = 0.0137^{o}$

$= 0.0137 \times 60$（1度60分角）

$= 0.825$ 分角 $\times 60$（1分60秒角）

$= 49.49$ 秒角

圖 1-2　錐狀細胞排列圖

小，所測得的最小視角也越小。因此，黃斑部的中心小窩因爲錐狀細胞最爲密集，視力值最佳，離中心小窩越遠，視力也就越爲下降。同樣的，若是因爲某些眼疾造成視網膜視的錐狀細胞數量下降或連接不佳，都會影響到視力品質。

二、光波動理論

光波動學指出光源通過眼睛系統後成像並不是一個點，而是一個光斑，稱爲 Airy 氏斑。Airy 氏斑對眼睛節點的夾角爲：

$\theta = 1.22\,(\lambda/d)$，$\lambda$ 爲光波長 (nm)，d= 瞳孔的直徑 (mm)

舉例說明：有一個直徑 3 mm 瞳孔，若要使波長 555 nm 的兩個點可以被區分解析，Airy 氏斑的角度最小爲多少？

因此，人眼最小分辨角 $\theta = 1.22\,(\lambda/d)$。

$\theta = 1.22\,(5.55\times10^{-7}/3\times10^{-3}) = 2.257\times10^{-4}$ 徑度（radians）

轉換成弧分（minute of arc）

$\theta = 2.257\times10^{-4}$ 徑度 $\times$（$180^{o}/\pi$ 徑度）$(60'/1^{o}) = 0.78'$（弧分）

表示瞳孔直徑 3mm，Airy 氏斑峰值至少需要間隔 0.78 弧分；

反之，如果瞳孔爲 5mm，則需要間隔 0.47’（弧分）。這也說明當瞳孔越小，Airy 氏斑峰間隔必須間隔越大，才能夠分辨。

三、環境因素

包含物體的尺寸、環境的亮度、物體的對比和精密度等等。一般而言，物體愈大對於視覺愈容易，此處表達並非物理尺寸的大小，而是在距離考量下的相對視角大小（Angular size）。亮度較高較容易刺激眼睛反應。光的通量單位爲流明（lumen, lm），光投射到單位面積上的光通量爲照度，每平方米接受 1 流明的光通量時，稱爲照度 1 勒克斯（lux, lx）。亮度爲眼睛觀察物體明亮的感受，視網膜的照度常用亮度表示，亮度的單位爲 cd/m^2，指單位面積所接受的光通量多寡。對比定義爲物體與其背景的亮度差異。在照度相同的情況下，例如：白底黑字或黑底白字，即爲物體（黑字）與背景（白紙）的高差異度，差異愈大愈易觀看。對比越低需要愈高的照度來幫助，通常對比減少 1%，亮度必須增加 10～15% 光量。

四、視覺障礙

有些眼疾病會突然影響單眼視力，例如：虹膜炎、急性青光眼；或視網膜動靜脈阻塞、玻璃體出血和黃斑部出血等。雙眼突然視力減退可能由於視神經炎或藥物中毒引起。而眼睛屈光系統的疾病或外傷，也有可能影響視力值，角膜方面的問題，如：角膜炎、外傷、圓錐角膜等；水晶體方面的問題，如：白內障；以及玻璃體混濁等等。

第二節　視力表設計原理

一、視力表的設計

依據視角，視標設計單位爲 1 分角，所以稱 1 分角爲基本視標，高度通常爲 5 倍設計，爲 5 分角。根據 1862 年史奈爾（Snellen）的設計，字母 E 視力表爲最初設計原理，主要筆畫爲 1/5 字母高度。遠距離視力的檢查距離爲光學上無限遠處（Optical infinity），通常將檢查距離設定爲 6 公尺處。如圖 1-3 所示，E 視標 1.0 的大小，視標高度爲 8.73 mm。

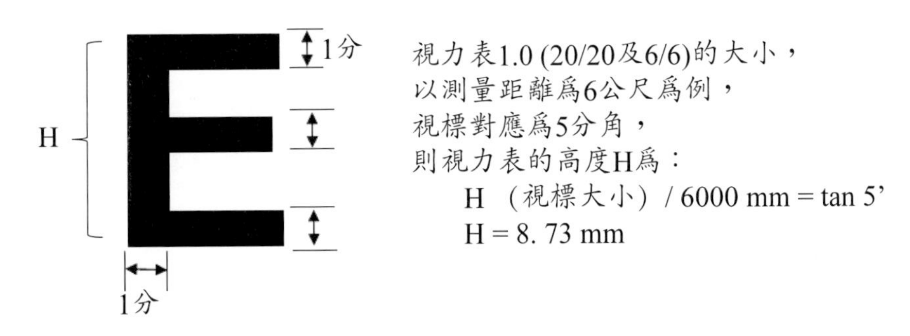

圖 1-3　E 視標基本視標高度

Landolt C 環是帶缺口的環，外直徑是筆畫的五倍，因此內直徑是筆畫的三倍，缺口大小爲一個筆畫寬。通常檢查方向爲四個方位有上、下、左和右；但也有八個方位有上、下、左、右、左上、左下、右上以及右下。通常將檢查距離設定爲 5 公尺處。如圖 1-4 所示，Landolt C 環視標 1.0 的大小，視標高度爲 7.27 mm。

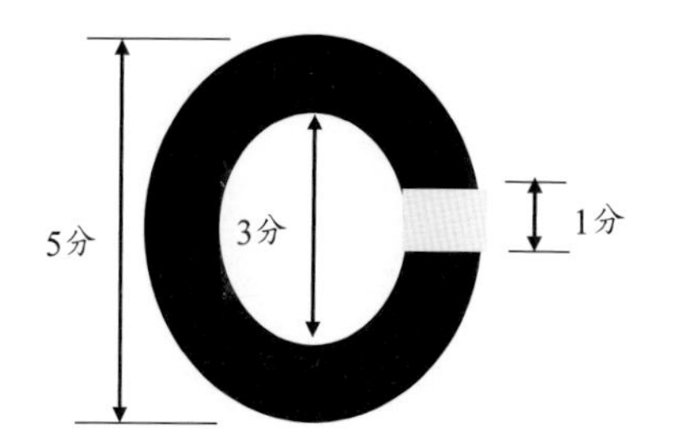

視力表1.0 (20/20及6/6)的大小，
以測量距離爲5公尺爲例，
視標對應爲5分角，
則視力表的高度H爲：

H（視標大小）/ 5000 mm = tan 5’

H = 7.27 mm

圖 1-4　Landolt C 環視標基本視標高度

視力表包括有 E 表、C 表、字母視標、數字和圖片等等，字母視標是以格子狀設計，字母高爲五個單位，粗細爲一個單位，常用的字母包括：A、D、E、F、H、N、P、Z 等。而數字和圖片對於兒童檢測較爲容易。E 字型與 Landolt C 環視標高度如表 1-1。

表 1-1　E 字型與 Landolt C 環視標高度

小數點制	E 視標高度（6m）	C 視標高度（5m）
1.0	8.73 mm	7.27 mm
0.9	9.7 mm	8.08 mm
0.8	10.91 mm	9.09 mm
0.7	12.47 mm	10.39 mm
0.6	14.55 mm	12.12 mm
0.5	17.46 mm	14.54 mm
0.4	21.83 mm	18.18 mm
0.3	29.10 mm	24.23 mm
0.2	43.65 mm	36.35 mm
0.1	87.30 mm	72.70 mm

二、視力表的形式

視力表可以利用印刷、投影或螢幕方式呈現。印刷可以印在透明的膠片再搭配燈箱，也可以直接黑字白底印在紙上，但量測時必須搭配視標大小於標準的檢查距離處進行。投影系統通常需要搭配投影板，投影板上有特殊塗料，以確認對比度是符合檢查標準，投影系統通常可以搭配檢查距離進行視標大小的修正，通常一排檢查爲五個視標，但在較大視力值時通常可能只有一至三個。螢幕視標，通常可以提供多種模式和圖案，也可以隨機改變視標順序，字體大小也可以依據檢查距離進行修正，通常在檢查空間較爲侷限的檢查室，多選擇使用螢幕型視力表。不論採用哪一種視力表，皆要注意照明度，建議標準亮度爲 85～320 cd/m^2。若利用投影機或燈箱的形式，室內光線以微暗較佳；而印刷紙的視力表亮度則要提高。因此，測量時請選擇適當的光線環境，並且注意不要有會造成眩光的光源而影響受檢者。

第三節　視力值測量

臨床上有很多量測的方式，而不同的目的下會選擇不同的測量方法與視標。而所有視力測量結果都取決於視力解析度，其中涵蓋光學與視覺層面，也就是偵測到線條是否破裂、兩條分開的平行線或是光點。這些閾值可以用 E 字表、C 字表、線條或是其他視標量測出。下面幾種不同的目的，會影響視力檢查方式的選擇，例如：

- 臨床上使用來決定屈光不正的矯正度數
- 當成篩檢患者有無眼睛不正常的狀態

・作爲疾病變化的指標，或治療上有無成效

・檢測視覺輔具是否幫助個人視力狀況

・用於評估某些狀態的能力（例如：駕照考試前的檢查）

視力檢查也會依據目的不同而檢查裸視或矯正視力，矯正的方式可能有鏡框眼鏡、隱形眼鏡或雷射屈光手術等不同方式，也應該在檢查紀錄單上詳細記錄。一般而言，檢查順序爲單眼再雙眼，裸視後再量測矯正視力，遠距離視力再近距離視力。若有特殊距離的檢查需求，例如：中距離視力（電腦距離）、顯微鏡專用眼鏡視力等，都應該在檢查紀錄中明確的標示。

一、視力檢查工具與方法

（一）遠距離視力

設定：使用投影系統，應關閉室內大燈並將頭燈打開，使環境維持偏暗或半暗；使用視力表則必須打開室內燈及頭燈。

工具：E 表、C 表和 EDTRS letter 視力，如圖 1-5。

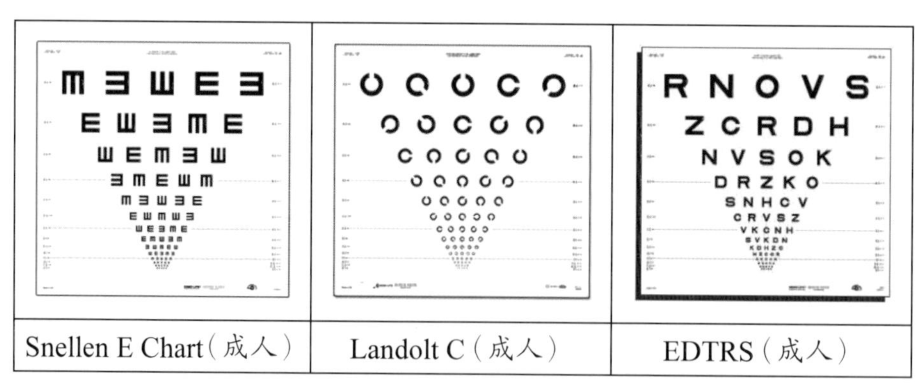

圖 1-5　常用成人視力表（Good-Lite 公司視力表）

備註：E 表、C 表如前一節描述。Bailey-Lovie 視力表於 1976 年由 Bailey 和 Lovie 所設計，該視力表設計原則包括：對數單位的增加（每一行的比例固定）、每一行的字母間格固定且相等、字母間距與行間距和同行的字母大小成比例、各行視標的可辨性相同。臨床上常用的 EDTRS 視標就是基於 Bailey-Lovie 理念設計。每一個視標皆有標準的檢查距離，檢查前必須先設定完成。

步驟：

1. 確認受檢者的座位與高度，眼睛平面最好與視力表等高，讓受檢者處於一個舒服且自然的姿勢。
2. 以酒精棉球消毒遮眼棒。檢查者需觀察受檢者是否有正常看視標，或出現瞇眼、斜著頭看、遮眼棒沒遮好等情況，需先提醒受檢者後再繼續檢查。
3. 請受檢者配戴日常慣用的眼鏡或隱形眼鏡，若無矯正眼鏡則以裸眼檢查。可分成裸視或配戴看遠習慣處方，單眼測試及雙眼測試。
4. 打開最大視標（視力投影系統），或是請受檢者觀察視力表上最大的一行（視力表系統）。
5. 以遮眼棒輪流遮住右眼及左眼。請受檢者告知哪一眼影像較爲清楚。
6. 如果受檢者表示兩眼影像有明顯差異，則以視力較差那一眼先檢查。如果受檢者告知差不多或一樣清楚繼續下一步驟（此時應該遮著左眼）。
7. 打開有 20/40 視標（此時投影應爲 20/40、20/30 及 20/25 三行），請受檢者由左至右唸出最小可辨識之一行視標。

8. 如果受檢者可唸出該行一半以上視標，則認定通過該行測驗。
   (1) 如果受檢者無法唸出最大一行視標（20/40），則將視標改為最大視標（20/400），依序請受檢者唸出。如果受檢者仍無法唸出最大一行視標，則跳至步驟 11。
   (2) 如果受檢者可以唸出最小一行視標（20/25），則將視標分格投影為 20/20，依序請受檢者唸出。
9. 記錄受檢者念出最小一行視標，並且記錄未唸出之視標數量，以及更小一行可唸出視標之數量。
10. 依序檢查另外一眼及雙眼視力並記錄之。
11. 當受檢者無法判讀最大視標時，可依下列步驟檢查。
   (1) 請受檢者站起來，並且慢慢走向視標，直到可以看到最大視標為止。
   (2) 測量受檢者與視標間的距離，換算出該眼的視力值。
   例如：測驗距離為 6 公尺，最大視標為 20/400(= Metric 6/120 = Decimal 0.05)。而受檢者走到 3 公尺處才能判定視標。則受檢者視力換算如下：
   英呎為測量單位：VA = 10/400；公尺為測量單位：VA = 6/120
   以測驗視標乘上可以判定的距離再除以標準檢查距離：
   $VA = 0.05 \times (3/6) = 0.025$
   (3) 當受檢者在任何距離都無法判讀最大視標時，可依下列步驟檢查。下述之數指、手動檢查都需要開室內燈和頭燈。光象限和光感則需要關室內燈和頭燈。
   A. 數指或指數（Counting fingers, CF）：

大約從距離受檢者 30 公分處，請受檢者唸出你比的手指頭數量，慢慢拉長距離直至受檢者無法辨識。再往前移動至受檢者可以再次唸出手指頭數量確認，測量手指與受檢者的距離並記錄。需特別注意因爲某些疾病可能會影響中心視野，因此檢查時可以移動手的位置，確認是否每一個視野是否受檢者都無法分辨。

如果受檢者在任何距離都無法分辨手指頭數量，則執行手動檢查。

B. 手動（Hand motion, HM）：

大約從距離受檢者 30 公分處，利用揮動的手掌當成視標，慢慢增加距離到受檢者無法辨識，再慢慢退到受檢者可以再次偵測到手掌晃動的位置，測量手與受檢者的距離。需特別注意因爲某些疾病可能會影響中心視野，因此檢查時可以移動手的位置，確認是否每一個視野是否受檢者都無法分辨。如果受檢者無法分辨手是否有晃動，則執行光象限。

C. 光象限（Light projection, LProj）：

使用筆燈或蛇燈在 50 公分的距離，從受檢者視野的四個不同方位（右上、右下、左上和左下）測量，請受檢者說出燈光出現的位置。

如果受檢者無法分辨燈光出現的位置，則執行光感（或光覺）。

D. 光感或光覺（Light perception, LP）：

使用筆燈或蛇燈於受檢者眼睛前方，打開及關閉電源數次，詢問受檢者是否看見燈光。需特別注意因爲

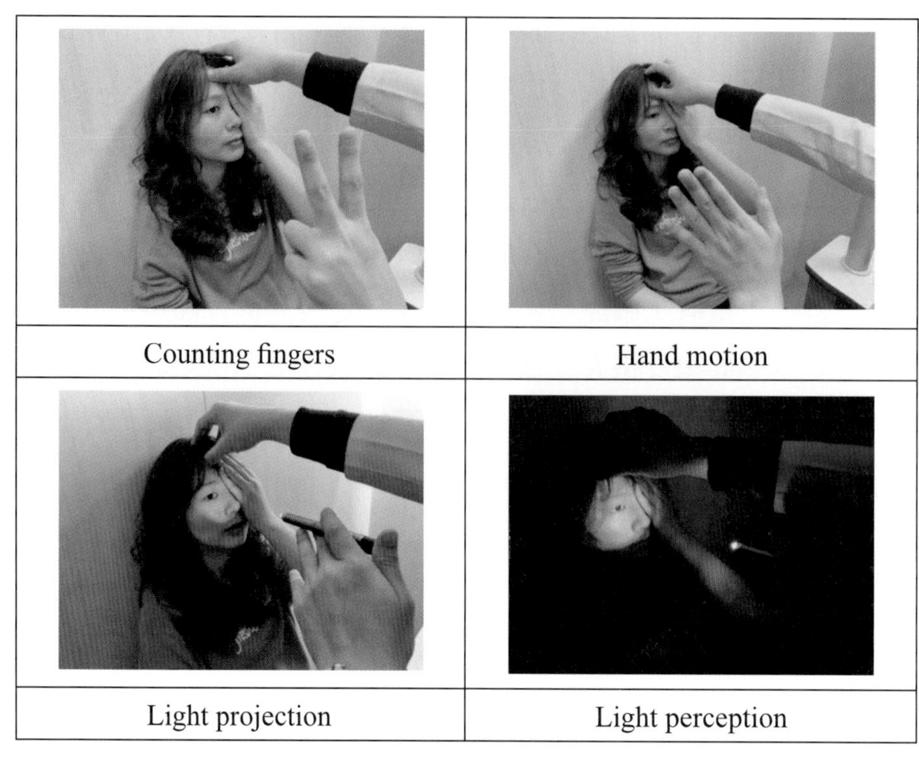

圖 1-6 特殊檢查法

某些疾病可能會影響中心視野，因此檢查時可以移動手的位置，確認是否每一個視野是否受檢者都無法分辨。如果可以看見燈光記錄爲有光感（LP）；無法感受有燈光，記錄爲無光感（NLP）。

注意事項

1. 受檢者配戴看遠慣用眼鏡，可直接測量配戴慣用眼鏡的視力。
2. 特殊狀況下除檢查配戴慣用眼鏡的視力之外，會優先測量裸眼視力，尤其是初診患者。
3. 通常在問診時觀察受檢者，如果沒有發現受檢者姿勢或走路上，有任何可能是因爲視力問題而導致的障礙時，可以從較大的視標 20/40（6/12、0.5）開始測量；若受檢者爲年長者或是視力不佳者，可以斟酌替換視標大小。

4. 檢查過程中，檢查者必須隨時觀察受檢者是否有正常看視標，如果出現有瞇眼、斜著頭看、遮眼棒無準確遮蓋等狀況，必須先提醒受檢者後再繼續檢查。
5. 當受檢者唸出來可看到的最小一行時，盡量鼓勵受檢者再試看下一行，可以請受檢者試著猜看看，直到同一行有一半以上的視標看錯爲止。

（二）針孔視力

工具：1.0～1.5 mm 針孔板、遮眼棒、遠距離視力表。

使用時機：當受檢者單眼遠距離及近距離最佳矯正視力未達小數點制 0.8，或英尺制 20/30 者，則需要使用針孔板測量視力，確認視力不佳是因爲光學矯正未完全或是疾病、弱視等問題造成視力不良。

圖 1-7　針孔板

步驟：

1. 確認受檢者的坐位與高度，眼睛平面最好與視力表等高，讓受檢者處於一個舒服且自然的姿勢。
2. 以酒精棉球消毒遮眼棒。檢查者需觀察受檢者遮眼棒有沒有遮好等情況，需先提醒受檢者後再繼續檢查。
3. 以遮眼棒遮住未檢查眼，並請受檢者另一手持針孔板，自行將針孔對準檢查眼。
7. 請受檢者由左至右唸出視標，直到最小可辨識之一行視標。
8. 確認受檢者視力是否比沒有針孔板時進步。
   (1) 若有，表示受檢者視力不佳是因爲矯正不全所致。
   (2) 若無，表示受檢者視力不佳是因爲疾病、弱視等原因，必須轉介眼科醫師進行更詳細的檢查。
9. 詳細記錄檢查結果。

（三）近距離視力

工具：近距離視標卡、遮眼棒

設定：必須打開室內燈及頭燈，請受檢者配戴慣用近距離矯正處方，標準成人近用視標檢查距離爲 40 公分，但會依據受檢者視力使用需求調整距離，例如：電腦用眼鏡視力約爲 60-80 公分。

視標：近距離視標很多不同型式如圖 1-8 成人常用的近距離視力表。

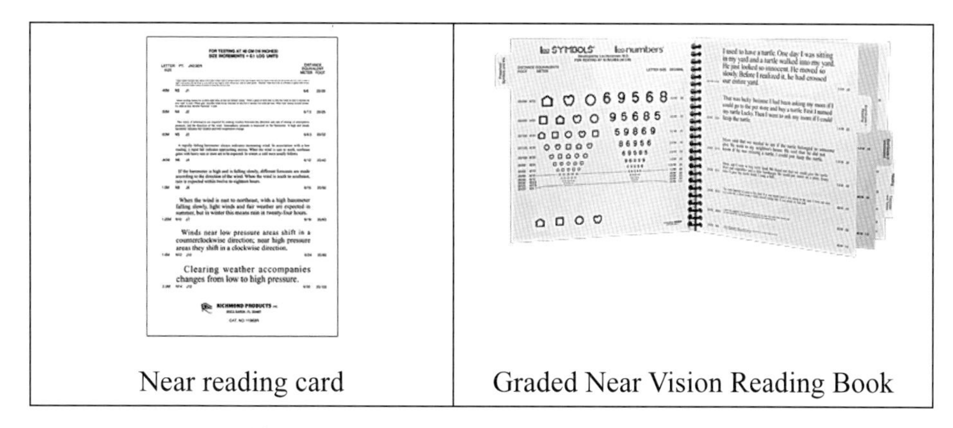

Near reading card　　Graded Near Vision Reading Book

圖 1-8　常用近距離檢查視標（Good-Lite 公司視力表）

步驟：

1. 請受檢者手持遮眼板，遮住未檢查眼。並告知受檢者不可瞇眼或斜著看，先測右眼後測左眼。確認燈光充足，室內燈打開，頭燈投射視標但不能產生反光和眩光。
2. 請受檢者先看近距離視標卡上最大一行視標，如能辨認，則依序請受檢者唸出更小一行的字體。
3. 鼓勵受檢者盡量讀出更小一行的字體，若是該行視標有一半猜錯則停止檢查，記錄受檢者的近用視力。
4. 遮蓋其右眼，量測左眼繼續 1～3 步驟。最後量測雙眼的近用視力。

二、嬰幼兒視力檢查工具與方法

工具：Preferential looking acuity、視動性眼球震顫（Optokinetic nystagmus, OKN）、Lea 視標

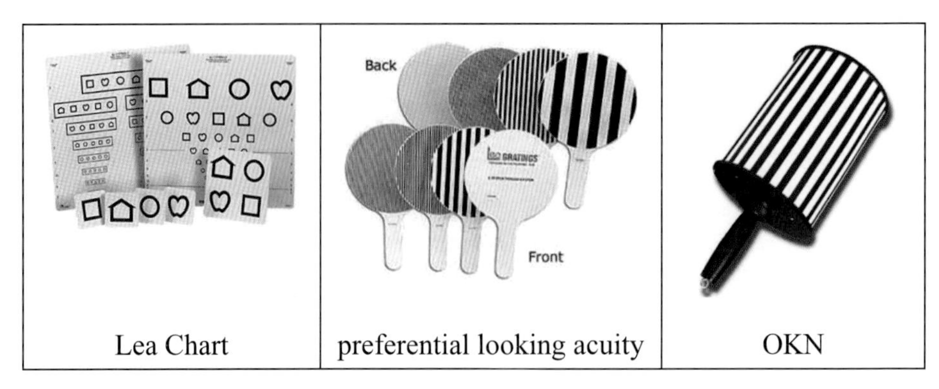

圖 1-9　常用嬰幼兒視力檢查工具

Preferential looking acuity：比起空白的背景嬰兒對於條紋感興趣，此方法為檢查板上一半為空白，另一半有條紋，卡片中央有一個小孔供檢查者觀察受檢者的眼睛。

步驟：

1. 嬰幼兒坐在檢查者前方約 35 公分處，檢查者將 PL 卡片放在嬰幼兒前方，觀察嬰幼兒的反應。
2. PL 卡片中間有一個小孔，檢查者可以透過這個小孔觀察嬰幼兒看到卡片瞬間的反應，觀察是否有往條紋的方向移動。
3. 若嬰幼兒視力發展已達到閾值，將會轉頭或眼睛移向條紋方向，隨機出現卡片並觀察。
4. 檢查一開始，會先使用低於該年齡層視力值的卡片開始，慢慢更換頻率更高的卡片，確認最佳視力值。
5. 嬰幼兒無法分辨時，頭和眼睛將不會移動，記錄最佳視力值。

視動性眼球震顫（OKN）

步驟：

1. 將有黑白條紋的測試鼓置放於嬰兒前，開始緩慢轉動。鼓轉動時，嬰兒雙眼將會順著鼓轉動，接下來會出現一個快速的逆向回退性轉動，重複順向和逆向的轉動，稱為視動性眼球震顫。持續觀察嬰兒雙眼，隨著線調頻續增加，直到嬰兒不產生視動性眼球震顫的柵欄即為嬰兒視力值。

第四節　視力值紀錄

視力值的表示方式有很多不同的型式，常見的有英尺制、公尺制、小數點制、對數制和 M 系統。下列表 1-2 為遠距離視力不同型式表示法。視力值的表示方式，分子為標準檢查距離，分母為字型大小，依據不同的單位會有不同的數字表示。表 1-3 為近距離視力不同型式表示法。

1. 英尺制：遠距離視力用英尺作為單位時，20 英尺為標準的檢查距離（接近無限遠）。因此，分子皆為 20；而分母為相對於 20 英尺的視標大小。例如：20/20 表示在檢查的標準距離 20 英尺可看到高 8.73 mm 的視標。而 20/40 表示在檢查的標準距離 20 英尺可看到高 17.46 mm 的視標。

2. 公尺制：遠距離視力用公尺作為單位時，6 公尺為標準的檢查距離（接近無限遠）。因此，分子皆為 6；而分母為相對於 6 公尺的視標大小。例如：6/6 表示在檢查的標準距離 6 公尺可看到高 8.73 mm 的視標。而 6/12 表示在檢查的標準距離 6 公尺可看到高

表 1-2　遠距離視力不同型式表示法

視力值		小數點	英尺	公尺	4m (ETDRS)	1m (Low vision)	MAR	Log MAR
正常視力	正常視力	1.6	20/12.5	6/3.8	4/2.5	1/0.63	0.63	-0.2
		1.25	20/16	6/4.8	4/3	1/0.8	0.8	-0.1
		1.0	20/20	6/6	4/4	1/1	1.0	0
		0.8	20/25	6/7.5	4/5	1/1.25	1.25	+0.1
	輕微視力喪失	0.63	20/32	6/9.5	4/6.3	1/1.6	1.6	0.2
		0.5	20/40	6/12	4/8	1/2	2.0	0.3
		0.4	20/50	6/15	4/10	1/2.5	2.5	0.4
		0.32	20/63	6/19	4/12.5	1/3.2	3.2	0.5
低視力	中度視力喪失	0.25	20/80	6/24	4/15	1/4	4.0	0.6
		0.20	20/100	6/30	4/20	1/5	5.0	0.7
		0.16	20/125	6/38	4/25	1/6.3	6.3	0.8
		0.125	20/160	6/48	4/32	1/8	8.0	0.9
	嚴重視力喪失	0.10	20/200	6/60	4/40	1/10	10	+1.0
		0.08	20/250	6/75	4/50	1/12.5	12.5	1.1
		0.063	20/320	6/95	4/63	1/16	16	1.2
		0.05	20/400	6/120	4/80	1/20	20	1.3
	深度視力喪失	0.04	20/500	6/150	4/100	1/25	25	1.4
		0.03	20/630	6/190	4/125	1/32	32	1.5
		0.025	20/800	6/240	4/160	1/40	40	1.6
		0.02	20/1000	6/300	4/200	1/50	50	1.7
盲	近距離盲	0.016	20/1250	6/380	4/250	1/63	63	1.8
		0.0125	20/1600	6/480	4/320	1/80	80	1.9
		0.01	20/2000	6/600	4/400	1/100	100	+2.0
	全盲	無光感						

17.46 mm 的視標。

3. 小數點制：習慣用法，將分子直接除以分母得到數字，直接用來表達視力值好壞，數字大於 1.0 表示比一般正常視力佳；數字小於 1.0 表示比一般視力差。

4. 對數制：常用於比較視力好壞定量時使用，先將視力值換成視角 MAR，再取對數。例如：小數點制 1.0 換算成視角 MAR 爲 1.0，取完對數後，LogMAR 值爲 0.0。而小數點制 0.1 換算成視角 MAR 爲 10，取完對數後，LogMAR 値爲 1.0。因此，LogMAR 値數值越小表示視力越佳；數值越大表是視力越差；負值則表示視力以小數點制而言，視力比 1.0 更好。如表 1-2。

5. M 系統：視力值也可以寫作史奈倫分數表示（m/M），分子指檢查的距離，單位爲公尺；分母爲 M，指在 1 公尺距離可見 1 分角的視標高度。在公尺制的視標中，已知 6 公尺可見 1 分角的視標高度爲 8.73mm，因此在 1 公尺可見 1 分角的視標高度爲 1.45mm（8.73 / 6 mm），所以 1.0M = 1.45mm，其記錄爲 1.0 / 1.0M，舉例來說，如果受測者在 40 公分處可以看見 0.8M，則視力爲 0.4 /0.8M，相當於小數點制視力 0.5。其記錄標識如下：

m/M = 檢查距離（單位：公尺）/ M 系統的視標尺寸

6. Jaeger 系統：在國外，Jaeger 系統廣泛的運用在近視力檢查及記錄上，以字母 J 附加一個數位來表示視標尺寸，並且同時記錄檢查距離（如：J2, 40cm）。但是 Jaeger 系統的字型及尺寸沒有標準化，受測者經由不同製造商所生產的視力卡檢查，常常出現落差，也因此 Jaeger 系統僅適用於描述近視力表現，不適用於標準近視力檢測。

7. N 標識法：由於 Jaeger 系統不適用於標準近視力檢測，因此另行以現代羅馬字體（Times New Roman）作爲標準近視力檢查字體，印刷排版以 1/72 英吋爲 1 點，而 M 系統中 1.0M 的視標高度爲 1.45mm，印刷排版字體以 4 點最爲接近（4 / 72 inch = 1.41

mm），而英文字體與漢字不同，其小寫字母如 c、s、m、u 等，僅有整體印刷字體的 1 / 2 高度，所以 8 點相當於 1.0M 視標，以字母 N 附加一個數位來表示視標尺寸，並且同時記錄檢查距離（如：N8, 40cm）。

表 1-3　近距離視力不同型式表示法

史奈倫（英尺）	Jaeger 系統	Point 系統	M 系統
20/12.5	-	-	0.25
20/16	-	-	0.32
20/20	1	3	0.4
20/25	2	4	0.5
20/30	3	5	0.6
20/32	4	6	0.64
20/40	5	7	0.8
20/50	6	8	1.0
20/60	7	9	1.2
20/63	8	10	1.3
20/80	9	11	1.6
20/100	10	12	2.0
20/114	11	13	2.3
20/125	12	14	2.5
20/160	13	21	3.2
20/200	14	23	4.0

第五節　視力檢測標準

由於先天或後天原因，視覺構造或機能發生部分或全部之障礙，所造成的視力低下，在世界衛生組織（World Health Organization, WHO）的定義中，視力值介於 0.3（20/60）至 0.05

（20/400）之間爲低視力（Low vison），如果優眼矯正視力在 0.05 以下或視野在 10 度以內則定義爲盲（Blindness）。完全沒有視覺的人非常稀少，定義上的盲人多數都有剩餘視力。視力檢測應包括中心及周邊視力，常規的視力檢查僅爲中心視力，而周邊視力即爲視野。

對於視力表現在不同的生活情境，其要求也不同，依據道路交通安全規則，汽車駕駛人除身心障礙者及年滿六十歲職業駕駛者外，其視覺相關檢查合格標準爲：

1. 視力：兩眼裸視力達〇．六以上者，且每眼各達〇．五以上者，或矯正後兩眼視力達〇．八以上，且每眼各達〇．六以上者。

2. 辨色力：能辨別紅、黃、綠色者。

3. 視野左右兩眼各達一百五十度以上者。但年滿六十歲之駕駛人，視野應各達一百二十度以上。

4. 夜視無夜盲症者。

鐵路行車人員技能體格檢查規則，視覺相關檢查合格標準爲：

1. 兩眼辨色力正常、無斜視，且兩眼矯正視力均在零點八以上。

2. 但駕駛人員兩眼矯正視力均在一點零以上。

遊艇與動力小船駕駛管理規則，視覺相關檢查合格基準爲：

1. 營業用動力小船駕駛視力，在距離五公尺，以萬國視力表測驗，裸眼或矯正視力兩眼均達零點五以上。

2. 遊艇駕駛、自用動力小船駕駛及助手之視力，在距離五公尺，以萬國視力表測驗，裸眼或矯正視力兩眼均達零點五以上。

船員體格健康檢查及醫療機構指定辦法條列，航海人員經發現有下列情形之一者，視力檢查爲不合格：

1. 擔任當值工作之航行員及乙級船員其視力在距離五公尺，以萬國視力表測驗，任一眼矯正視力未達零點五。

2. 擔任當值工作之輪機員及乙級船員其視力在距離五公尺，以萬國視力表測驗，一眼矯正視力未達零點四及兩眼合併矯正視力未達零點四。

3. 非擔任當值工作之乙級船員，其視力在距離五公尺，以萬國視力表測驗，一眼矯正視力未達零點四及兩眼合併矯正視力未達零點四。

4. 航行員、輪機員、電信人員及參加航行當值之乙級船員，有色盲或夜盲。

航空人員體格檢查標準如下：

1. 左右眼裸眼或經戴鏡架眼鏡矯正後之遠距離視力應爲20/20。

2. 左右眼裸眼或經戴鏡架眼鏡矯正後之近距離視力應爲20/40。

3. 年滿五十歲者，其左右眼裸眼或經戴鏡架眼鏡矯正後之中距離視力應爲20/40。

4. 航空人員兩眼裸眼視力皆低於20/200時，每五年應提供一份完整之眼科報告。

世界衛生組織所頒布的國際健康功能與身心障礙分類系統（International Classification of Functioning, Disability, and Health, ICF）將視覺功能及相關損傷之分類如下：

表 1-4　ICF 視覺功能及相關損傷之分類

ICF 視覺功能項目			相關功能損傷
b210 視覺功能	視力		近視、遠視、散光、偏盲
	視野		中央和周邊視野盲點、隧道視野
	視覺品質	視覺品質	夜盲症、恐光症
		色覺	色盲
		對比敏感度	
		視覺圖像品質	物體扭曲變形、眼前出現亮點或閃光、飛蚊症等
		其他視覺品質	
	其他特定與非特定的視覺感覺		
b215 眼睛相關構造功能	眼睛內部和外部肌肉功能、眼瞼功能、淚腺功能		眼球震顫、乾眼症、眼瞼下垂
b220 眼睛和相關構造的感覺	眼睛疲勞、乾燥、刺痛等相關感覺		異物感、眼睛疲勞、灼熱感、刺痛感
b229 視覺和特定與非特定感覺			

其中有關 b210 視覺功能的診斷分類細分如下：

（一）b210.0：未達下列基準。

（二）b210.1

1. 矯正後兩眼視力均看不到 0.3，或優眼視力為 0.3，另眼視力小於 0.1（不含）時，或優眼視力 0.4，另眼視力小於 0.05（不含）

者。

2. 兩眼視野各爲 20 度以內者。

3. 優眼自動視野計中心 30 度程式檢查，平均缺損大於 10dB（不含）者。

（三）b210.2

1. 矯正後兩眼視力均看不到 0.1 時，或優眼視力爲 0.1，另眼視力小於 0.05（不含）者。

2. 優眼自動視野計中心 30 度程式檢查，平均缺損大於 15dB（不含）者。

（四）b210.3

1. 矯正後兩眼視力均看不到 0.01（或小於 50 公分辨指數）者。

2. 優眼自動視野計中心 30 度程式檢查，平均缺損大於 20dB（不含）者。

臺灣地區身心障礙人口於 2019 年統計約爲 118.3 萬人，約占全體人口總數 5.01%，其中視覺障礙爲 5.6 萬人，約占身心障礙人口 4.75%。對於視覺障礙分級與鑑定標準如下：

表 1-5　視覺障礙程度之分級標準

等級	障礙程度
重度	1. 兩眼視力優眼在 0.01（不含）以下者。 2. 優眼自動視野計中心 30 度程式檢查，平均缺損大於 20dB（不含）者。
中度	1. 兩眼視力優眼在 0.1（不含）以下者。 2. 優眼自動視野計中心 30 度程式檢查，平均缺損大於 15dB（不含）者。 3. 單眼全盲（無光覺）而另眼視力 0.2 以下（不含）者。
輕度	1. 兩眼視力優眼在 0.1（含）至 0.2 者（含）者。 2. 兩眼視野各爲 20 度以內者。 3. 優眼自動視野計中心 30 度程式檢查，平均缺損大於 10dB（不含）者。 4. 單眼全盲（無光覺）而另眼視力在 0.2（含）至 0.4（含）者。

依照教育部學生事務及特殊教育之，身心障礙及資賦優異學生鑑定辦法第四條規定：「視覺障礙，指由於先天或後天原因，導致視覺器官之構造缺損，或機能發生部分或全部之障礙，經矯正後其視覺辨認仍有困難者。

前項所定視覺障礙，其鑑定基準依下列各款規定之一：

1. 視力經最佳矯正後，依萬國式視力表所測定優眼視力未達〇．三或視野在二十度以內。

2. 視力無法以前款視力表測定時，以其他經醫學專業採認之檢查方式測定後認定。」

教育上對視覺障礙定義爲：教育上將視覺障礙分爲「盲」與「弱視」兩類，其所稱弱視是相當於視光領域的低視力：

1. 弱視：優眼視力測定值在 0.03 以上未達 0.3，或是視野在 20 度以內者，在學習活動中，需將教材字體適度放大，而仍然以文字爲主要學習工具者，稱之爲低視力。

2. 盲：優眼視力值未達 0.03，必須以點字爲主要學習工具者，則稱之爲盲。

經醫療單位診斷其視覺功能達視覺障礙者，得依法申請鑑定核發身心障礙證明，驗光人員於執業過程中如發現受檢者視力未達正常者，依驗光人員法規定，應轉介至醫師處診治。如已確診爲視覺障礙者，驗光人員應提供相關鑑定資訊，尋求社政資源補助。

許多眼睛和視力問題，沒有明顯的徵兆或症狀，一般民眾通常不知道潛在的視覺問題，定期眼睛和視力檢查是預防保健的重要方式，早期發覺眼睛和視力問題有助於保持良好的視力和眼睛健康，同時防止可能的視力減退。

完整的眼睛和視覺機能檢查項目如下：

· 問診（包括受檢者和家族健康史）

· 視力檢查（包括遠視力及近視力）

· 視覺功能和眼睛健康的初步檢查（包括深度知覺、辨色能力、周邊視野和瞳孔對光的反應）

· 評估屈光狀態（確認是否存在近視、遠視及散光）

· 評估雙眼視覺（包括眼睛變焦系統、眼球轉動協調能力）

· 眼睛健康檢查

· 其他附加測驗

依照臺灣眼疾及屈光不正盛行率，以及美國視光學學會（American Optometric Association, AOA）建議，依照年齡推薦眼睛和視力檢查頻率如下：

表 1-6　眼睛和視力檢查的頻率

年齡層	沒有症狀 或沒有潛在視覺問題者	有一定視覺問題者
出生至二足歲	出生後第六個月	出生後第六個月或建議時間
二歲至五歲	三歲時	三歲或建議時間
六歲至十八歲	小學一年級以後每一年一次	每一年一次或建議時間
十八歲至六十歲	每兩年一次	每兩年一次或建議時間
六十一歲以上	每一年一次	每一年一次或建議時間

在完整的眼睛檢查後，驗光人員必須給予適當的眼睛檢查頻率建議，並且在特定情況下轉介至醫療機構，執行進一步的檢查或治療。

參考文獻

Arthur G. Bennett, Ronald B. Rabbetts Clinical visual optics 2nd ed. 1989.

Amsterdam：Butterworth-Heinemann Optometric practice management 2nd ed. 2003.

Bennett & Rabbetts' clinical visual optics 4th ed. 2007.

Bikas Bhattacharyya；foreword, Debashish Bhattacharya Textbook of visual science and clinical optometry 2009.

J. Boyd Eskridge, John F. Amos, Jimmy D. Bartlett；with 41 additional contributors Clinical procedures in optometry 1991.

Michael P. Keating Geometric, physical, and visual optics 2nd ed. 2002.

Mark Rosenfield, Nicola Logan ; contributing editor, Keith Edwards. Optometry: science techniques and clinical management 2nd ed. 2009.

Theodore Grosvenor Primary care optometry 4th ed. 2002.

第2章 屈光不正

孫涵瑛

第一節　眼睛的光學系統

眼睛常被比喻成照相機，瞳孔如同光圈、伸縮鏡頭如同水晶體、底片如同視網膜，但其實眼睛的構造遠比相機來的複雜。眼睛可視爲一系列的透鏡成像，光線進入眼睛，經過折射、反射等作用，最後將訊號傳遞至視網膜。

一、眼睛的屈光系統

眼睛內有兩大光學系統：角膜與水晶體，角膜約占總眼球屈光度中的 2/3，水晶體約占 1/3，如圖 2-1 所示。平行光進入正視眼後，通過角膜、前房、水晶體、玻璃體等，最後剛好將訊號落在視網膜的感光細胞，感光細胞接收訊息後，通過內部訊號傳遞與整理，經由視神經、視覺傳導路徑，最後到達腦視覺皮質區（Visual cortex，大腦後部的枕葉初級視皮層 V_1 區）。那我們來談談眼睛中重要的光學組織：

1. 角膜：眼睛前部的透明組織，厚度約 0.5～0.6 mm，中心較薄，周邊較厚。前表面曲率半徑約爲 7.7 mm，覆蓋一層淚液層，再往前接觸空氣；後表面曲率半徑約 6.8 mm，後面接觸房水（折射率接近水爲 1.336），角膜折射率約爲 1.376。由此，可以計算出角膜總屈光力：

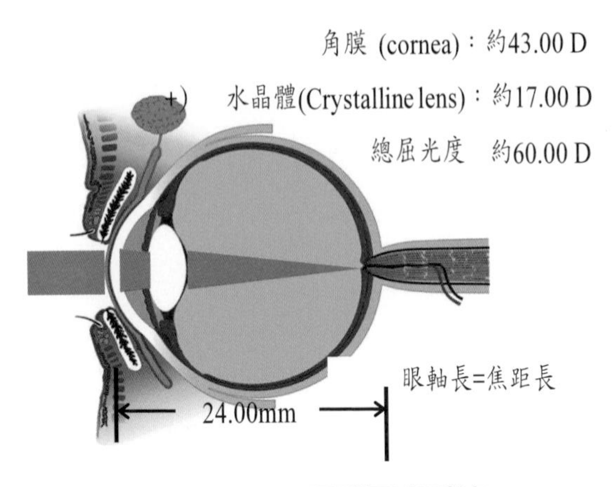

圖 2-1 眼睛屈光系統

前表面 F1 = (1.376 – 1.000)/0.0077 = +48.83 D

後表面 F2 = (1.336 – 1.376)/0.0068 = –5.88 D

總屈光力爲 F1 + F2 = +48.83 + (–5.88) = 42.95 D

2. 水晶體：水晶體爲透明組織，由放射狀纖維組成，排列規則。可以隨觀看的物體位置不同，提供屈光度增加，維持訊號還是在感光細胞上，此種聚焦的能力稱爲調節（Accommodation）。解剖構造上分爲囊袋、皮質和核，從胚胎開始就已經不斷地分裂纖維，老舊的纖維會被推擠至最內部，隨年紀增加囊袋變硬彈性減低，核部因爲纖維堆積而變硬，老化而造成彈性與透明度降低。直徑約 9 mm，成年人厚度約爲 3.6 mm，調節狀態下前後表面變凸，中央厚度增加。

二、模型簡化眼

眼睛的構造極爲複雜，每個組織結構組成不同，曲率、折射率及厚度皆不同，但爲方便計算，模型簡化眼（Reduced eye）建構在模擬類似人眼光學系統的簡化重點。對於很多光學問題和臨床案例，使用簡化的光學模型眼來計算或圖示是很重要的。最常使用的簡化眼將眼睛的屈光簡化成單一表面，此表面分爲眼外（空氣，折射率爲 1）以及水漾液（折射率爲 1.333），且此表面位於角膜平面右方 1.67 mm 處，單一節點（Nodal point）位於屈光表面中心曲率（曲率半徑爲 5.55 mm），如圖 2-2 所示。

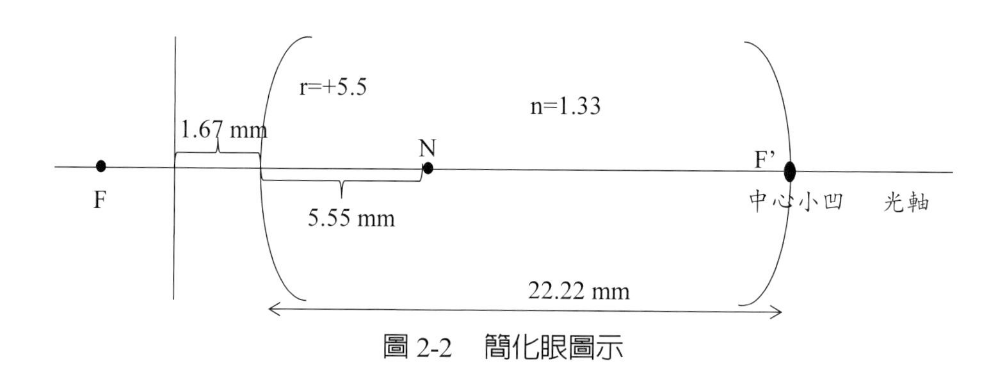

圖 2-2　簡化眼圖示

1. 正視眼的簡化眼：當一個無限遠的物體放置在正視眼的模型眼前，成像位置會剛好坐落在視網膜上；相對的，成像與眼睛的總屈光度如圖 2-3 所示。正視眼的總屈光度爲 60D，眼軸長約 22.22 mm。當物體在無限遠處時，共扼焦剛好落在視網膜上。

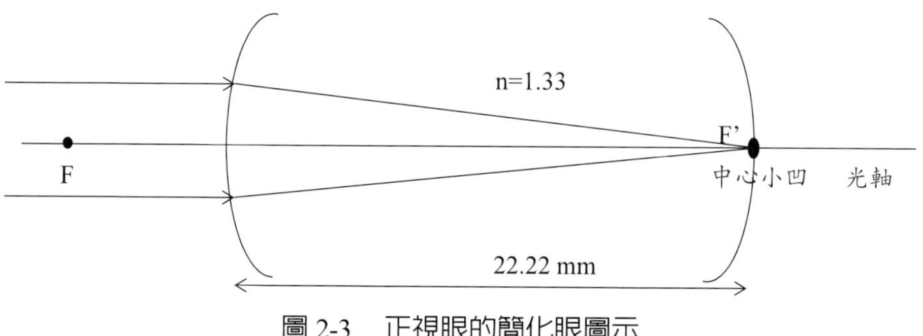

圖 2-3　正視眼的簡化眼圖示

2. 近視眼的簡化眼：近視眼分爲軸性近視及屈光性近視，軸性近視是因爲眼軸過長，造成焦點落在視網膜前，如圖 2-4 爲軸性近視，眼睛總屈光 60 D，眼軸爲 23.22 mm 爲例。屈光性近視的眼睛總屈光力大於 60 D，因眼睛屈光力過強，導致成像落在視網膜前面，如圖 2-5 所示。

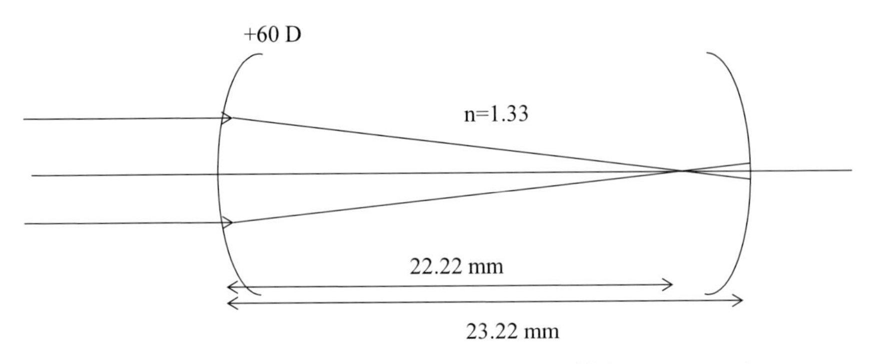

圖 2-4 軸性近視眼的簡化眼圖示（眼軸為 23.22 mm）

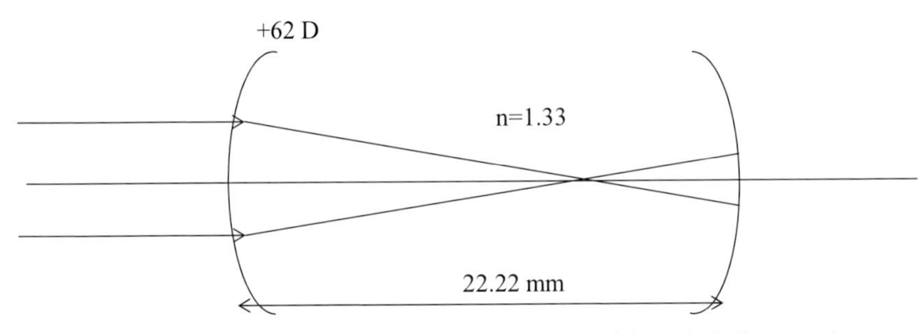

圖 2-5 屈光性近視的簡化眼圖示（眼睛總屈光度為 62 D）

3. 遠視眼的簡化眼：遠視眼分爲軸性遠視及屈光性遠視，軸性遠視是因爲眼軸過短，造成焦點落在視網膜後，如圖 2-6 爲軸性遠視，眼睛總屈光 60 D，眼軸爲 21.22 mm 爲例。屈光性遠視的眼睛總屈光力小於 60 D，因眼睛屈光力較弱，導致成像落在視網膜後面，如圖 2-7 所示。

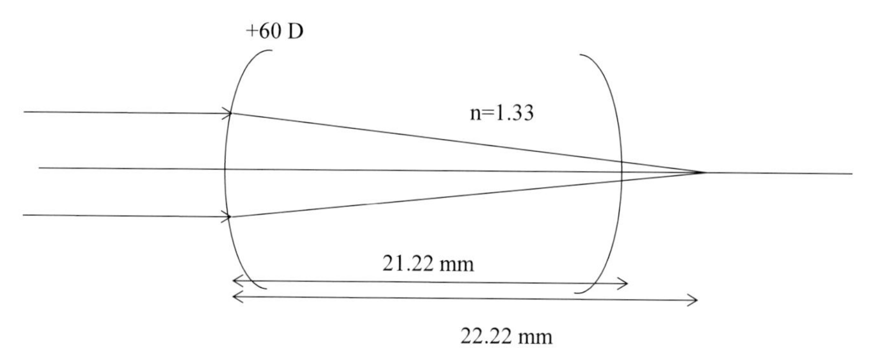

圖 2-6　軸性遠視眼的簡化眼圖示（眼軸為 21.22 mm）

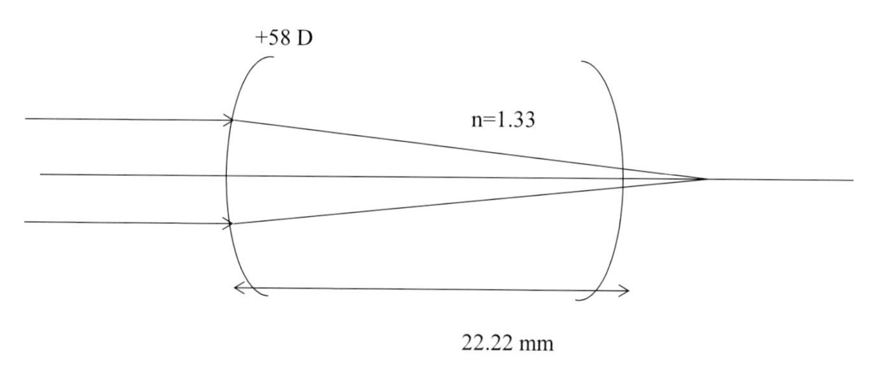

圖 2-7　屈光性遠視眼的簡化眼圖示（眼睛總屈光度為 58 D）

第二節　正視眼與正視化

一、正視眼與非正視眼

最小調節狀態下的眼球屈光狀態，大部分的定義，理論上是指當調節完全放鬆的狀態。但實際上，即使完全沒有光學去刺激調節，也不可能調節力完全爲零。因此，以下的狀態都是以最小調節狀態下去定義，屈光狀態可分爲以下幾種型式。

正視眼指視力正常者，無限遠的物體（類似於平行光）進入眼睛，在遠距離調節（最小調節力）之下，影像訊號落在視網膜的感光細胞上，此狀態稱爲正視（Emmetropia）。以較狹隘的屈光度定義爲 +0.50～–0.50 D。反之，非正視眼者，無限遠的物體（類似於平行光）進入眼睛，在遠距離調節（最小調節力）之下，影像訊號並沒有精準地落在視網膜的感光細胞上，此狀態稱爲非正視（Ametropia）。而影像有無精準地坐落在視網膜感光細胞上，主要和眼內光學系統之間的搭配有很大的關係，主要的影響條件包括：角膜屈光度、前房深度和眼軸長等。成年人眼軸約爲 24.00 mm，眼睛總屈光度約爲 58.64 D（圖 2-8）。

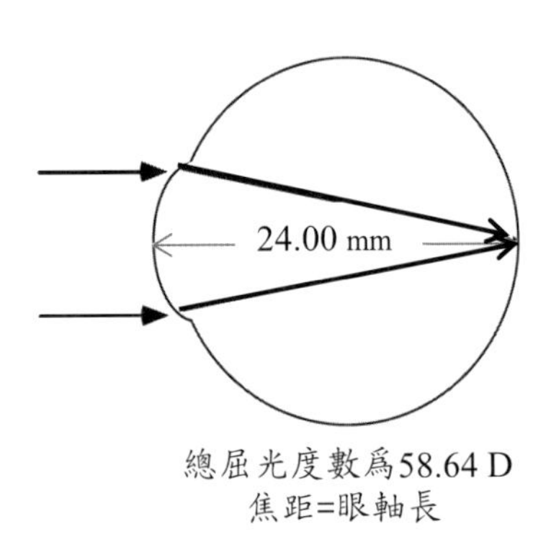

圖 2-8　眼軸與總眼屈光度

剛出生時通常會有少量的屈光異常（通常爲遠視），在嬰兒早期，會慢慢轉變成正視眼或些許的遠視，此過程稱爲正視化。通常在就學期間，因爲用眼習慣的不正確，近視率會慢慢提升，尤其東亞國家最爲嚴重，如臺灣地區高中生的近視比率高達 85% 以上，如表 2-1。將正視眼與非正視眼分類如圖 2-9 所示：

表 2-1　臺灣 6～18 歲近視盛行率

年別 年級	1986 年 (%)	1990 年 (%)	1995 年 (%)	2000 年 (%)	2006 年 (%)
國小一年級	3	6.5	12.8	20.4	19.6
國小六年級	27.5	35.2	55.8	60.6	51.8
國中三年級	61.6	74	76.4	80.7	77.1
高中三年級	76.3	75.2	84.1	84.2	85.1

（資料來源：衛生福利部國民健康署）

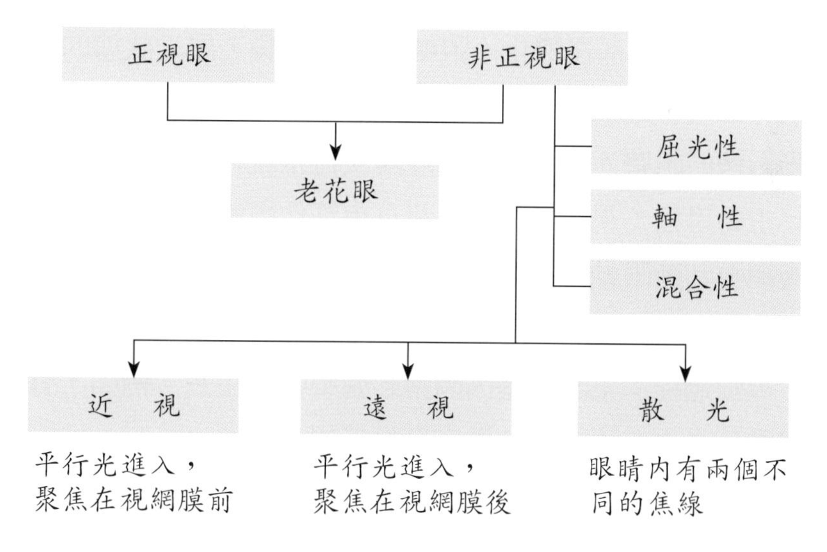

圖 2-9　正視眼與非正視眼的分類

老花眼並非分類於正視眼或非正視眼中，因爲不管爲哪一類皆會因老化發生老花眼的現象，老花將於第四章中詳述。非正視眼的原因分爲：屈光性、軸性以及混合性。屈光性是因爲眼內的屈光度太強或是太弱，導致影像訊號落在視網膜前或後，形成影像不清晰的狀況。軸性是因爲眼軸過長或過短，同樣會使影像訊號落在視網膜前或後。最後導致的狀態即爲近視、遠視或散光。

二、正視化

正視化（Emmetropization）是一個過程，剛初生的嬰兒因爲眼球較小，會呈現中低度遠視的狀態。出生後兩年快速生長，此時眼睛的屈光狀態以及眼軸都在進行改變，兩者會互相搭配，慢慢的屈光度趨於 0 度，眼軸長接近 24.00 mm，此過程稱爲正視化。整個正視化過程從出生至約 6～8 歲，屈光狀態從約 +2.75 D 至 +1.00 D，角膜與水晶體都在變化，眼軸也隨之增長，屈光狀態的球面度與散光度數皆改變，此時需要一個極爲重要的元素，視網膜需要獲得清晰影像的訊號。其中有兩個理論支持正視化過程：

1. 主動過程：視網膜接受的訊息會評估模糊量的多寡，此訊號會讓視網膜判斷眼軸增長的速度與程度，直到影像訊號落在視網膜上。

2. 被動過程：生理與基因因素影響眼軸的生長。例如，有近視的父母其孩童也有比較高的機率發生近視。

動物研究中藉由縫眼皮或鏡片進行影像剝奪（Form deprivation），讓人類得知正視化的過程與可能機轉；而在人類研究中觀察，如先天性白內障、眼瞼下垂、雙眼屈光參差等問題，而了解正視化。

第三節　屈光不正原理

一、近視

（一）定義

近視是指一種當調節力完全放鬆的情況下，平行光進入眼睛後，聚焦在視網膜前方的狀態。正常的情況下，眼球內的屈光系統產生的焦距會和眼軸長相互搭配。但近視產生的情況，可能原因爲眼球太長，或角膜的弧度太陡造成總屈光力太強，所以影像訊號聚焦在玻璃體的部分，而不是在視網膜上。

（二）臨床背景

一般而言，從兒童時期開始接觸書本等近距離工作開始。一旦近視之後，以每年約 0.35～0.55 屈光度的速率增進，成年後度數增加趨於平緩。北美地區約爲 25～26%，臺灣地區高達 85% 以上。老年人的近視度數變化通常與水晶體的改變有關。

近視的發展和遺傳以及環境都有相關，也有文獻提出近視和演化有關，因爲近距離工作增加，所以近視可能是演化的產物。營養、生活習慣、低亮度環鏡與戶外活動的多寡都已經證明和近視的進程有相關性，其他如人種、受教育的時間長短、家庭收入皆有相關。但目前被證實最有相關的因子爲近距離工作的多寡以及戶外活動時間的長短。

（三）型式

1.依據生理結構分類

(1) 軸性近視：因相對性的眼軸增長所造成的近視。眼軸增加 1 mm，大約會造成3個屈光度的近視（–3.00 D），如圖2-10所示。

(2) 屈光性近視：由於眼睛內的屈光組織曲率半徑改變而造成屈光度過強，例如：角膜、水晶體等，如圖 2-10 所示。

(3) 折射率近視：由於水晶體的折射率改變所造成，例如：核性白內障或一些病變所引起。

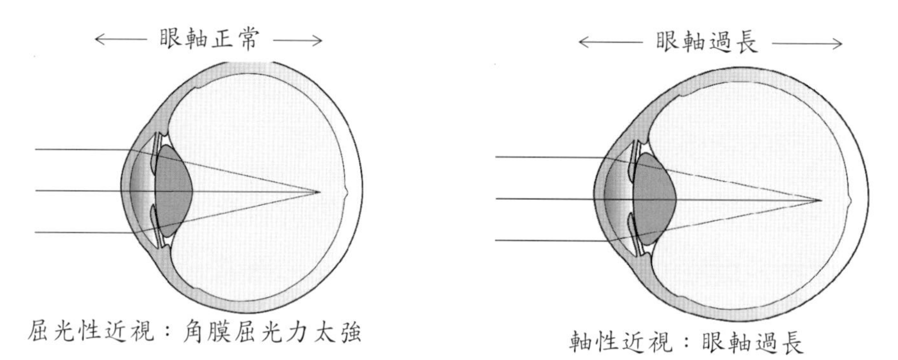

圖 2-10　近視眼：屈光性近視與軸性近視

2.依據臨床狀態分類

(1) 先天性近視：出生時即出現眼軸過長的狀況，通常是度數變動不大且很有可能超過 10 個屈光度（–10.00 D）。常伴隨有其他近視的併發症，例如：脈絡膜血管突出、視網膜色素缺乏、近視弧等。

(2) 簡單型近視：最常見的種類，因爲角膜及水晶體屈光度改變以及眼軸過長所造成。常出現於青少年時期，通常在成年後度數趨於穩定。較不容易出現眼後部退化性的病變，但在年紀較大後可能會出現周邊視網膜退化性的剝離現象。一般而言，度數不會超過 6 個屈光度（–6.00D），用適當的鏡片或隱形眼鏡即可矯正視力。

(3) 假性近視：假性近視命名是由於不適當的調節反應，而非眞正的生理性近視。常見於年輕人，由於做近距離工作時，睫狀肌短暫性麻痺及過多的壓力，造成懸韌帶看遠放鬆時無法放鬆。通常使用睫狀肌麻痺劑放鬆睫狀肌後，度數即降低或消失。

(4) 退化型近視：由於高度數近視而出現眼睛後部造成退化性改變，稱爲退化性或病理性近視。因爲眼軸增長導致視網膜變薄、玻璃體液化，包括視網膜神經細胞結構破壞、變性、色素細胞破壞，出現新生血管等問題。且因眼球增長，視神經周邊拉扯，視神經旁出現新月形病變。除了視力不佳，易導致視覺功能不正常，例如：最佳視力退化或視野的改變。常見併發症如視網膜剝離或青光眼等。

(5) 引發性近視：引發型或後天型近視大部分是因爲藥物服用、血糖的變化、水晶體硬化或是其他原因所造成。通常是暫時性以及可恢復性，只要藥效退去、血糖控制良好或是進行白內障摘除術後即可回復。

3.依據度數狀態分類

(1) 低度數近視：低於 3 個屈光度（< –3.00 D）。

(2) 中度數近視：3 到 5 個屈光度（–3.00～ –5.00 D）。

(3) 高度數近視：5 個屈光度以上（> –5.00 D）。

(4) 超高度數近視：8 個屈光度（> –8.00 D）。

（四）症狀

遠距離視力模糊、近距離視力正常。瞇眼、抱怨眼睛疲勞或頭痛、飛蚊症或眼睛有光閃爍的感覺、畏光或夜間視力減退。

（五）病徵

瞳孔變大、前房變深、玻璃體退化造成的飛蚊現象、眼底變化等。高度近視可能與青光眼、白內障和視網膜剝離及黃斑部退化有關。由於眼軸變長導致鞏膜變薄，眼球壁變脆弱。會有較高的機率視網膜邊緣破孔或破洞，這是因爲視網膜沒有像鞏膜這麼有彈性。

視杯、視盤都有生理性變大的變化、新月型變化、脈絡膜視網膜退化、不明顯的中心小窩反射、黃斑部退化。周邊視網膜退化利用直接眼底鏡就可以觀察（例如：格子狀退化等）。

（六）近視的視力狀態

近視度數與視力間有參考的相關性，雖然並非絕對，但對於依據視力狀態初步判斷近視度數有一定的參考價值，相關性如表 2-2 所示。

表 2-2　視力值與近視屈光度的相關性

視力值	屈光度
1.0 (6/6 or 20/20)	< –0.50 D
0.7 (6/9 or 20/30)	–0.50 D
0.5 (6/12 or 20/40)	–0.75 D
0.3 (6/18 or 20/60)	–1.00 D

視力值	屈光度
0.25 (6/24 or 20/80)	–1.50 D
0.16 (6/36 or 20/120)	–2.00 D
0.1 (6/60 or 20/200)	> –2.00 D

（資料來源：Bennett & Rabbetts, 1984）

（七）矯正方式

近視眼的患者平行光進入眼睛後，會聚焦在視網膜前面。因此，若需要得到清晰的影像訊號就必須增加光線的發散，讓影像訊號可以落在視網膜上，例如：配戴凹透鏡片或隱形眼鏡改變光線的聚焦位置。

1. 鏡框眼鏡：利用凹透鏡（發散透鏡）來矯正，近視眼應全矯正，若低矯可能會加快度數增加；過矯會讓患者使用調節力，長期配戴會造成眼睛疲勞及度數加深等問題。

2. 隱形眼鏡：和眼鏡比起來有較大視野，因爲較靠近眼睛（配戴在角膜上），所以影像的尺寸較大，外觀上比較好看。和眼鏡比起來影像的周邊較不會出現扭曲的現象。某些狀況可以控制近視的進程，例如角膜塑型片（夜戴型隱形眼鏡）。

3. 雷射屈光手術：準分子雷射屈光手術（Laser-assisted in situ keratomileusis），目前很普遍的一種矯正方式，但進行此手術之患者必須滿 18 歲，屈光變化需要穩定（6 個月內不超過 0.5 個屈光度），角膜厚度要符合安全標準。

（八）基本教育

1. 需要完全矯正，並養成良好的配戴習慣。

2. 近距離用眼（閱讀）需保持良好的閱讀距離，燈光必須充足。

3. 保持身體健康，例如：飲食需要均衡，多補充深色蔬菜。

4. 養成良好的運動習慣，尤其是戶外活動。

5. 若因爲病理性的近視造成的低視力，低視力的輔助是必需的。

6. 定期眼睛檢查。

二、遠視

（一）定義

因爲眼球太短，或角膜的弧度太平所造成，所以影像訊號聚焦在視網膜的後部，而不是在視網膜上，如圖 2-11 所示。

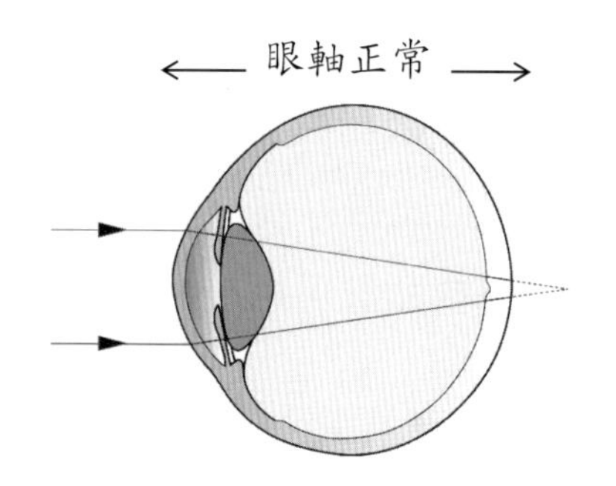

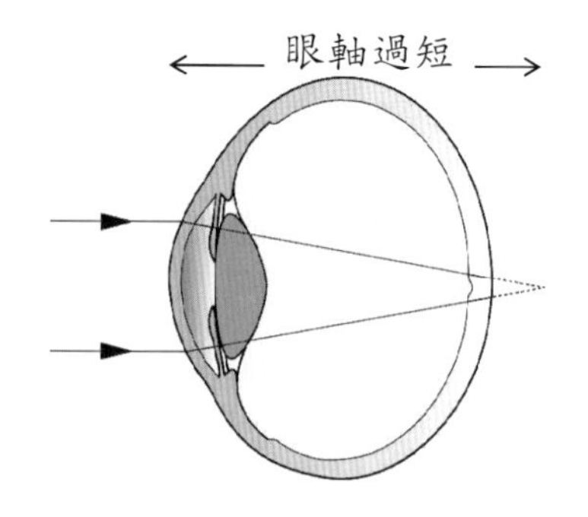

圖 2-11　遠視眼：屈光性遠視與軸性遠視

（二）臨床背景

遠視通常是因爲眼軸過短（眼睛較小），大部分都是先天性的。大部分新生兒會有低度數的遠視，會隨生長慢慢轉至正視，只有少部分會變成中高度數遠視。度數增進緩慢，大部分與基因遺傳有關。

其他影響因素很多，與度數、年齡、調節力及聚合系統皆有關。有些時候與疾病有關，例如：視神經萎縮、眼睛腫瘤都可能造成遠視。有些水晶體的問題也會導致遠視。

年輕的遠視者，如果有輕微至中度的遠視，因爲水晶體還非常年輕，通常會增加水晶體的調節能力來代償遠視，而不會出現任何的抱怨。但隨著年齡的增加，水晶體的調節能力下降，大約 40 歲左右開始，就會出現遠視眼的臨床症狀。調節力與遠視眼者相關性，舉例如下：

範例一　正視眼者看遠方與近距離40公分閱讀使用的調節力比較。

遠距離（6 公尺或 20 英呎），物體接近於光學上無限遠處，調節力完全放鬆，不需要使用任何調節力。

近距離閱讀（40 公分），物體置放在 40 公分處，眼睛爲使物體清晰，故開始使用調節力。

P = n/f（P：眼睛使用的調節力，n 物體所在的折射率，f 物體放置的位置（單位：公尺））

P = 1/0.4 => P = 2.50 D（眼睛使用 2.50 D 的調節力）

範例二　遠視眼 3.00 D 未矯正的患者看遠方與近距離 40 公分閱讀使用的調節力比較。

遠距離（6 公尺或 20 英呎），物體接近於光學上無限遠處，但因爲必須補償沒有矯正的3.00 D遠視，必須使用3.00 D調節力。

近距離閱讀（40 公分），物體置放在 40 公分處，眼睛爲使物體清晰，故必須使用調節力補償未矯正的遠視度數與近距離聚焦。

1. 代償遠視度數使用 3.00 D 調節力。

2. 近距離閱讀：P = n/f（P：眼睛使用的調節力，n 物體所在的折射率，f 物體放置的位置（單位：公尺））

P = 1/0.4 => P = 2.50 D（眼睛使用 2.50 D 的調節力）

總共使用的調節力爲 = 3.00 D + 2.50 D = 5.50 D。

由範例一與範例二可發現，遠視未矯正患者，看近時需要比已矯正或正視眼者使用較多的調節力，這也是爲何遠視未矯正患者會比已矯正或正視眼在近距離閱讀時較早出現模糊、疲勞以及頭痛等臨床症狀的原因。

表 2-3　調節幅度與年齡間的相關性

年齡（歲）	調節幅度（D）	年齡（歲）	調節幅度（D）
10	14.00	35	5.50
15	12.00	40	4.50
20	10.00	45	3.50
25	8.50	60	1.00
30	7.00	70	0.25

（資料來源：Donder’s table）

（三）型式

1.依據生理結構分類

(1) 軸性遠視：因相對性的眼軸較短所造成的遠視。眼軸減少 1 mm，大約會造成 3 個屈光度的遠視（+3.00 D）。生理性的因素主要發生在嬰兒時期，出生時眼睛就較小所致。病理性的軸性近視，主要是因疾病造成的視網膜前移，例如：眼睛的腫瘤、中心視網膜靜脈炎等。

(2) 屈光性遠視：由於眼睛內的屈光組織曲率半徑增加而造成，例如：角膜、水晶體等。曲率半徑增加 1 mm 會造成 6 個屈光度遠視（+6.00 D）。角膜角質化等疾病都會造成此種遠視。

(3) 折射率遠視：由於水晶體的折射率改變所造成，例如：核性白內障，常發生在一些年紀較大的患者。

2.依據調節相關性分類

(1) 隱性遠視（Latent hyperopia）：生理性遠視會被調節力補償，例如：睫狀肌收縮。如果沒有睫狀肌麻痺劑的使用，無法測量出隱性遠視的屈光度，必須在睫狀肌完全麻痺之下，才可以測量出度數。

(2) 顯性遠視（Manifest hyperopia）：被凸透鏡（聚焦鏡片）矯正的度數。

A.官能性遠視（Facultative hyperopia）：顯性遠視中的部分，可以被調節力補償，但在睫狀肌沒有被麻痺之下可以測量出來。

B.絕對性遠視（Absolute hyperopia）：此部分是無法被調節力代償的部分。

全部的遠視＝隱性遠視＋顯性遠視（官能性遠視＋絕對性遠視）。年輕的遠視眼患者，大部分是屬於隱性遠視。當年紀越來越大，水晶體的彈性降低，遠視的形態會慢慢轉變成顯性遠視，所以較老的患者，多屬於顯性的遠視，參見圖 2-12。

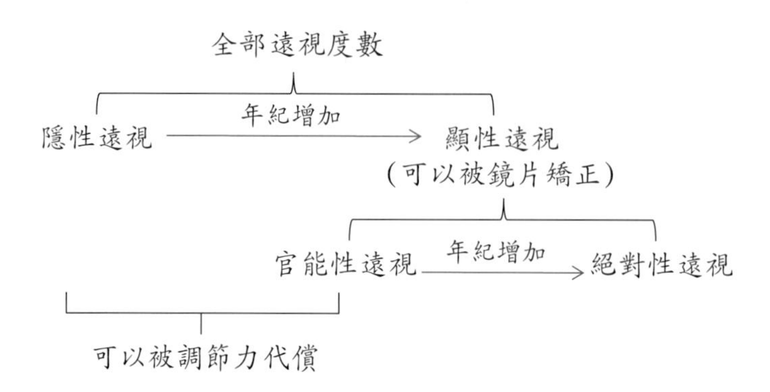

圖 2-12　遠視與調節力的相關性

範例一

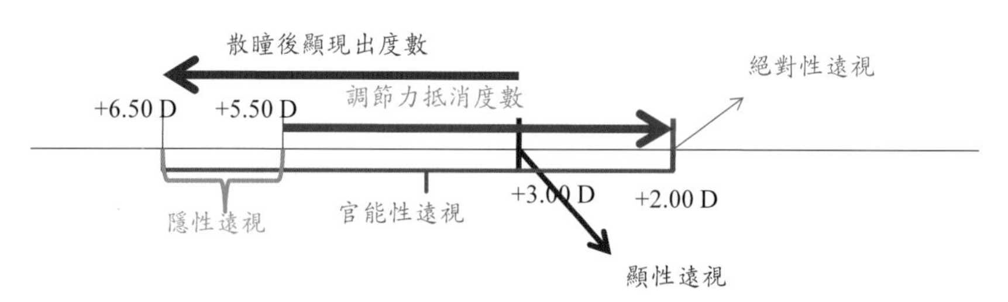

(1) 官能性遠視：調節所抵消的遠視。

(2) 絕對性遠視：不能被調節所抵銷的遠視。

(3) 隱性遠視：睫狀肌麻痹劑使用後才顯現的遠視度數。

(4) 顯性遠視：自覺式驗光佳矯正視力最大正屈光度。

(5) 總遠視度數：官能性遠視＋絕對性遠視。

範例二

有一位患者接受屈光檢查後，得到的數據如下：最負度數最佳視力 +3.50 D 視力 1.2，最正度數最佳視力 +4.50 D 視力 1.2，點用散瞳劑後檢查屈光度為 +7.00。

(1) 絕對性遠視度數：+3.50 D。

(2) 官能性遠視度數：+3.50～+7.00D。

(3) 顯性遠視度數：+4.50 D。

(4) 遠視總屈光度：+7.00 D。

3.依據臨床狀態分類

(1) 生理性遠視（簡單性）：沒有病理變化，單純因眼軸太短或角膜太平造成的遠視。一般而言，如果年輕的患者且度數不高，不會產生臨床上的抱怨；但隨年紀增長或度數偏高的患者，則可能出現看遠、看近皆不清楚的臨床抱怨。

(2) 病理性遠視：可能在母親孕期或出生後因眼睛發育不良所造成，可能原因為角膜水晶體改變、脈絡膜視網膜或眼眶發炎、或神經方面或藥物引起。和生理性遠視相較，發生機率非常低。因為病理性遠視可能有其他潛在性的眼睛問題或與全身性的疾病有關，因此，必須再作其他詳細的相關檢查與處理。常見疾病包括：小眼症（Microphthalmia），可能會或不會伴隨先天性白內障，通常為遺傳性，度數可能會超過 +20 D。眼前部發育不良（角膜平坦、前房裂孔症、輪部皮樣化）都可能導致高度遠視。原發性中心血漿脈絡膜炎（Idiopathic central serous choroidopathy）以及脈絡膜血管瘤（Choroidal hemangioma）、史德格 - 韋伯症候群（Sturge-Weber disease）。眼眶腫瘤（Orbital tumors）、病理性脈絡膜皺摺、水腫都可能將視網膜往前推擠造成遠視。這些病理性的遠視除一般矯正外，必須轉診至相關專科醫師進行治療。

(3) 引發性遠視：可能因爲點用某些藥物造成的症狀，停止點用後即可恢復正常。

4. 依據度數狀態分類

(1) 低度數近視：低於 2 個屈光度（< +2.00D）。

(2) 中度數近視：2 到 5 各屈光度（+2.00～+5.00D）。

(3) 高度數近視：5 個屈光度以上（> +5.00D）。

（四）症狀

看近物或維持看近物清晰困難，眼睛疲倦，長時間專心或看近物後會有不舒服、焦慮、頭痛的狀況。

（五）病徵

前房深度變淺，眼球較小。高度遠視很有可能會發展成弱視，眼底變化常出現波紋網，視盤較小。

（六）矯正方式

遠視眼的患者平行光進入眼睛後，會聚焦在視網膜後面，如圖 2-11。因此，若需要得到清晰的影像訊號就必須增加光線的聚合，讓影像訊號可以落在視網膜上，例如：配戴凸透鏡片或隱形眼鏡改變光線的聚焦位置。

1. 鏡框眼鏡：利用凸透鏡（聚合透鏡）來矯正。

(1) 年輕患者：通常度數較低且比較不會有臨床症狀，所以鏡片矯正較不需要。

(2) 老年患者：因爲調節力的減退造成顯性遠視度數增加，若持續維持良好視力（6/6 或 20/20），便需要配戴遠視眼鏡。隨著年紀越大，官能性的遠視（隱性遠視）會變成顯性，所以除了老花眼需要近用矯正度數外，遠視也需要矯正。

(3) 孩童患者：矯正鏡片的處方考量最好評估睫狀肌麻痺後所檢查出的屈光度。

2. 隱形眼鏡：比較適合高度數的遠視眼患者及「沒有水晶體」（Aphakia）的患者。

3. 雷射屈光手術：準分子雷射屈光手術，但進行此手術之患者必須滿 18 歲，屈光變化需要穩定（6 個月內不超過 0.5 個屈光度），角膜厚度要符合安全標準。

（七）基本教育

四歲以下小孩伴隨有高度遠視（> +3.50 D）會比低度數遠視或正視眼者高出 13 倍的機率發展成斜視，而有 6 倍的機率出現視力減低的情況。而中高度遠視約有 90% 會發展成內斜視。三歲以下不等視型遠視患者有很高的風險會發展成斜視或弱視。

一般常會把遠視與老花眼的症狀混淆，遠視眼是在調節放鬆的清況之下，焦點落在視網膜後面，故出現視物不清的狀態。而老花眼則是因爲調節力減弱，看近時產生模糊、頭痛不舒服等症狀。將其兩者之比較整理如表 2-4 所示：

表 2-4 老花眼和遠視眼的比較

	老花眼	遠視
定義	視近時，因年齡造成的調節力退化，而使影像焦點落在視網膜後面	調節放鬆時，影像焦點落在視網膜後面
原因	晶體硬化	眼軸過短或角膜太平
年齡	40～50 歲開始	都有可能
症狀	近視力困難，疲勞	中高度遠視，近視力差
矯正方式	使近點在正常範圍，一般近用，單光片、雙光片、漸進多焦點	使焦點前移，遠近均可用凸透鏡

三、散光

（一）定義

因爲眼睛內的光學系統不對稱，造成平行光進入眼睛後呈現兩個不同的焦線而使影像不清晰。簡單而言，眼睛有兩個徑度不同的屈光度，稱爲散光（圖 2-13）。大部分都是因爲角膜曲率發生變化，如垂直子午線與水平子午線的彎曲度有差異，其屈光能力有所不同即造成規則性散光，多見於先天性，尤其是上眼瞼皮膚較厚者。

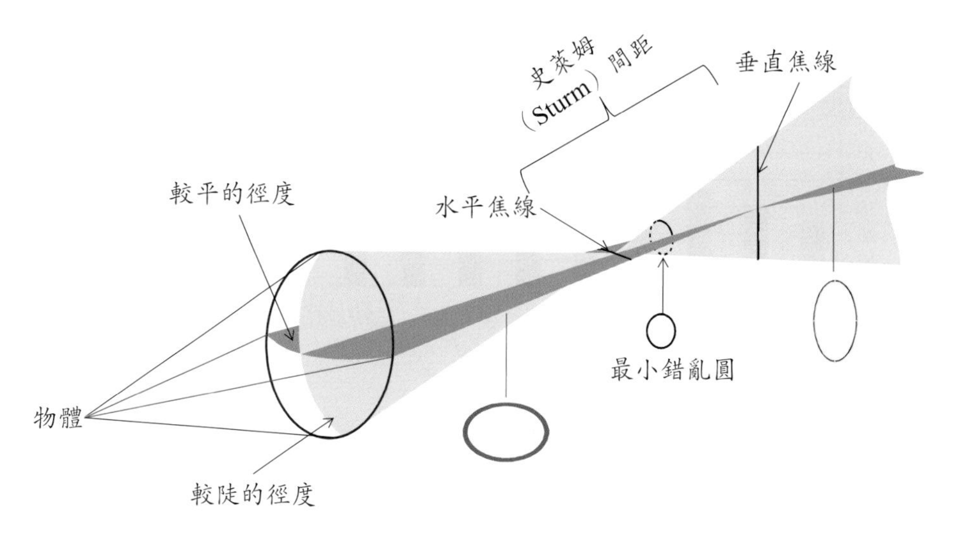

圖 2-13　散光示意圖

（二）臨床背景

美國 5～17 歲的青少年，約有 30% 有散光。臺灣地區的成年人散光盛行率約 74%，如圖 2-14 所示。此處的散光定義爲 > 0.50 D 以上皆屬於有散光者。大部分的人都有少量的散光，少量的散光通常不會影響視力也不需要矯正，但若是大量的散光就會造成影像的扭曲及模糊，如果沒有矯正也會造成不舒適和頭痛。眞正造成散光的因素到現在都還不是非常清楚。通常是遺傳或是先天性的，會隨著年紀度數變少或是加重。

散光發生的位置，最主要在角膜，但也可能是因水晶體、視網膜或病理上的問題。一般驗光以全散光加以驗配，但利用自動驗光機、角膜弧度儀等儀器可以量測角膜散光，而通常晶體散光的度數爲整體散光扣除角膜散光，即爲晶體散光。

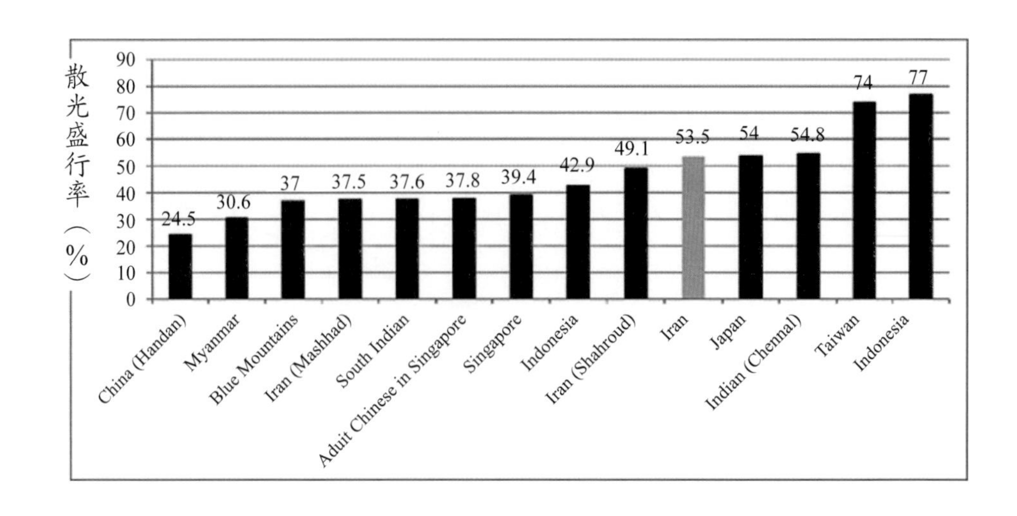

圖 2-14　各國散光盛行率圖示（40 歲以上）

（資料來源：Hassan 等，2014）

角膜上可能的原因爲：

1. 角膜表面曲率不同（最主要）：有一個主徑度與弱徑度，通常兩者軸度差 90 度。
2. 角膜折射率不同：可能因爲外傷、疾病等原因造成。

水晶體可能的原因爲：

1. 水晶體不對稱。
2. 水晶體折射率不同：因爲水晶體組織屈光不等所致，常出現在早期白內障者，也是早期白內障患者會出現影像多影（Polyopia）的原因。
3. 水晶體半脫位、人工水晶體偏移或傾斜所致。

其他原因：

1. 視網膜不對稱、傾斜或偏位。

2. 角膜或眼球外部壓力所致，例如：霰粒腫或眼瞼腫瘤。
3. 視網膜手術使用鞏膜勾帶導致散光。
4. 角膜疾病所致，例如：眼翳（Pterygium）、圓錐角膜（Keratoconus）、角膜結痂等。

（三）型式

1.依據影像位置分類

(1) 簡單近視型散光（Simple myopic astigmatism）：第一焦線落於視網膜前，第二焦線落在視網膜上面，如圖 2-15 所示。

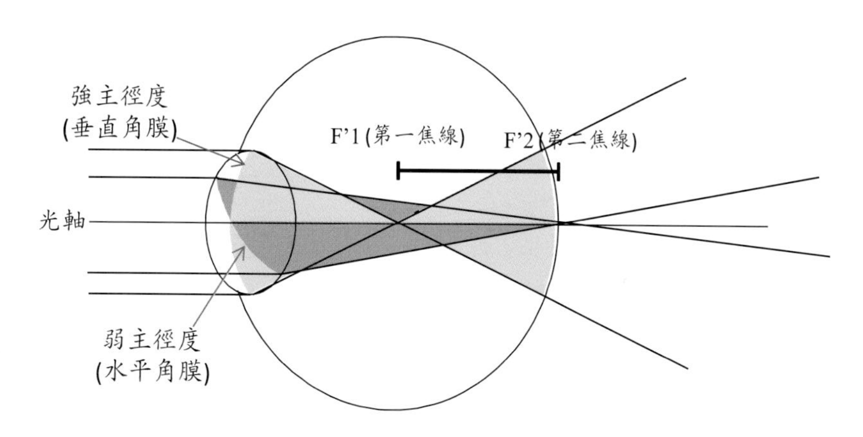

圖 2-15　簡單近視型散光示意圖

(2) 簡單遠視型散光（Simple hyperopic astigmatism）：第一焦線落於視網膜上，第二焦線落在視網膜後面，如圖 2-16 所示。

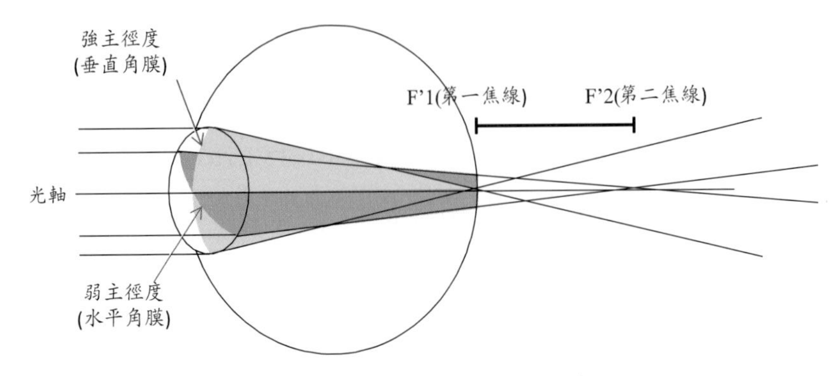

圖 2-16　簡單遠視型散光示意圖

(3) 複合遠視型散光（Compound myopic astigmatism）：第一焦線和第二焦線皆落在視網膜後面，如圖 2-17 所示。

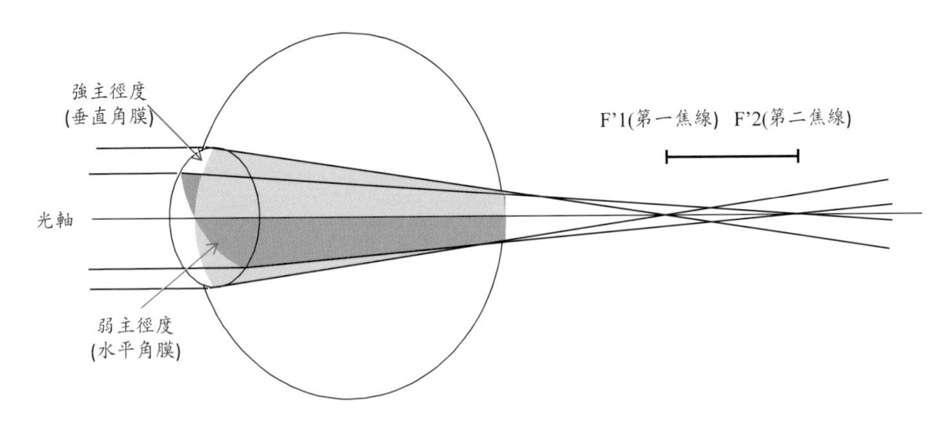

圖 2-17　複合遠視型散光示意圖

(4) 複合近視型散光（Compound hyperopic astigmatism）：第一焦線和第二焦線皆落在視網膜前面，如圖 2-18 所示。

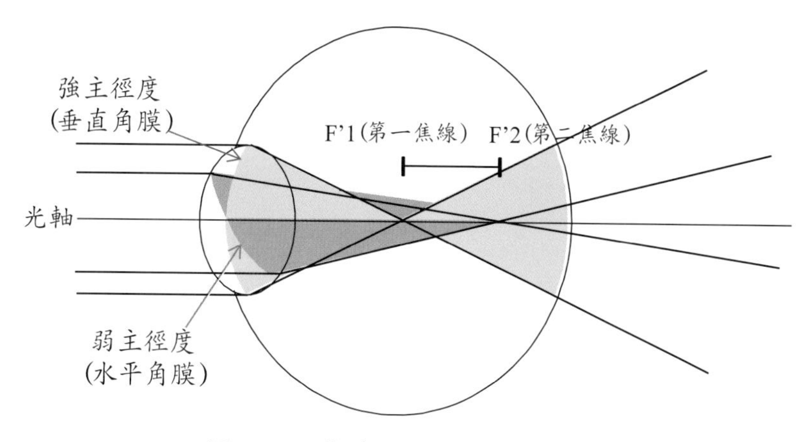

圖 2-18　複合近視型散光示意圖

(5) 混合型散光（Mixed astigmatism）：第一焦線落於視網膜前，第二焦線落在視網膜後面，如圖 2-19 所示。

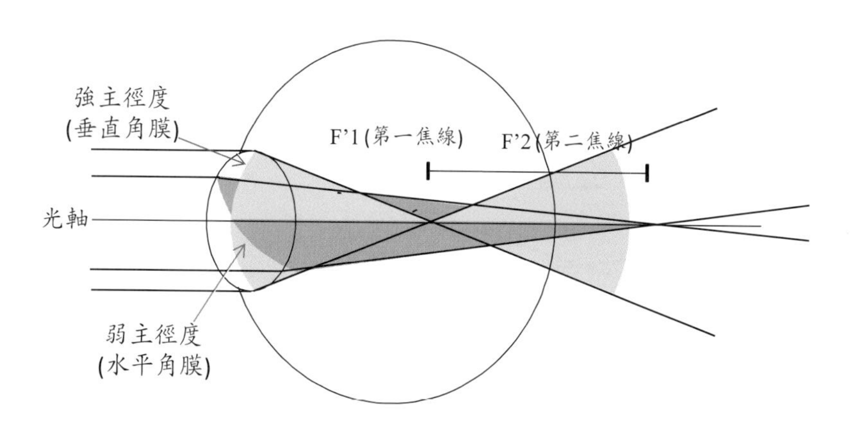

圖 2-19　混合型散光示意圖

2.依據散光軸度分類

(1) 規則散光：兩個主徑度，最強和最弱的徑度相差 90 度。

(2) 不規則散光：兩個主徑度，最強和最弱的徑度沒有相差 90

度；或是兩個以上主徑度。通常不常見，有可能是病理性的問題，例如：圓錐角膜、角膜結疤、雷射屈光手術併發症或角膜移植。

3.依據軸度位置分類

(1) 順散：最常見的散光類型，強主徑（最陡峭）在垂直，與弱主徑（較平）成 90° 交叉，軸度範圍 180°± 30°。

(2) 逆散：強主徑（陡峭）在水平，與弱主徑（較平）成 90° 交叉，軸度範圍 90±30°。

(3) 斜散：散光主徑度不在垂直也不在水平上，較陡的徑度位於 120° 和 150° 以及 30° 和 60° 之間。

散光度數與軸度間的分布如圖 2-20 所示，低度數散光以逆散較多，但整體而言，散光以順散者最多。

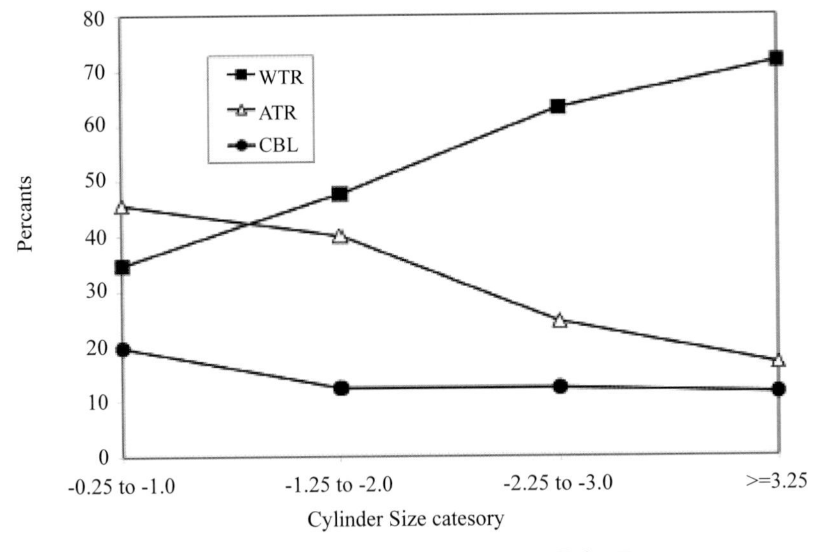

圖 2-20　散光度數與軸度種類分布圖

（資料來源：Yossi 等，2015）

（四）症狀

遠距離與近距離視力降低、眼睛疲勞或痠痛（常發生，低度數散光患者比高度數容易有此症狀，因爲眼睛會利用調節能力讓最小錯亂圓落在或靠近視網膜所造成，而高度數則因度數太高，模糊區過大而不出現此狀況）。頭痛和眼睛痛，閱讀時會覺得字體變模糊。甚至伴有弱視、斜視。

（五）矯正方式

散光矯正方式需柱面鏡片。大部分患者合併有近視或遠視，矯正就需要用球柱面片。柱面片擺放的位置稱爲軸位，光線從此處經過鏡片（因沒有曲折力），不會改變成像位置；屈光度徑度會與軸位差 90 度，此處爲鏡片屈光處，光線通過此處會改變成像位置，如圖 2-21 所示。

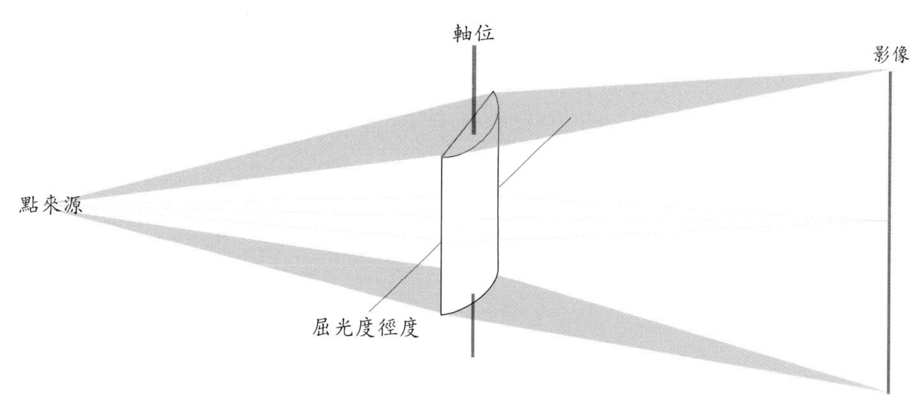

圖 2-21　點來源通過鏡片的成像示意圖

1. 散光可利用鏡框眼鏡、隱形眼鏡或屈光手術矯正。
2. 圓錐角膜患者，可選用硬式隱形眼鏡（Rigid gas permeable

contact lenses）會比鏡框眼鏡得到較好的矯正視力。

3. 如果患者有嚴重的散光，選用硬式隱形眼鏡會比軟式隱形眼鏡舒服。

第四節　處方的表示與光學十字

前一節提及近視、遠視及散光的原理和基本矯正方式，已知近視者眼軸過長或眼球總屈光度過強，導致在調節放鬆的情況之下，平行光進入眼中，成像於視網膜前方，需要利用凹透鏡（負鏡片）讓光線發散後再聚焦於視網膜上，以得到清晰的訊號。反之遠視眼者眼軸過短或眼球總屈光度太弱，導致在調節放鬆的情況之下，平行光進入眼中，成像於視網膜後方，需要利用凸透鏡（正鏡片）讓光線聚焦於視網膜上，以得到清晰的訊號。散光大部分因爲角膜水平垂直的曲率不相同，導致光線進入後在眼內呈現兩個不同的焦線，故需要利用柱面片加以矯正，以得到清晰的訊號；且因散光常伴隨近視或遠視，故將會需要利用到球面片搭配柱面片一起使用於矯正。因此，本節將介紹處方的表示方式，以了解患者的屈光不正需要利用哪種鏡片矯正，並且利用光學十字（Power cross）來表示屈光不正。

一、球面片表示法

球面片如圖 2-22 所示，球面片不論從水平（AA'）或垂直（BB'）方向的曲率半徑（rs）都相同。光線從任一軸向穿越透鏡後會聚形成一點狀實焦點，或發散形成點狀虛焦點者爲球面透鏡，其各軸向的屈光力均相等，如圖 2-23 所示。凸透鏡（正鏡片）會以符號「+」來表示；凹透鏡（負鏡片）會以符號「-」來表示。

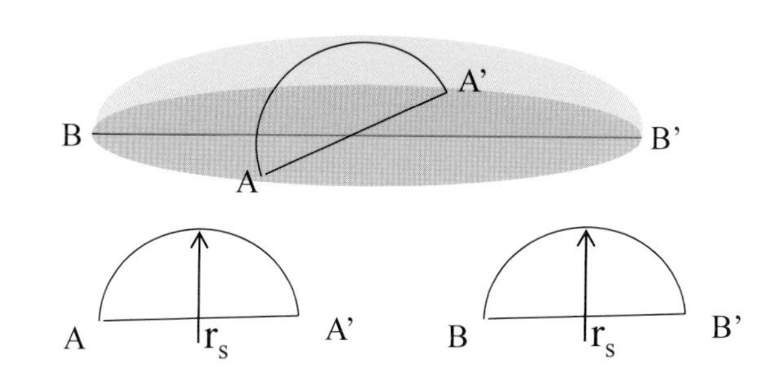

圖 2-22　球面片與球面片的水平和垂直的切面圖

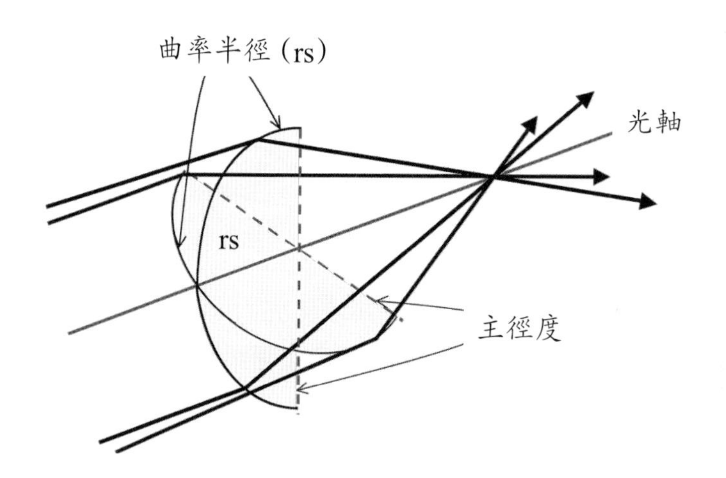

圖 2-23　光線經球面片聚焦狀況

近視者看無限遠的物體成像在視網膜前方，如圖 2-24a, b 所示，故視物不清，需要將成像焦點聚焦於視網膜上。單純近視問題，只需要球面鏡片重新將影像發散後聚焦在視網膜上，需要負鏡片（凹透鏡）。假設此患者需要利用 -2.00 D 的負鏡片可以讓成像發散後再聚焦於視網膜上，當我們用光學十字表示此矯正鏡片，因爲是球面鏡片，所有徑度的屈光力都是一致的，所以用垂直（90度）與水平（180度）代表，屈光度表示在此兩徑度上，如圖 2-25所示。

Rx: -2.00 DS

說明：處方（Rx; Prescription），屈光度（D; diopter），球面片（S; sphere）

注意：正鏡片或負鏡片都要將符號標示出

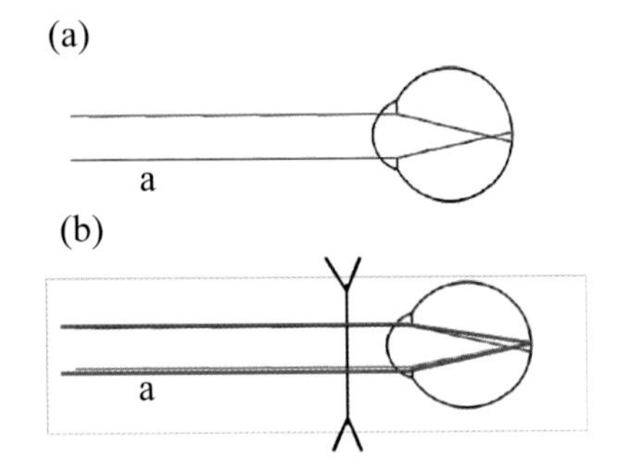

圖 2-24 (a) 近視者眼軸過長或屈光系統屈光力太強，導致成像在網膜前方。(b) 透過負鏡片後，成像發散後再聚焦於網膜上。

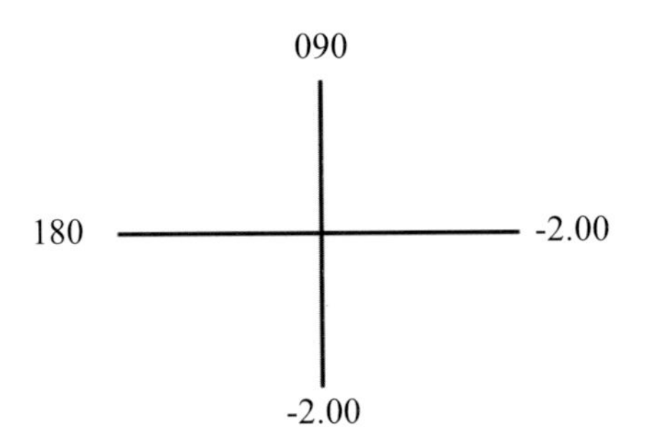

圖 2-25 光學十字表示處方 -2.00 DS

遠視者看無限遠的物體成像在視網膜後方，如圖 2-26 a, b 所示，故視物不清，需要將成像焦點聚焦於視網膜上。單純遠視問題，只需要球面鏡片重新聚焦在視網膜上，需要正鏡片（凸透鏡）。+2.00 D 的正鏡片可以讓成像聚焦於視網膜上，當我們用光學十字表示此矯正鏡片，因爲是球面鏡片，所有徑度的屈光力都是一致的，所以用垂直（90 度）與水平（180 度）代表，屈光度表示在此兩徑度上，如圖 2-27 所示。

Rx: +2.00 DS

說明：處方（Rx; Prescription），屈光度（D; diopter），球面片（S; sphere）

注意：正鏡片或負鏡片都要將符號標示出

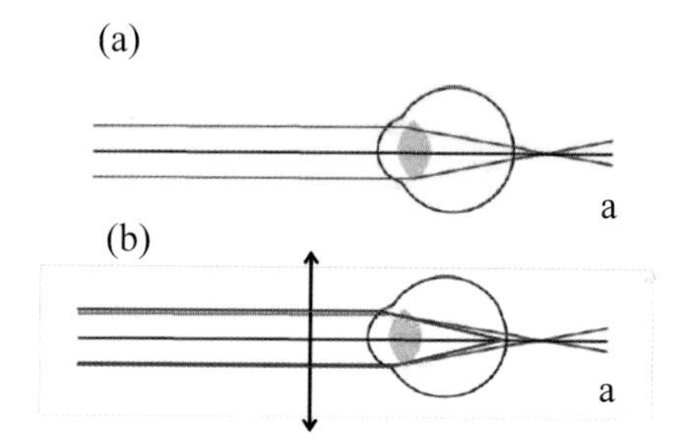

圖 2-26　(a) 遠視者眼軸過短或屈光系統屈光力太弱，導致成像在網膜後方。(b) 透過正鏡片後，成像再聚焦於網膜上。

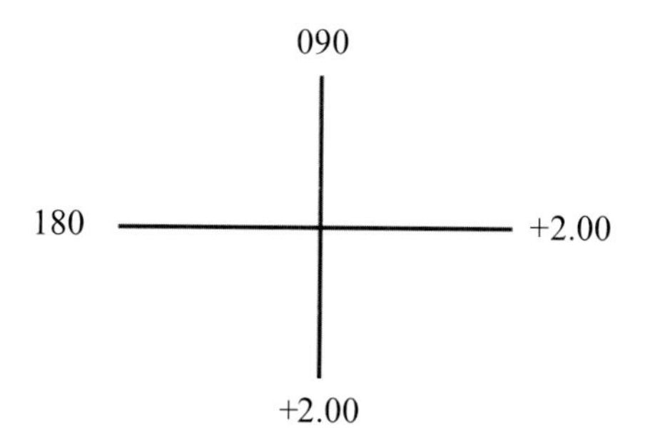

圖 2-27　光學十字表示處方 +2.00 DS

二、柱面片表示法

柱面片如圖 2-28 所示，柱面片從垂直（AA'）切面與水平（BB'）方向切面，完全不同，水平徑度（BB'）有曲率半徑，屬於屈光力的徑度；垂直徑度（AA）沒有曲率，屬於軸度的徑度。軸位即爲鏡片擺放的位置，沒有屈光度的徑度位置所在，軸位標示方式如圖 2-29，散光軸位以水平爲 180，垂直爲 090；散光軸範圍爲 001 至 180。

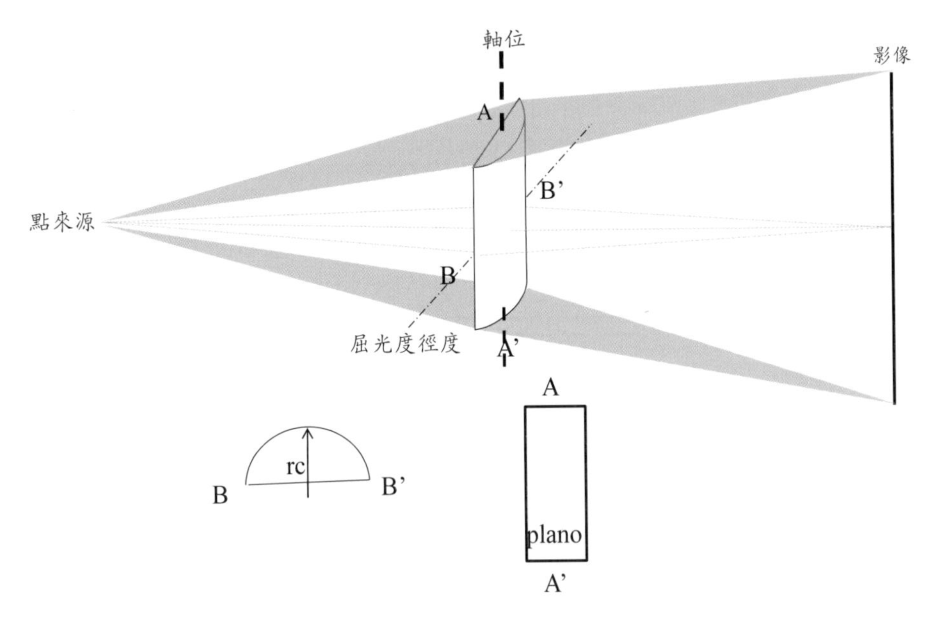

圖 2-28　柱面片與柱面片的水平和垂直的切面圖

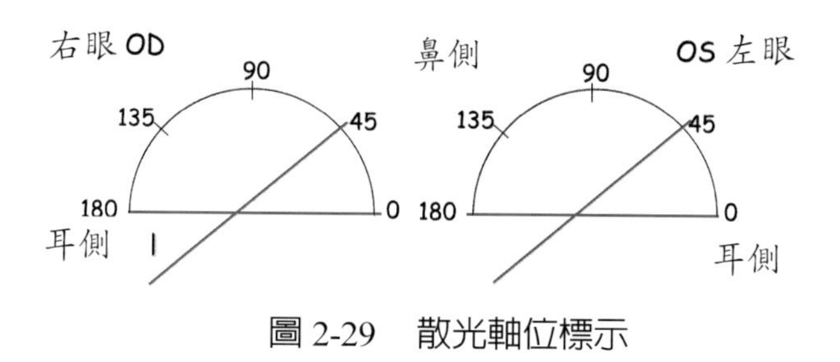

圖 2-29　散光軸位標示

光學十字的表示方式，依據各徑度的屈光度與軸位位置加以表示，如 +2.00 DC 的正柱面片擺放的位置在水平 180 度，用光學十字表示此矯正鏡片，必須標出軸度的位置與屈光度的位置。鏡片放置於水平 180 度位置，故此軸位沒有屈光力，表示爲平光（Plano）；屈光度在垂直 90 度位置，將屈光度標示於徑度 90 度處，如圖 2-30 所示，由此可知柱面片的軸位的徑度與屈光力的徑度相差 90 度。

Rx: +2.00 DCx180

說明：處方（Rx; Prescription），屈光度（D; diopter），柱面片（C; cylinder）

注意：正柱鏡片或負柱鏡片都要將符號標示出

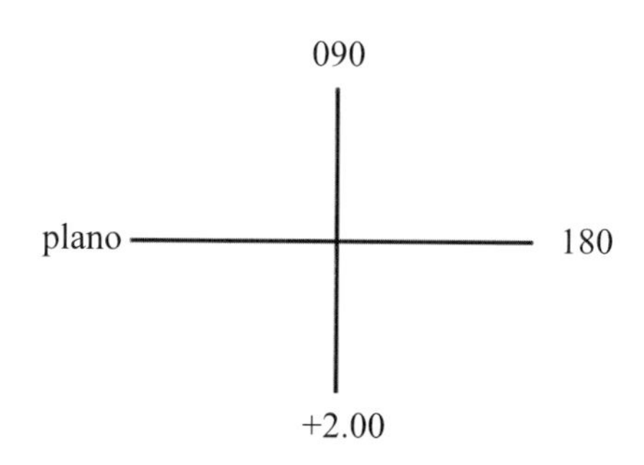

圖 2-30　光學十字表示處方 +2.00 DC×180

光學十字的表示方式，依據各徑度的屈光度與軸位位置加以表示，如 -2.00 DC 的負柱面片擺放的位置若在垂直 90 度，用光學十字表示此矯正鏡片，必須標出軸度的位置與屈光度的位置。鏡片放置於垂直 90 度位置，故此軸位沒有屈光力，表示為平光；屈光度水平 180 度位置，將屈光度標示於徑度 180 度處，如圖 2-31 所示。

Rx: -2.00 DCx090

說明：處方（Rx; Prescription），屈光度（D; diopter），柱面片（C; cylinder）

注意：正柱鏡片或負柱鏡片都要將符號標示出

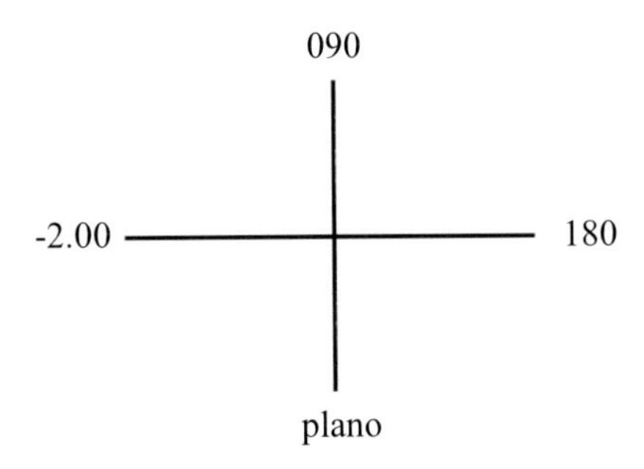

圖 2-31 光學十字表示處方 -2.00 DCx090

三、球柱面片

如有近視伴隨散光或遠視伴隨散光，將會以球面片搭配柱面片用於矯正。

如近視伴隨散光無限遠的物體成像在視網膜前方，如圖 2-32a, b 所示，可能因為角膜非完全球狀或其他光學系統之原因，讓成像為兩個距離不同的焦線，故視物不清且有變形的現象，需要將成像焦點聚焦於視網膜上。此時球面鏡片無法讓兩焦線同時重新聚焦在視網膜上，必須使用球柱面片。將其兩焦線所需矯正度數以光學十字表示此矯正鏡片，必須考慮兩焦線度數與徑度的位置。在徑度 180 度需要 -1.00 D，在徑度 90 度需要 -3.00D，將其畫成光學十字如圖 2-33 所示。

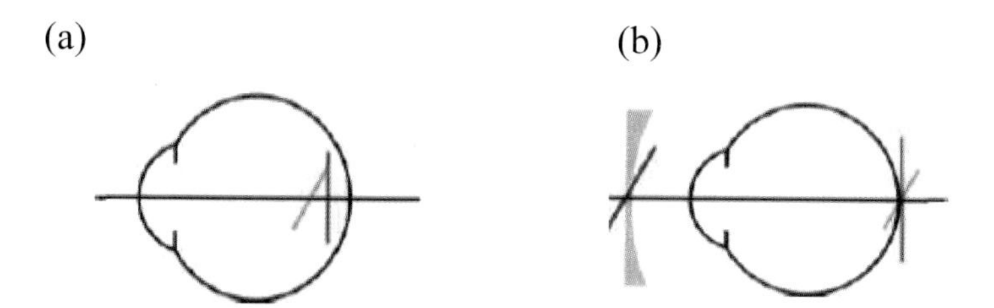

圖 2-32　(a) 近視型散光者，兩焦線位於視網膜前方。(b) 透過球柱面片矯正後，兩焦線成像聚焦於網膜上。

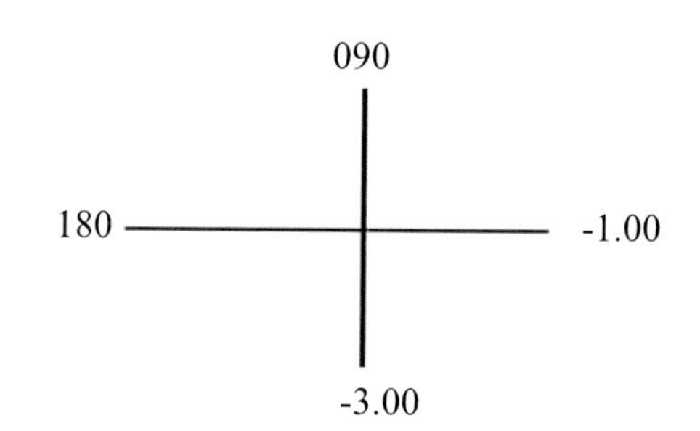

圖 2-33　-1.00-2.00×180 光學十字表示法

球柱面片的處方表示分爲正散光表示法與負散光表示法，而大多以負散光的形式表示。利用上述處方以負散光的表示法，球面片必須先拿較正的鏡片矯正，故先拿 -1.00 D 的球面片矯正，如圖 2-34 a 所示；之後再搭配柱面片 -2.00x180 矯正，如圖 2-34 b 所示，將兩個鏡片結合後即可矯正。

Rx: -1.00DS-2.00 DC×180

說明：處方（Rx; Prescription），屈光度（D; diopter），球面片（S; sphere），柱面片（C; cylinder）

注意：正柱鏡片或負柱鏡片都要將符號標示出

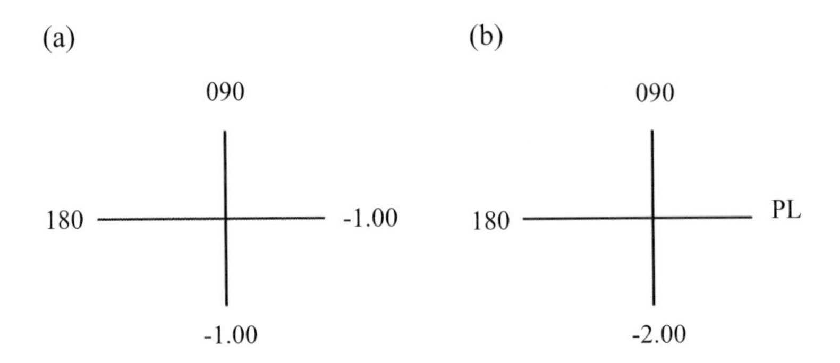

圖 2-34 (a) 球面片 -1.00 DS。(b) 柱面片 -2.00 DC×180。

利用上述處方以正散光的表示法，球面片必須先拿較負的鏡片矯正，故先拿 -3.00 D 的球面片矯正，如圖 2-35a 所示；之後再搭配柱面片 +2.00×090 矯正，如圖 2-35b 所示，將兩個鏡片結合後即可矯正。

Rx: -3.00DS+2.00 DCx090

說明：處方（Rx; Prescription），屈光度（D; diopter），球面片（S; sphere），柱面片（C; cylinder）

注意：正柱鏡片或負柱鏡片都要將符號標示出

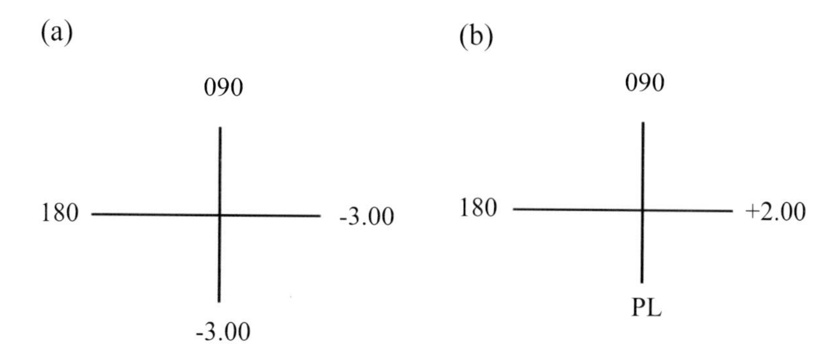

圖 2-35　(a) 球面片 -3.00 DS。(b) 柱面片 +2.00 DC×090。

參考文獻

陳振豪，雙眼視機能異常－診斷與治療（第二版）。新北市，合記圖書出版社，2011。

江東信，臨床視光學。五南，2016。

Kanski, Jack J.，臨床眼科學。北京大學醫學出版社，2005。

Adler's Physiology of The Eye, Leonard A. Levin, Siv F. E. Nilsson, James Ver Hoeve, Samuel M. Wu, Elsevier/2011/11TH

Andrew Keirl, Caroline Christie. Clinical optics and refraction: a guide for optometrists, contact lens opticians and dispensing opticians. Edinburgh: Baillire Tindall Elsevier/Butterworth-Heinemann, 2007

Bennett, A, G & Rabbetts, R, B. Clinical Visual Optics 1984.

Bikas Bhattacharyya; foreword, Debashish Bhattacharya. Textbook of visual science and clinical optometry. New Delhi: Jaypee Brothers Medical Pub. Ltd, 2009.

Blystone P. A. Relationship between age and presbyopic addition using a sample of 3,645 examinations from single private practice. Journal of the American Optometric Association. 1999; 70: 505-508.

Clinical Procedures for Ocular Examination, Nancy B. Carlson, Daniel Kurtz, McGraw-Hill/2015/4TH

David B. Elliott. Clinical procedures in primary eye care. Edinburgh: Butterworth Heinemann/Elsevier 2007.

de Gottrau P, Gajisin S, Rother A. Ocular rectus muscle insertions revisited: an unusual anatomic approach. Acta Anat 1994; 151: 268-272.

Donders F. On the anomalies of the accommodation and refraction of the eye. UK: The New Sydenham Society, 1864. p 207-209.

Fannin T, Grosvenor T. Clinical Optics. Stoneham, Mass: Butterworth Publishers, 1987: 76.

Fincham, E. F. The Mechanism of Accommodation, Mon. Supp. 8, Br. J. Ophthal.,1937; 2-80.

Forster P.J. & Jiang Y. Epidemiology of myopia. Eye (Lond), 2004, 28(2), 202-208.

Griffin J R, Grisham J D, Ciuffreeda k J. Binocular anomalies: Diagnosis and vision therapy. Publisher: Butterworth Heinemann, 2002.

Hanlon S. D., Nakabayashi J, Shigezawa G. A critical view of presbyopic add determination. Journal of the American Optometric Association 1987; 58: 468-472.

Hassan Hashemi et al., The prevalence of astigmatism and its determinants in a rural population of Iran: The "Nooravaran Salamat" mobile eye clinic experience. Middle East African Journal of Ophthalmology. 2014, 21(2),

175-181.

Hilkert SM et al., Ocular biometry and determinants of refractive error in a founder population of European ancestry. Ophthalmic Genet. 2018, 39(1): 11-16.

HimadriDatta (2004), Strabismus.

Jaggi GP, Laeng HR, Muntener M, Killer HE. The anatomy of the muscle insertion (scleromuscular junction) of the lateral and medial rectus muscle in humans. Invest Ophthalmol Vis Sci 2005; 46: 2258-2263.

Michel Millodot. Dictionary of optometry and visual science. Edinburgh: Butterworth-Heinemann, 2004.

Michael P. Keating. Geometric, physical, and visual optics. Boston: Butterworth-Heinemann, 2002.

Mitchell Scheiman Bruce Wick. Clinical management of binocular vision: Heterophoric, accommodative, and eye movement disorders. Philadelphia: J.B. Lippincott Co., 1994.

Optometry: Science, Techniques and Clinical Management, Mark Rosenfield, Nicola Logan, Keith Edwards, Butterworth Heinemann Elsevier/2009/2TH.

Optometry: Science, Techniques and Clinical Management, Mark Rosenfield, Nicola Logan, Keith Edwards, Butterworth Heinemann Elsevier/2009/2TH

Primary Care Optometry,Theodore Grosvenor, Butterworth Heinemann Elsevier/2007/5TH

Presbyopia: Origins, Effects, and Treatment, Ioannis Pallikaris, Sotiris Plainis, W. Neil Charman, Slack Incorporated, 2012.

Primary Care Optometry,Theodore Grosvenor, Butterworth Heinemann Elsevier/2007/5TH

Pointer J. S. Broken down by age and sex. The optical correction of presbyopia revisited. Ophthalmic Physiological Optics. 1995; 15: 439-443.

R. Fletcher, D.C. Still. Eye examination and refraction. Malden, MA ;Oxford: Blackwell Science, 1998.

Sonja Collier-Vanhimbeeck. A guide to the optometric training of myopia control. Santa Ana, CA: Optometric Extension Program Foundation, 1997.

Steinman S B, Steinmam B A, Garzia R P. Foundations of binocular vision: a clinical prespective. Publish: New York: McGraw-Hill, 2000.

Sireteanu R. Binocular luminance summation in humans with defective binocular vision. Invest ophthalmol Vis Sci. 1987, 28(2): 349-355.

Theodore Grosvenor. Primary care optometry: anomalies of refraction and binocular vision. Boston: Butterworth-Heinemann, 1996.

Theodore Grosvenor. Primary care optometry. Boston: Butterworth-Heinemann, 2002.

Theodore Grosvenor. Primary care optometry: anomalies of refraction and binocular vision. Boston: Butterworth-Heinemann, 1996.

Theodore Grosvenor, David A. Goss ; with a foreword by Henry W. Hofstetter. Clinical management of myopia. Boston: Butterworth-Heinemann c1999.

The Eye, John V. Forrester, Andrew D. Dick, Paul G. McMenamin, Fiona Roberts, Eric Pearlman, Elsevier/2016/4TH

Tseng GL & Chen CY Evaluation of high myopia complications prevention program in university freshmen. Medicine (Baltimore). 2016;95(40): e5093.

Yossi Mandel et al., Parameters Associated with the Different Astigmatism Axis Orientations. IOVS 2010, Vol.51, 723-730.

第3章 屈光檢查

陳雅郁

眼睛的屈光狀態可利用他覺式屈光檢查（Objective refraction）與自覺式屈光檢查（Subjective refraction）兩種方式來決定。在他覺式屈光檢查的過程中，檢查者只需取得受測者眼睛之基本光學反應，不需要參考受測者之主觀反應，即能求得其屈光狀態。但在自覺式屈光檢查中，完全以受測者的主觀反應作爲決定屈光狀態之依據，故在本章節將進一步介紹這兩種屈光檢查。

第一節　他覺式屈光檢查

一、角膜弧度儀

（一）光學原理

角膜前表面屬於凸的折射鏡面，檢查者可將已知尺寸與距離的目標物投射在角膜表面，當角膜曲率越大，呈現在角膜上的反射影像越小；當角膜曲率越小時，角膜上的反射影像則越大，故可藉由角膜前表面的反射影像計算出角膜曲率。由於人類眼睛些微移動即會使影像大小改變，爲了使目標物在角膜表面的影像能固定尺寸，角膜弧度儀利用稜鏡使角膜表面影像分離（圖 3-1 A），檢查者透過調整儀器與受測者間的距離，使複影變爲單一影像即可固定影像大小（圖 3-1 B），此即雙影像原理（Doubling principle），目前較常見的角膜弧度儀是透過雙稜鏡（Biprism）將影像分別往水平與垂直兩個方向分離。

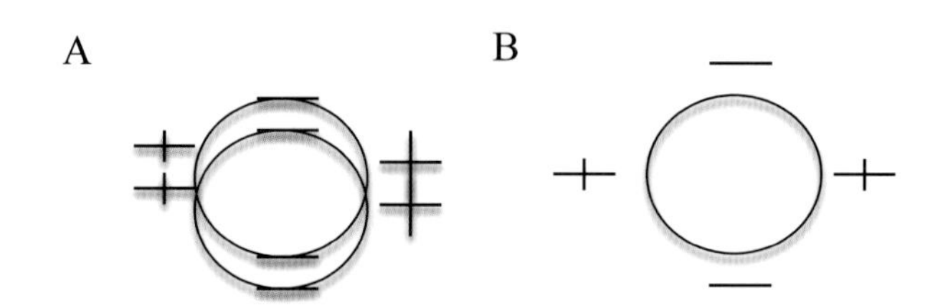

圖 3-1　A：目標物受雙稜鏡分離後在角膜表面呈現的複影。B：調整儀器與角膜間之距離，讓角膜表面的複影變為單一影像。

角膜弧度儀測量出的角膜曲率半徑可透過下列公式換算爲屈光度：

$$D=\frac{\text{角膜折射率}-\text{空氣折射率}}{r}$$

$$\rightarrow D=\frac{1.3375-1}{r}$$

D：角膜屈光度

r：角膜曲率半徑（m）

角膜散光與總散光之間的關係可採 Javal's 經驗法則。總散光度數是角膜散光度數與內部散光度數的總和，透過檢影鏡所測量出的散光度數爲總散光度數，角膜弧度儀所測量出的散光度數爲角膜散光度數，內部散光是由於角膜後表面或水晶體上的複曲性所造成。透過 Javal's 經驗法則可得到角膜散光與總散光之間的狀態：

$$At = 1.25 \times (Ac) + k$$

→ 總散度數 = 1.25×（角膜散光度數）+（–0.50 軸度 90）

At：總散光度數

Ac：角膜散光度數

k：–0.50D 的逆散光

（二）儀器功能

1. 測量角膜散光。

2. 測量角膜曲率半徑，供隱形眼鏡驗配使用。

3. 評估角膜與淚液層的完整性。

4. 檢查是否有外傷或疾病所帶來的不規則散光，如：圓錐角膜、眼翳與角膜瘢痕等。

（三）檢查步驟

1. 調暗室內光線。

2. 打開電源，並以酒精綿球消毒額頭靠墊與下巴托架。

3. 利用遮眼板調整目鏡焦距，使中央十字線清晰。先以逆時鐘方向轉動至十字畫面失焦，再以順時鐘方向慢慢轉動至畫面清晰即停止動作。

4. 調整儀器高度，使受測者眥部與儀器眼角線標記等高。

5. 先以遮眼板遮住受測者左眼、測量右眼。待右眼測量完畢再遮住右眼、測量左眼。

6. 請受測者雙眼同時睜開、直視前方。

7. 檢查者操縱搖桿，往上、下、左、右與前後等方向輕輕地移動，尋找三個圓環複像，並前後移動儀器，使圓環複像對焦爲單一圓環影像，再將中央十字線移動至右下角圓環中心。

8. 轉動水平與垂直旋鈕，使圓環周圍分離的「|」與「+」分別對齊爲單一影像。

9. 若「|」與「+」有錯位產生，需確認散光軸位是否正確，調整軸位旋鈕使錯位消失，再重複轉動水平與垂直旋鈕，直到影像對齊並維持單一影像，再將水平與垂直的曲率半徑與軸位記錄下來。

（四）檢查記錄

1. 兩眼分開記錄：右眼 OD、左眼 OS。

2. 先記錄水平的屈光度與軸度，再記錄垂直的屈光度與軸度。

3. 計算角膜散光的屈光度。

(1) 度數單位：以屈光度（Diopter, D）爲單位。

(2) 刻度判讀：每 1 屈光度可分成八格。

例如：42.00、42.12、42.25、42.37、42.50、42.62、42.75、42.87。

4. 判斷並記錄受檢者是屬於何種散光。

(1) 順散光（WTR-with the rule）：主要軸度在 180±030 之間。

(2) 逆散光（ATR-against the rule）：主要軸度在 090±030 之間。

(3) 斜散光（OBL-oblique）：主要軸度 045±015 及 135±015 之間。

(4) 不規則散光（Irregular）：兩個主要軸度夾角不是 90 度。

5. 觀察並記錄圓環影像狀態。

(1) 影像規則且清楚（Mires clear and regular, MCAR）。

(2) 影像不規則（Irregular）。

(3) 影像扭曲（Distorted）。

（五）紀錄範例

1. OD 42.50 @ 180/43.50 @ 090; -1.00x180, WTR, MCAR
   OS 47.37 @ 180/41.37 @ 090; -6.00x090 ATR, Mires distorted
2. OD 41.75 @ 180/43.75 @ 070; irregular astig; mires distorted
   OS 43.12 @ 135/41.87 @ 045; -1.25x045 OBL; MCAR

二、檢影鏡

（一）檢影鏡簡介

檢影鏡可分爲照明系統與觀察系統兩大部分，照明系統中依所發出的光束形狀又可分爲點狀檢影鏡（Spot retinoscope）及條狀檢影鏡（Streak retinoscope）。法籍眼科醫師 F. Cuigent 於 1873 年首次描述出，當眼底鏡的點狀光線來回照射患者瞳孔時，瞳孔內部隨著眼底鏡的移動也會有一明一暗的反射光表現，Cuigent 也因此發現被世人稱爲檢影鏡之父。利用檢影鏡檢查可得到患者的他覺式屈光狀態，對於表達能力不佳、行動不易控制的受測者較易檢查出屈光度數。由於現代檢影鏡主要以條狀光束設計，因此本章節將以條狀檢影鏡做進一步的介紹。

檢影鏡是由觀察鏡頭、旋轉套筒與檢影鏡握把所構成（圖

3-2），握把上帶有電源開關及電壓控制環，可透過按壓旋轉電壓控制環調整光束亮度，觀察鏡頭上則含有磁鐵可供近距離視力卡使用。旋轉套筒除了可以調整檢影光條的軸度外，當把旋轉套筒往上推時，光源是以凸面鏡做反射，此時的檢影光條會變為收束光；而將轉套筒往下推時，是以平面鏡做反射，此時的檢影光條會變成發散光或平行光。

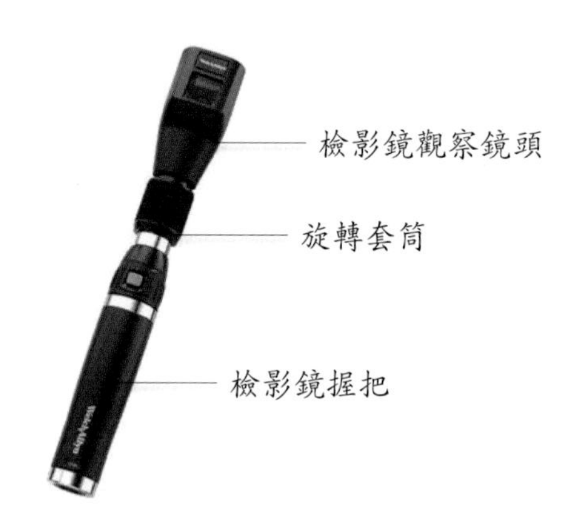

圖 3-2　條狀檢影鏡（Welch AllynElite™ Retinoscope）

（二）檢影鏡與屈光狀態

以條狀光照射受測者瞳孔時，透過其觀察系統可發現視網膜會因屈光狀態的不同而有順動（with motion）、逆動（Against motion）與中和不動（Neutral motion）三種表現（圖 3-3）。

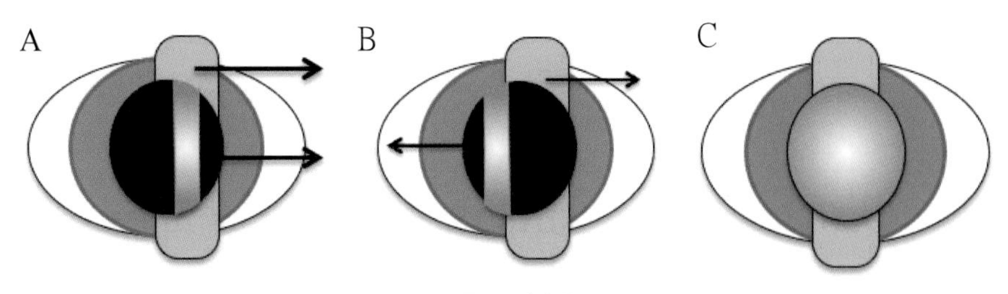

圖 3-3　檢影反射光條表現

A 順動：當移動檢影鏡光條時，瞳孔內部的反射光條會與檢影光條移動方向相同。B 逆動：當移動檢眼鏡光條時，瞳孔內部的反射光條會與檢影光條移動方向相反。C 中和不動：當移動檢眼鏡光條時，瞳孔內部的反射光幾乎沒有移動且充滿整個瞳孔。

當旋轉套筒位於下方時，是以平行光或發散光做檢影，其產生的光條移動方向會與收束光（旋轉套筒位於上方）的光條移動方向相反。例如：以平行光檢影發現受測者瞳孔內部的光條移動爲順動，改以收束光檢影則變爲逆動。但受測者若以平行光檢影結果爲中和不動時，改以收束光檢影之結果仍會是中和不動。

大部分視光師習慣以平行光判斷受測者的屈光狀態，其光條移動方向與屈光狀態之間的關係如表 3-1 所示：

表 3-1　檢影鏡光條種類與瞳孔反射光之關係

旋轉套筒位置	光條種類	瞳孔反射光移動方向	處置
下方	平行光、發散光	順動	給予正鏡片中和
		逆動	給予負鏡片中和
上方	收束光	順動	給予負鏡片中和
		逆動	給予正鏡片中和

由於近視眼（Myopia）之光線聚焦點位於視網膜前，因此當檢影鏡平行光照射瞳孔內部時，光線於視網膜的成像位置會與瞳孔反射光方向相反，當上下或左右擺動檢影鏡時會產生逆動現象，如圖 3-4A 所示。而遠視眼（Hyperopia）之光線聚焦點位於視網膜後，因此當檢影鏡平行光照射瞳孔內部時，光線於視網膜的成像位置會與瞳孔反射光方向同側，當擺動檢影鏡時會產生順動現象，如圖 3-4B 所示。至於正視眼（Emmetropia）之光線聚焦點剛好位於視網膜上，因此當檢影鏡平行光照射瞳孔內部時，光線於視網膜的成像會與瞳孔反射光同時出現，當擺動檢影鏡時會產生一亮一暗的變化，如圖 3-4C 所示。

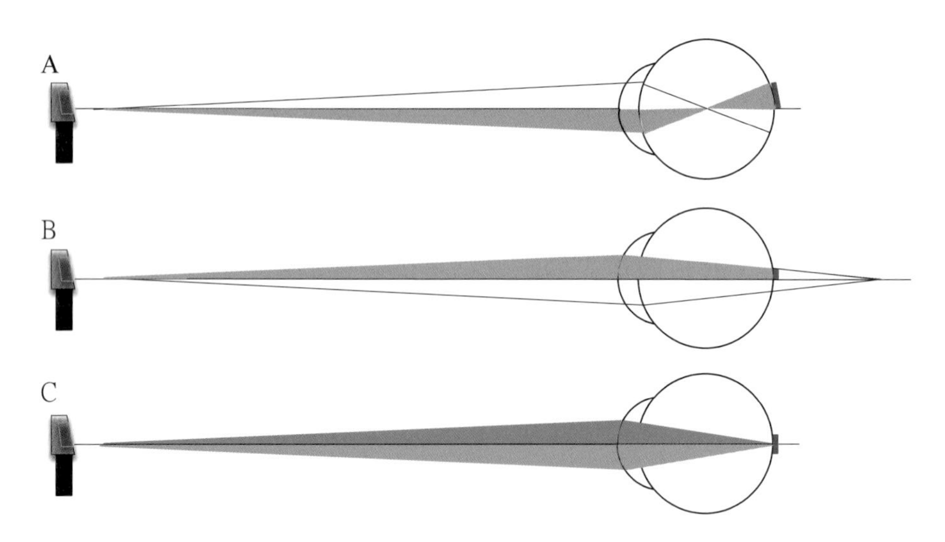

圖 3-4　檢影鏡平行光線於眼睛內部的成像位置

A 近視眼：瞳孔反射光位置與視網膜成像位置相反，移動檢眼鏡光條時會呈現逆動現象。B 遠視眼：瞳孔反射光位置與視網膜成像位置同側，移動檢眼鏡光條時會呈現順動現象。C 正視眼：瞳孔反射光即爲視網膜成像，當移動檢眼鏡光條時，瞳孔內部的反射光幾乎沒有移動且充滿整個瞳孔，呈現中和不動現象。

（三）屈光狀態與工作距離

在開始檢影前，檢查者可依自己的手臂長度，選擇合適的工作距離（Working distance），檢查者手持檢影鏡的位置與受測者眼睛之間的距離稱爲工作距離。由於工作距離過短會導致檢影誤差，因此建議挑選 50、57 或 67 公分作爲工作距離使用。假設以 50 公分爲工作距離時，此段距離會對受測者產生 2.00D 的調節量，而工作距離的倒數即爲該段距離的屈光度，可由下列公式做換算：

$$D = 1 \div F$$

D：屈光度

F：工作距離（m）

已知正視眼的調節遠點位於眼前無限遠處，近視眼的調節遠點位於眼前的有限距離內，而遠視眼的調節遠點位於眼睛聚焦平面後，以檢影鏡觀察受測者瞳孔內的光條移動方向時，若檢影鏡位置剛好位於受測眼的調節遠點（Far point of accommodation），則不需在受測者眼前放置任何鏡片度數即可觀察出中和狀態。例如：檢查者在距離觀察眼 50 公分處進行檢影，在未給予任何度數的情況下即已得到中和不動之結果，則我們可得知受測眼應爲近視 2.00D。

因此，當檢影驗光完畢後，需將測得的屈光度數減掉工作距離所產生的屈光度數，才是受測者最終的檢影結果，例如：當工作距離爲 50 公分時，若在受測者眼前加入 +1.00D 的度數才能使檢影驗光產生中和反應，其最終檢影結果應爲 –1.00D，因爲 +1.00D – 2.00D = –1.00D。

（四）以檢影鏡確認最終中和度數

假設檢查者的工作距離爲 50 公分，以發散光檢影時發現水平與垂直軸位皆爲順動反應，則開始將 +0.25D 逐次加至受測者眼前，直到所觀察到的瞳孔反射光於所有軸位皆爲逆動反應，退掉 +0.25D 直到觀察到中和反應爲止。由於眼睛像差與其他因素中和反應對於初學者而言較不易判斷，因此，如果檢查者想要確認是否眞的爲最終的中和點，可在初步認定是中和反應時，透過下列兩種方式做確認：

1. 在中和時，刻意減少 +0.25D，觀察反射光是否變成順動。
2. 在中和時，刻意增加 +0.25D，觀察反射光是否變成逆動。

在工作距離爲 50 公分的情況下，如果給予 +2.00D 得到中和反應，則代表受測眼爲正視眼；如果給予 +2.75D 得到中和反應，則代表受測眼爲 0.75D 的遠視眼；如果給予 +1.00D 時得到中和反應，則代表受測眼爲 1.00D 的近視眼。

（五）檢影鏡與屈光軸度

在做檢影時，需先確認兩個主要經軸的度數爲何，至於兩個主要經軸的方位，可選擇檢影光條能與瞳孔反射光條方向平行的軸位爲第一主經軸，而第二主經軸則是選擇與第一主經軸相差 90 度之軸位。如果一開始檢影光條與瞳孔反射光條方向不平行時，需調整旋轉套筒使其平行後再做檢影，如圖 3-5 所示。

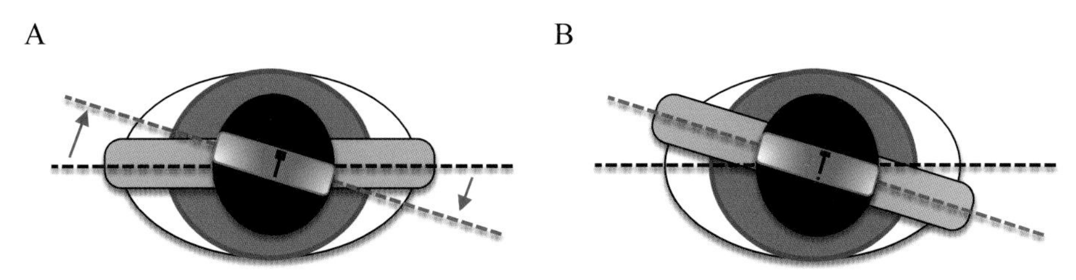

圖 3-5　調整檢影光條至正確的主要經軸位

A 檢影光條方向與瞳孔反射光方向不平行，需調整旋轉套筒使光線方向從黑色虛線處移至紅色虛線處。B 將檢影光條方向調整至與瞳孔反射光方向平行，此時的軸位爲兩個主要經軸之一。

（六）檢影鏡與屈光度數

若檢影光條與瞳孔反射光條的方向皆與 180 平行，此時檢影光條的擺動方位應往 090 的方向來回擺動，而 090 的方向則爲屈光度數的作用軸位，如圖 3-6A 所示；相反地，若檢影光條與瞳孔反射光條的方向皆與 090 平行，此時檢影光條的擺動方位應往 180 的方向來回擺動，而 180 的方向則爲屈光度數的作用軸位，如圖 3-6B 所示。因此，光條的擺動方向即爲屈光度數的作用軸位。

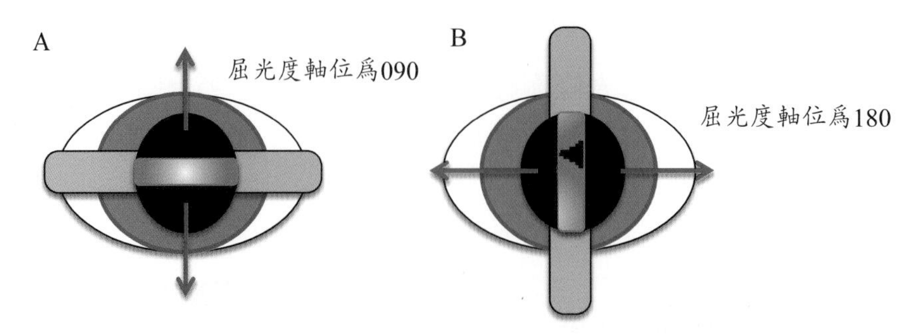

圖 3-6　檢影鏡光條與軸位、屈光度之間的關係

例如：以發散光檢影時發現軸位 180 與軸位 090 皆爲逆動反應，當我們以水平方向的檢影光條上下擺動時，加入 –3.00D 後得到中和反應，再以垂直方向的檢影光條左右擺動時，加入 –5.00D 後得到中和反應，得最終處方爲 –3.00 – 2.00X090（負散光）或 –5.00 + 2.00X180（正散光），如圖 3-7 所示。若兩個主經軸檢影度數相同時，則代表受測眼爲單純球面度數，沒有散光度數存在。

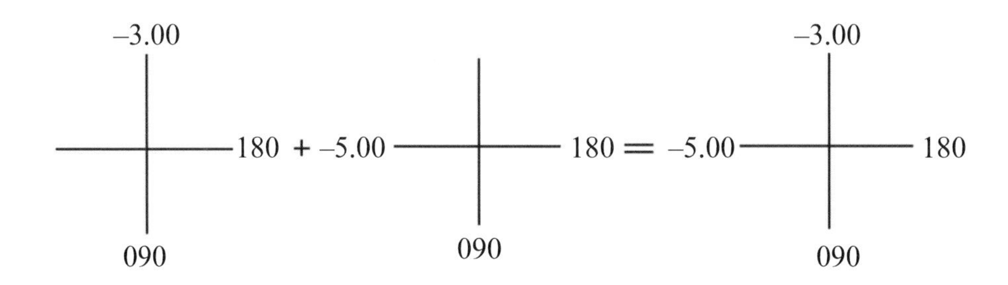

圖 3-7　將檢影結果以光學十字換算為最終處方

（七）檢查步驟

1. 調暗室內光線，並請受測者雙眼同時注視 6 公尺處的 E 視標。

2. 檢查者右眼檢查受測者右眼，左眼檢查受測者左眼，並需隨時注意是否有擋到受測者視線。

3. 檢查者需固定工作距離（50、63 或 67 公分擇一）。

4. 若欲先測量右眼，需以發散光先確認左眼是否爲逆動（避免調節力介入），若爲順動則需加入正度數直到產生逆動爲止。

5. 檢查者眼睛、檢影鏡窺孔與受測者瞳孔之間盡量維持一直線。

6. 將檢影光線調整至與瞳孔反射光平行，再往光線方位的垂直方向擺動，若瞳孔反射光爲逆動，則給予負度數直到中和；若瞳孔反射光爲順動，則給予正度數直到中和。

7. 待檢測完第一主經軸後，將光線軸度調整至第二主經軸（與第一主經軸垂直 90 度之方位），再往光線方位的垂直方向擺動，如果此時瞳孔反射光非中和反應，代表受測眼有散光度數，若爲逆動則給予負度數，若爲順動則給予正度數，直到產生中和反應。

8. 左眼同步驟 6、7。

9. 待雙眼檢測完畢後，再將測出的結果減掉工作距離的屈光度，並寫出最終處方。

三、自動驗光機

自動驗光儀（Automated refraction）是屬於他覺式驗光，不需依靠受測者的反應去調整度數，直接依據眼內的檢查參數所得到的數據。大部分的驗光儀都是將光由瞳孔進入，沿投影系統的軸向移動，將影像拉至無限遠處。如果受測者為正視眼，影像在視網膜上清楚對焦；如果為非正視眼，視標將會前後移動，使影像能夠精準坐落於視網膜上，自動驗光儀就是利用進入瞳孔的光線的聚散度是影像落在網膜上，網膜的反射光來計算出眼睛的屈光度。

（一）自動驗光儀的基本構造（圖 3-8）

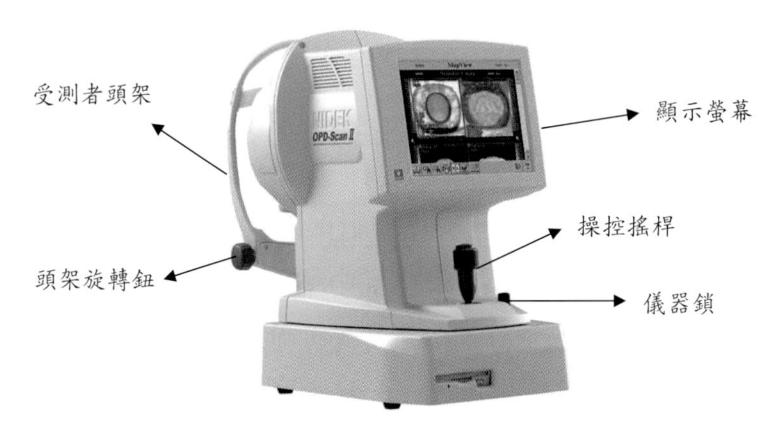

圖 3-8　NEDEK 的 OPD SCAN II 驗光儀

1. 顯示螢幕：患者資訊顯示處，包括有：球面屈光度、散光屈光度與軸度、瞳孔大小等。

2. 操控搖桿：可以前後調整焦距；左右移動至瞳孔中心量測出；旋轉可以調整高低已達到最佳量測位置。

3. 儀器鎖：如不使用儀器以及搬運時，可以將儀器鎖鎖住，儀器將無法上下左右移動。

4. 受測者頭架：受測者量測時頭部放置處，必須將下巴放在下巴座上、額頭貼緊額墊，但受測者整體應該是舒適的狀態。

5. 頭架旋轉鈕：用來調整額頭墊與下巴墊間高度，因受測者的臉形不同，可以利用此旋轉鈕來調整間距，以達到最佳量測狀態。

（二）自動驗光儀的原理

自動驗光儀的原理主要是用感測器偵測紅外線進入眼睛後的反射光，反射光通常運用網膜反射回來的光環大小與形狀來判斷。利用這些數據來調整影像的焦距直到影像聚焦，整個過程重複至少 3 次後進入計算得到受測者的球面屈光度、散光屈光度與軸度。

（三）自動驗光儀的重要參數

1. 控制調節：驗光過程中，因爲自動驗光儀需要透過注視視標來量測屈光度，常常會使受測者產生近側調節（Proximal accommodation）而影響到數據，雖然視標都設計在無限遠處，但因爲非常靠近受測者，常會引起近感知調節，因此都會透過霧視（Fogging）來放鬆調節。但針對年紀很輕的孩童而言，還是會引起調節，導致出現較負（Over-minus）的數據；因此，現在有較新型的自動驗光儀，檢查儀器爲全開放式（Open-field），視標放置在 4 公尺以上，作爲無限遠的視標，盡量減少不必要的調節反應。

2. 屈光度範圍：一般的自動驗光儀的屈光度範圍爲 ±20 D，可以用來量測高度遠視、近視以及無晶體者。

3. 瞳孔限制：不論任何品牌與設計皆有瞳孔上的限制，通常因爲某些疾病（例如：患者因爲青光眼點用縮瞳劑、患者做過虹膜切除術等）都會增加量測的困難度。另一方面，有些受測者較敏感，也會產生縮瞳反應，檢查者可以降低室內光線或運用技巧來進行。

4. 特殊案例：正常的眼睛通常使用自動驗光儀來進行驗光，經準度較高。但如果患者有白內障、角膜不透明、介質不透明、眼睛震顫或神經方面的疾病，都會增加量測的困難度以及降低數據的精準度。而針對有些無法對正眼軸的患者或年紀較大的患者，都會增加量測的時間。

（四）臨床的運用

必須注意，利用儀器所得到的數據都屬於初步的屈光度（Preliminary refraction），不能作爲最終的處方。每一個儀器的使用都必須考慮到多種可能會影響數據的因素，例如：環鏡、燈光、瞳孔大小、受測者的配合度以及介値的清澈度。利用各種不同的視標來控制調節反應，且各公司亦研發不同的機型來盡量減少調節影響數據。雖然自動驗光儀可以節省很多量測他覺式屈光度的時間，但千萬要注意後續務必要進行自覺式驗光，依據患者的反應與不同的狀態進行驗配，並考慮患者本身狀態、生活習慣、工作需要等，來作爲最終驗配的處方依據。

四、綜合驗光儀

（一）綜合驗光儀之結構圖（圖 3-9）

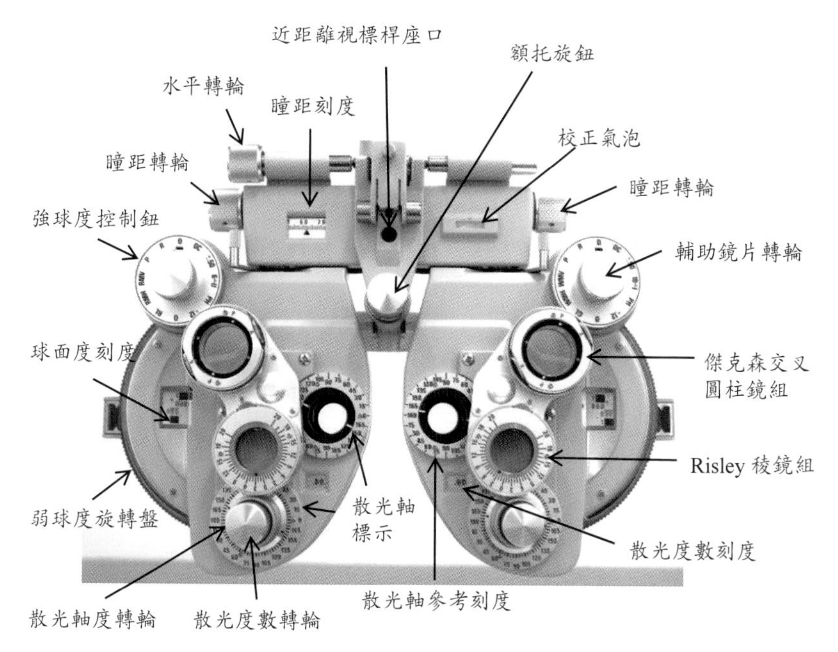

圖 3-9　綜合驗光儀（Topcon VT-10）

（二）綜合驗光儀之功能介紹

1.調整系統

(1) 瞳距轉輪與瞳距刻度：調整雙眼之間的距離，使窺孔能與雙眼瞳孔中心水平對齊。

(2) 水平轉輪與校正氣泡：調整轉輪使綜合驗光儀窺孔能與雙眼瞳孔中心垂直對齊。

(3)額托旋鈕：調整綜合驗光儀鏡片與受測眼之間的頂點距離。

(4) 近距離視標桿座口：可將近距離視標卡嵌在視標桿上並固定於此，且能輕易設定視標卡與綜合驗光儀之間的注視距離。

2.透鏡控制系統

(1) 球面度數組

A.球面度刻度：顯示球面鏡片置放於窺孔前方的度數。

B.強度數控制鈕：每調整一格可改變 3.00D 之度數。

C.弱度數旋轉盤：每調整一格可改變 0.25D 之度數。

(2) 散光度數組

A.散光度數刻度：顯示散光鏡片置放於窺孔前方的度數。

B.散光軸標示與散光軸參考刻度：顯示散光度數作用於主經軸位置。

C.散光度數轉輪：每調整一格可改變 0.25D 之散光度數。

D.散光軸度轉輪：可調整散光主經軸之作用軸度。

3.輔助鏡片系統

(1) 內置輔助鏡

A.「O」：無任何屈光度數之鏡片，雙眼可透過窺孔直視前方視標。

B.「OC」：備有遮蔽窺孔之遮蓋片，可使用於單眼檢查。

C.「R」：+1.50D 之輔助鏡片，適用於工作距離爲 67 公分之檢查者。

D.「P」：可用於確認雙眼調節是否平衡之偏光濾鏡。

E.「RMV」：紅色垂直馬篤式鏡，以筆燈照射會產生水平紅色光束，可用於檢測垂直斜位。

F.「RMH」：紅色水平馬篤式鏡，以筆燈照射會產生垂直紅色光束，可用於檢測水平斜位。

G.「WMV」：白色垂直馬篤式鏡，以筆燈照射會產生水平白色光束，可用於檢測垂直斜位。

H.「WMH」：白色水平馬篤式鏡，以筆燈照射會產生垂直白色光束，可用於檢測水平斜位。

I.「RL」：紅色濾鏡，可用於檢查雙眼融像力及隱斜位，並能確認單眼是否有抑制的情形。

J.「GL」：綠色濾鏡，可用於檢查雙眼融像力及隱斜位，並能確認單眼是否有抑制的情形。

K.「+.12」：+0.12D 之球面鏡片。

L.「6ΔU」：位於右眼，6 個基底向上之稜鏡，可使雙眼影像上下分離。

M.「10ΔI」：位於左眼，10 個基底向內之稜鏡，可使雙眼影像左右分離。

N.「±0.50」：±0.50 之交叉圓柱鏡，可用於檢測調節反應，並測量老花眼的加入度數。

O.「PH」：直徑爲 1mm 之針孔鏡片，若受測者矯正後視力不佳，可用於排除是否爲屈光問題所致。

(2) 外置輔助鏡

A.傑克森交叉圓柱鏡組：由散光軸度轉盤、翻轉控制轉輪、正軸負度數（白點）、負軸正度數（紅點），可用於精確散光軸度與散光度數。

B. Risley 稜鏡組（旋轉稜鏡組）：由稜鏡方向轉盤、稜鏡度轉輪、稜鏡度標示。

五、驗度儀

驗度儀主要是用來量測鏡片、隱形眼鏡的光學數據。包括：光學處方鏡片的球面度、柱面度及軸度，並能找出鏡片的光學中心或主要參考點，以及稜鏡度與基底的方向和稜鏡量。

通常運用於當患者進行檢查時，會將目前患者配戴的鏡片進行量測，得知目前配戴鏡片的處方度數。當進行完新的檢查流程後將提供檢查者比較新處方與現今配戴處方之比較，以提供相關資訊。另一方面在進行眼鏡製做時，需要依據驗配的處方進行定片，當訂購的鏡片送至後，必須將鏡片依據檢查的結果（散光軸位、瞳孔距離等）進行磨片上的準備，以達到製做出最適合患者配戴的鏡框鏡片。

（一）驗度儀的基本構造

1.手動驗度儀（圖 3-10）

(1) 接目鏡：人眼觀察處，藉由移動目鏡視度圈來調整聚焦。

(2) 記環：可以移動內部十字標記的位置，輔助鏡片定位。

(3) 鏡片夾座：鏡片放置後，用固定夾將鏡片作固定。

(4) 鏡片承座：可以升降鏡片臺，以確認量測的位置爲正確位置。

(5) 鏡片接座：鏡片量測的接觸點；如要量測隱形眼鏡，需換成隱形眼鏡專用接具。

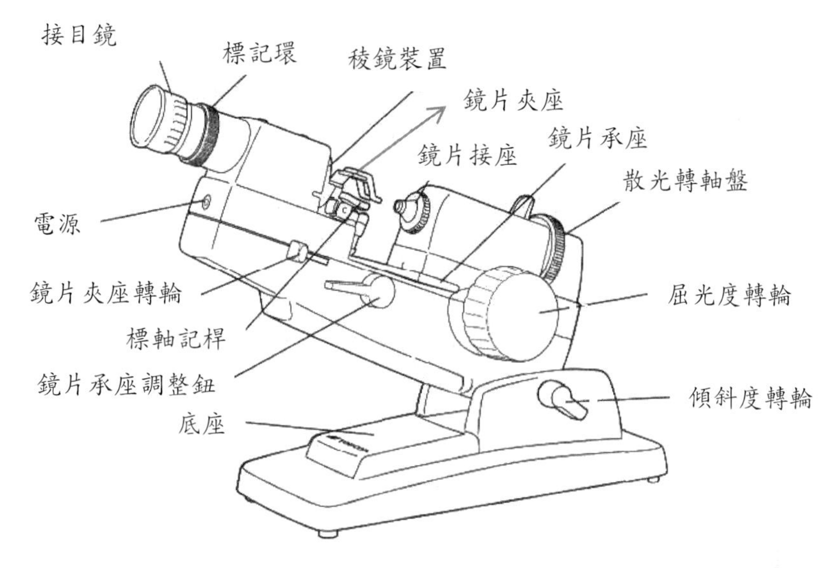

圖 3-10　TOPCON LM-8 驗度儀各部說明

(6) 散光轉軸盤：可以轉動此軸盤，以確認鏡片的軸位。

(7) 屈光度轉輪：轉動轉輪可以找出鏡片各軸位屈光度數。

(8) 傾斜度轉輪：調整傾斜角度轉輪。

(9) 軸標記桿（打點標記）：鏡片中心定位標記。

2.自動投影式驗度儀（圖 3-11、3-12）

(1) 數據顯示幕：顯示球面度、散光度與散光軸度、稜鏡度的數據顯示處。

(2) 鏡片接座：鏡片量測的接觸點；如要量測隱形眼鏡，需換成隱形眼鏡專用接具。

(3) 鏡片承座：可以升降鏡片臺，以確認量測的位置爲正確位置。

(4) 標記打點：鏡片中心定位後的打點標記工具。

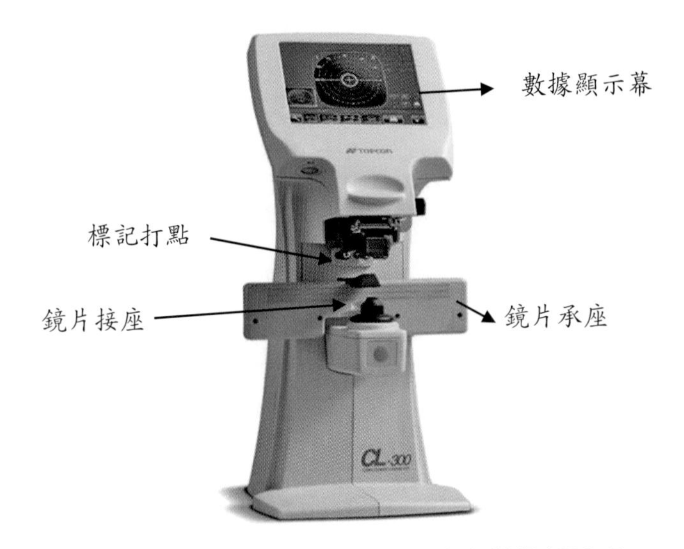

圖 3-11 TOPCON CL-300 驗度儀各部說明

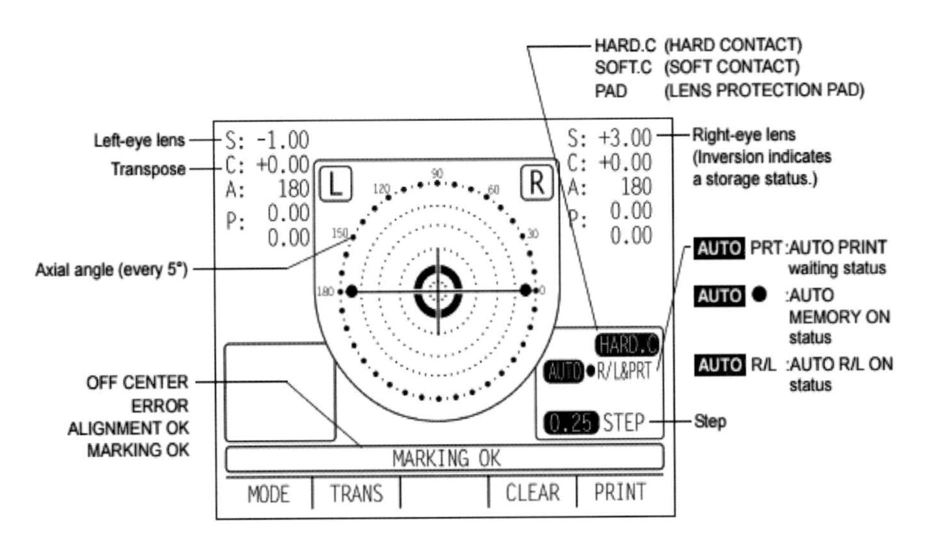

圖 3-12 TOPCON CL-300 螢幕數據說明

（二）驗度儀的原理

驗度儀的原理為量測鏡片的焦距長，得知焦距長即可推算鏡片的屈光度。主要是利用中和（Neutralization）的原理，當整體屈光度為0度時，視標會在鏡片的焦距位置，而此鏡片即為標準鏡片（Standard lens）。視標的發散光經過鏡片之後為平行光。望遠鏡（Telescope）的十字是用來確認稜鏡效應，望遠鏡的兩個正鏡片，一個他覺式和接目鏡，兩個焦點互為共軛焦，十字位於兩點的交會處。鏡片接座（Lens stop）是未知屈光度數鏡片放置處，也是標準鏡片的第二焦點處。當未知鏡片置入後，視標的影像會散焦（Out of focus），視標可以移動，可以藉移近或移遠標準鏡片達到中和。各個徑度的度數就藉由視標的移近或移遠來確認屈光度（圖3-13）。

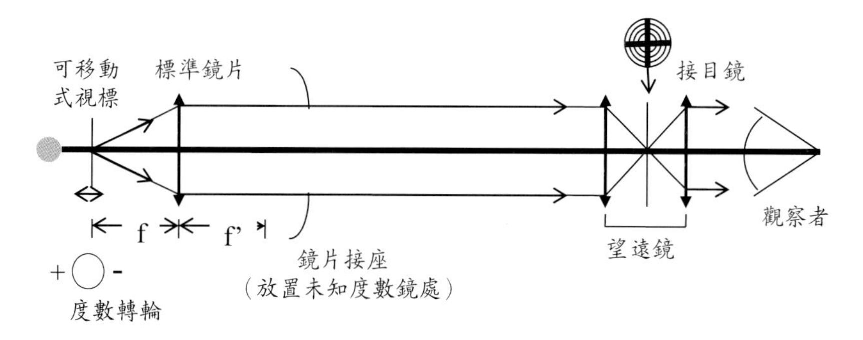

圖3-13 驗度儀的光學設計（資料來源：Fannin T, Grosvenor T. Clinical Optics. Stoneham, Mass: Butterworth Publishers, 1987: 76）

（三）量測步驟

1. 調整傾斜固定桿，將儀器接目鏡高度設置於方便觀察的高度，打開電源。

2. 度數刻度歸零：透過接目鏡觀察儀器內標線板，轉動度數轉輪將度數刻度視窗內刻度歸零。

3. 聚焦接目鏡：在兩眼張開的情況下，以慣用眼觀察驗度儀內標記線，接著以逆時鐘方向旋轉接目鏡至影像模糊（請勿逆時鐘用力轉到底，以避免接目鏡鬆脫損壞）；然後再以順時鐘方向慢慢轉動接目鏡，直到標線板影像清楚即停止。如果此時繼續順時鐘轉動影像，仍會因檢查者眼睛的調節力介入而影像持續清楚，但在操作上就會產生人爲誤差，這點是特別需要留意的。

4. 將眼鏡片或眼鏡（通常優先測量右眼）以後弧（凹面）朝向鏡片座，將眼鏡片或眼鏡放置於鏡片承座（Lens table），放鬆鏡片夾座（Lens holder）確定眼鏡片或眼鏡固定於鏡片承座上。

（四）不同鏡片的量測方式

1.單焦球面鏡片

轉動度數轉輪，判斷眼鏡片爲球面片或是帶有散光之鏡片。如果標線板上之影像（線條及光點）可以同時變爲清楚（圖 3-14），則此一鏡片爲球面片沒有散光，度數刻度視窗內所顯示的數據即爲鏡片的屈光度，記錄所得數據。

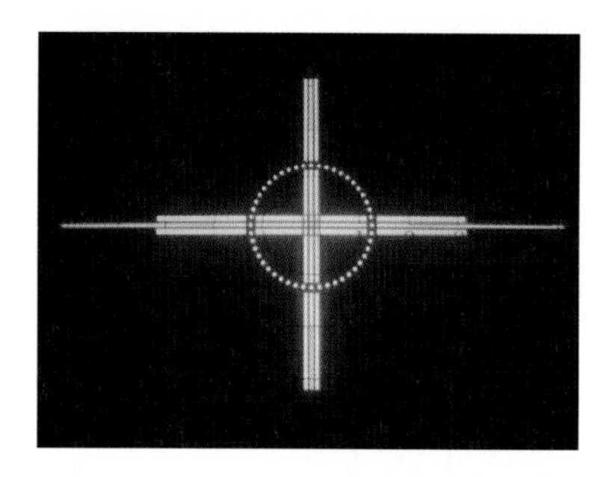

圖 3-14　十字標線同時變清楚

2.單焦散光鏡片

(1)如果標線板上之影像不能同時變爲清楚（如圖 3-15、圖 3-16 所示），則此一鏡片爲帶有散光之眼鏡片。

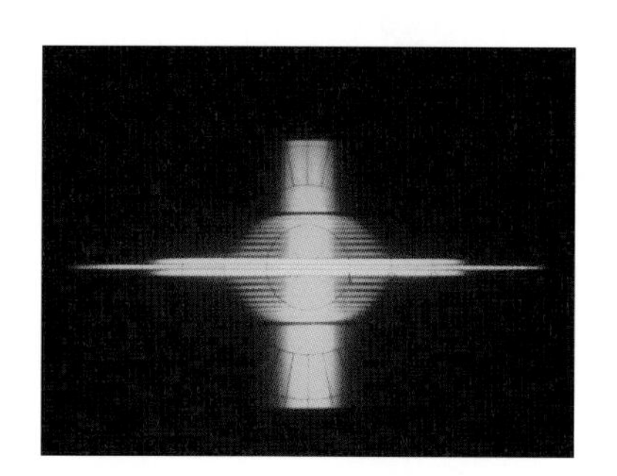

圖 3-15　水平線較清楚

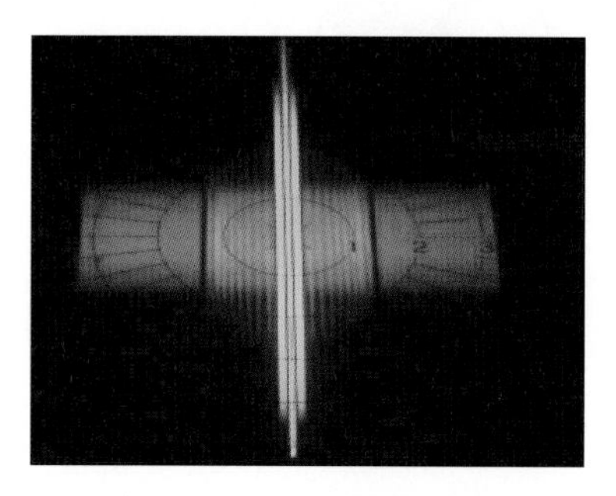

圖 3-16　垂直線較清楚

(2) 轉動度數轉輪將比較正（Plus）的度數軸線維持清楚。

(3) 轉動軸度轉盤，確認此一軸線爲較短的短軸，並確認環型針孔（Pinhole corona）所拖曳出來的光條與軸線平行，此時的刻度讀數即爲球面度數（圖 3-17）。

(4) 轉動度數轉輪使比較負（Minus）的度數軸線維持清楚，此時環型針孔所拖曳出來的光條會再次與長軸線平行，則此時的刻度讀數減去球面度數即爲散光度數，軸度轉盤所對應的刻度即爲散光軸度。記錄所得球面、散光及散光軸數據。

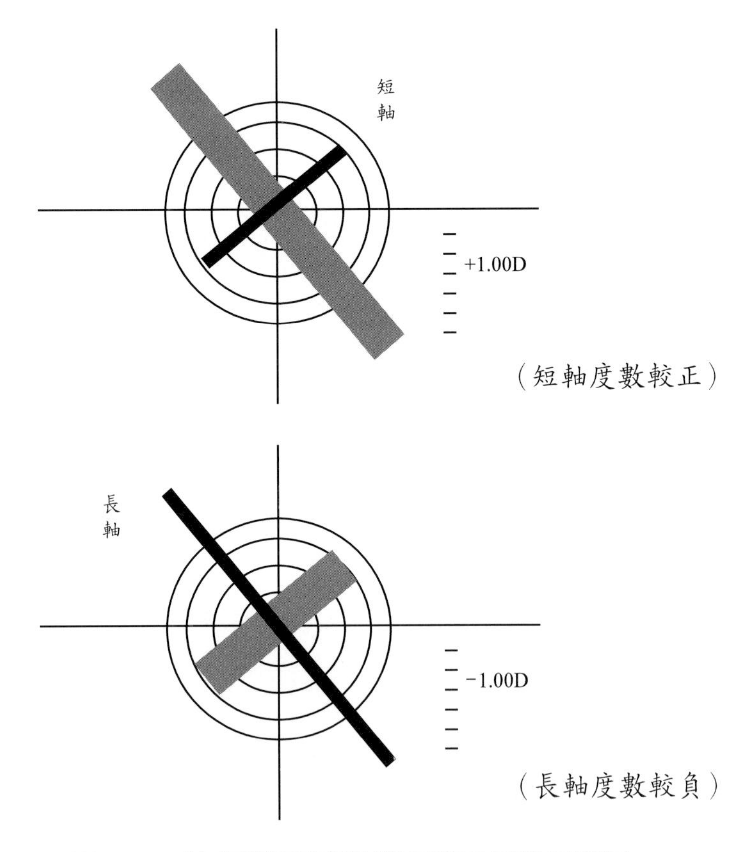

圖 3-17　驗度儀標線板影像短軸及長軸示意圖

(5) 移動鏡片，確認交叉軸線（Cross-line）位於標線板正中央。

(6) 輕輕按壓軸度印點桿標記鏡片光心。

(7) 如爲量測眼鏡，則換眼重複步驟 (1) 至 (4)。

(8) 利用 PD 尺測量眼鏡之光心距離（Distance between optic center, DBOC）並記錄。

3.漸進多焦點鏡片

(1) 確定遠方屈光度：漸進多焦點遠方球面、散光度與散光軸度在主要參考點（Major reference point, MRP）上方。鏡片度數的變化從 MRP 開始，鏡片的累進帶從 MRP 處開始，度數往鼻側以及下側慢慢變化，直到完全的近用度數確認（圖 3-18）。

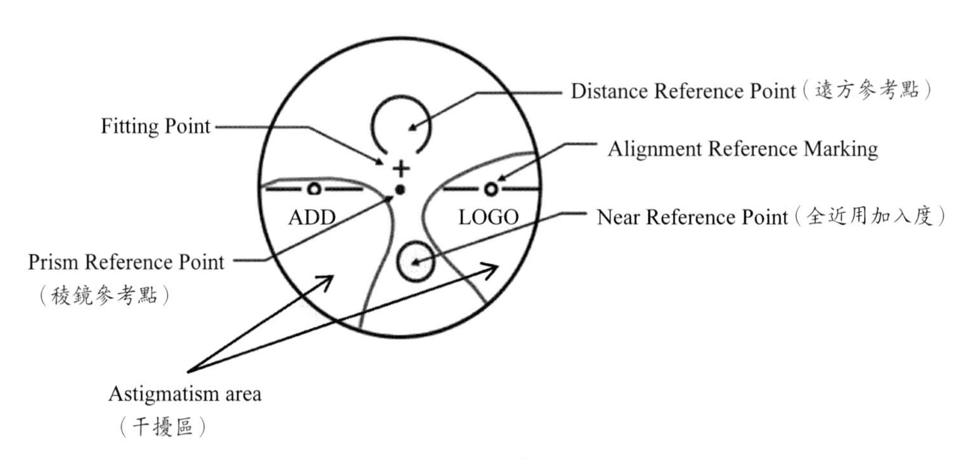

圖 3-18　漸進多焦點鏡片

(2) 確認瞳距：漸進加入鏡片必須正確確認瞳距在 MRP 以及不產生非期望的稜鏡。當遠距離部分的屈光度已經確認，如果鏡片爲單焦點，在 MRP 是鏡片的中心，並請將他標出。

(3) 找出近用屈光度：漸進多焦點鏡片在近用部分需被確認出近用屈光度，此點在鏡片製作時通常會標記出。如果標記處目前沒有顯現，必須被重新標記。每一個製造商都慣用自己的標記系統以便再次標記。

(4) 標記近用加入度位置：遠距離屈光度與近距離屈光度量測後，兩者的球面度相減，即爲近用加入度。

4.稜鏡度的測量

(1) 鏡片放置好先找到最正的度數，將球面屈光度設置好。

(2) 確認視標中心處位在稜鏡標線的位置（如圖 3-19 右眼），確認稜鏡度與基底的方向。

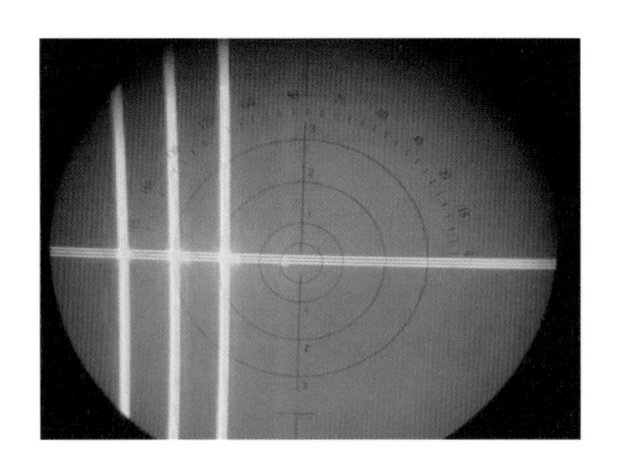

圖 3-19　右眼稜鏡度

稜鏡度的基底判斷如圖 3-20 所示，先確認鏡片爲右眼還是左眼，再依據視標中心在標記線的位置判斷稜鏡量與基底方向。

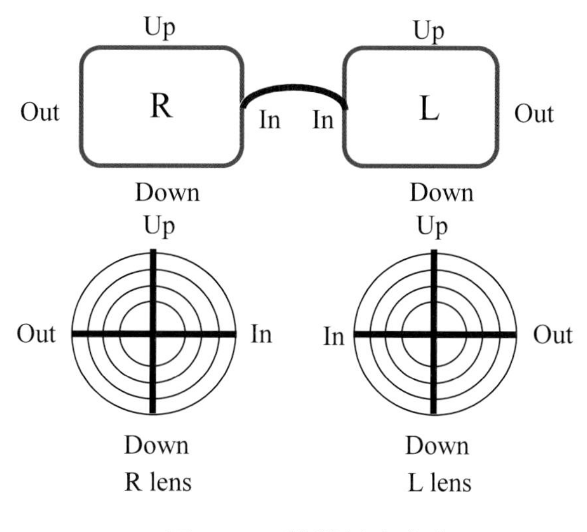

圖 3-20 稜鏡基底方向

5. 隱形眼鏡的測量

(1) 硬式隱形眼鏡：更換量測隱形眼鏡的鏡片接座，此接座有較小的孔徑用於量測較小的光學中心鏡片。量測方式如單焦鏡片的量測方法。

(2) 軟式隱形眼鏡：更換量測隱形眼鏡的鏡片接座，此接座有較小的孔徑用於量測較小的光學中心鏡片。必須用鑷子輕輕地夾鏡片，並把多餘的液體輕輕地甩掉後再量測。

第二節 自覺式屈光檢查

讓受測者注視無限遠的遠點，並以主觀的方式測量調節放鬆後的球面度數與散光度數。

一、霧視

爲了確認眼睛已處於調節放鬆狀態，在完成檢影鏡驗光並加入工作距離度數後，需給予受測者足夠的正度數讓眼睛霧視，直到個別眼睛視力僅剩20/50，此時的影像成像於視網膜前（圖3-21A），如果有調節力介入只會使影像更模糊，因此，眼睛容易維持在調節放鬆狀態（圖3-21B）。若在自覺式屈光檢查前沒有將雙眼霧視，受測者一開始的影像可能已成像於視網膜後，如果有調節力介入則能使影像變清楚，因此，眼睛較容易有過多的調節力介入，使調節無法放鬆。任何的調節力介入將會導致最終驗光結果過度矯正（正度數不足或過度負度數）。

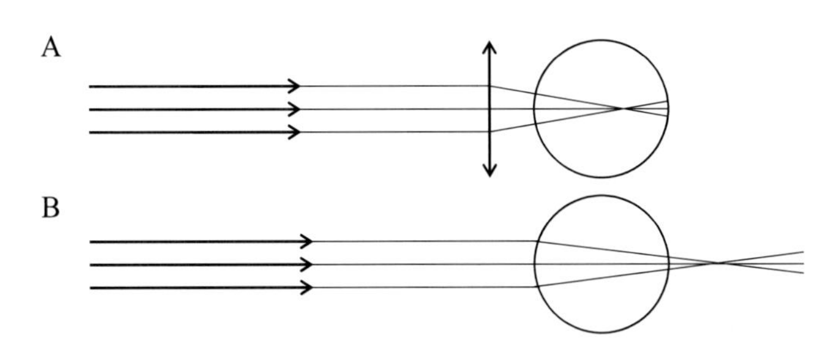

圖3-21　霧視眼之屈光原理

A：給予足夠的正度數時，眼球屈光系統會呈現近視眼狀態，當調節力介入、成像聚焦點則越遠離視網膜。B：未霧視則眼球可透過調節力讓成像聚焦點往視網膜靠近。

二、球面度數

當眼睛屈光不正只有球面度數而沒有散光度數時，檢查者在檢影鏡驗光結束後，分別將左、右眼霧視至 20/40 或 20/50，再逐漸減少正度數至能夠看清楚 20/20 視標爲止。

假設要將眼睛霧視至 20/50 需給予受測者 +1.75D（此時眼睛的屈光系統就如圖 3-21A 所示），當每減少 +0.25D 時，受測者的視力即有明顯地上升，直到受測者可透過最大正度數或最小負度數看清楚 20/20 或 20/50 時即爲測試終止點，若此時置於眼前的度數爲 +0.75D，再繼續減少正度數則會導致刺激調節力產生，使視力持續性地清晰，因此，在自覺式驗光流程終止點的準則爲「利用最大正度數或最小負度數即可得到最佳視力」。一旦受測者已達到最佳視力值時，若移除過多的正度數或給予過多的負度數，將會導致調節刺激，使得視標字體變黑或變小，此時檢查者應將度數退回可得到最佳視力的最大正度數或最小負度數。

三、散光軸度與度數

（一）散光鐘面圖

當受測者有足夠的霧視時，檢查者可利用散光鐘面圖（The clock dial）決定散光軸位。在檢測一開始可先確認受測者是否看得到輻射狀中的每條線（圖 3-22），若看得到所有線條時，再詢問受測者哪些方位（幾點鐘方向）的三條線較爲清楚，例如：12-6 點鐘方向、1-7 點鐘方向、2-8 點鐘方向的三條線較清楚。爲了得到正確的散光軸度，可將受測者回覆的答案中，數字較小者乘以 30 即爲散光軸度，例如：受測者回答 12-6 點鐘方向的三條線較爲清楚，可將矯正的圓柱鏡軸度設定在 180 度（6×30 = 180）；若受測者回答 1-7 點鐘方向的三條線較爲清楚，可將矯正的圓柱鏡軸度設定在 30 度（1×30 = 30）。

圖 3-22 散光鐘面圖

確認矯正軸度後，可開始慢慢加入負圓柱鏡度數 0.25 D，並請受測者告知哪個方向的線條較爲清楚。假設受測者的散光軸度爲 180 度（順式散光），請受測者比較 12-6 點鐘方向與 3-9 點鐘方向的線條何者較爲清楚，在尚未給予任何負圓柱鏡度數矯正前，受測者應認爲 12-6 點鐘方向線條較清楚，此時眼內影像的聚焦如圖 3-23A 所示；當開始給予 0.25D 的負圓柱鏡度數時，水平方向的聚焦線會往視網膜移動，但垂直方向的聚焦線位置並不會改變（圖 3-23B）；當眼睛獲得足夠的負圓柱鏡度數矯正時，水平方向的聚焦線將與垂直方向的聚焦線會聚在同一平面（圖 3-23C），此時 12-6 點鐘與 3-9 點鐘方向的線條應一樣清楚；若多給 0.25D 的負圓柱鏡度數時，水平方向的聚焦線會超越垂直方向的聚焦線（圖 3-23D），受測者會認爲 3-9 點鐘方向的線條較爲清楚，若將額外多給的負圓柱鏡度數退掉，又會恢復爲 12-6 點鐘與 3-9 點鐘方向的線條一樣清楚（圖 3-23E）。

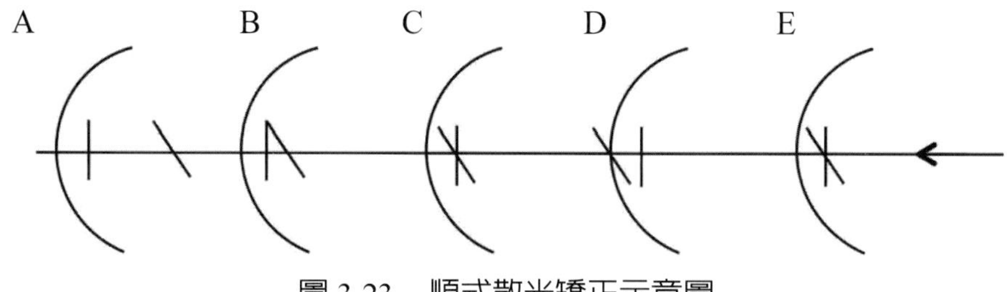

圖 3-23 順式散光矯正示意圖

A：眼睛於霧視情況下的聚焦位置。B：給予不足量負圓柱鏡度數（軸度位於 180）時的聚焦位置。C：給予足量負圓柱鏡度數（軸度位於 180）時的聚焦位置。D：給予過量負圓柱鏡度數（軸度位於 180）時的聚焦位置。E：將過量的負圓柱鏡度數（軸度位於 180）退掉時的聚焦位置。

（二）傑克森交叉圓柱鏡

傑克森交叉圓柱鏡（Jackson crossed cylinder, JCC）分別由負圓柱鏡與正圓柱鏡所組成，兩種圓柱鏡軸位相差 90°，此兩種圓柱鏡較爲常見的度數分別有：±0.25 D、±0.37 D 與 ±0.50 D。紅點代表負圓柱鏡軸位，此處的屈光度數爲正值，白點代表正圓柱鏡軸位，此處的屈光度數爲負值（圖 3-24）。

JCC 位於綜合驗光儀前方，又稱爲翻轉圓柱鏡（Flip cylinder），可於不霧視的情況下找出散光的精準度數與軸度。交叉圓柱鏡的兩個主要經軸位在平行於矯正鏡片的主要軸位上，若矯正圓柱鏡的軸度位於 180°，則交叉圓柱鏡的軸度也以此定位，

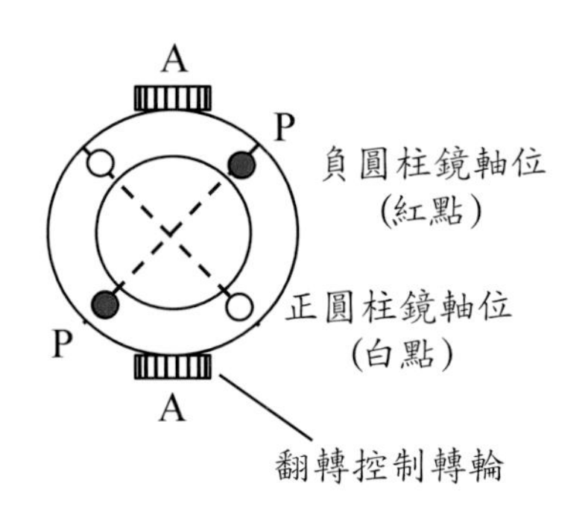

圖 3-24 傑克森交叉圓柱鏡之結構圖

此時兩個主要經軸分別位於 180° 與 90° 上，如圖 3-25A 所示。因此當 ±0.25D 之交叉圓柱鏡應用於確認精確的圓柱鏡度數時，翻轉鏡的兩邊分別代表增加 0.25D 的負圓柱度數以及減少 0.25D 的負圓柱度數，透過簡單地翻轉交叉圓柱鏡，即可增加或減少負圓柱度數。而當 ±0.25D 之交叉圓柱鏡用於確認精確的軸度時，將矯正圓柱鏡的軸度設定於 180°，交叉圓柱鏡的兩個主經軸則分別會位於 45° 與 135°（圖 3-25B），矯正圓柱鏡與交叉圓柱鏡的結合軸位分別會在翻轉前後，往相反方向等量移動。

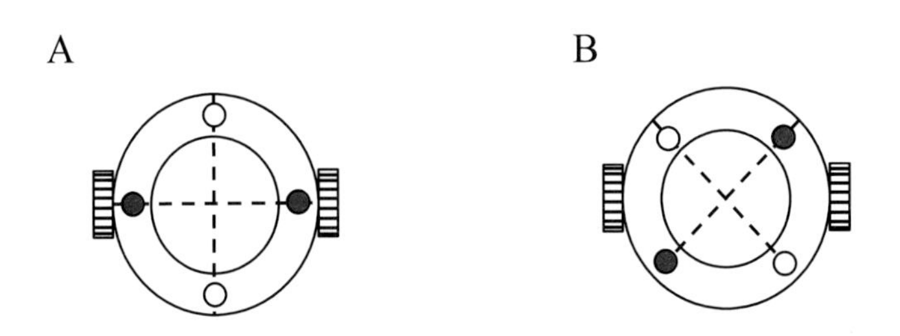

圖 3-25 以傑克森交叉圓柱鏡確認散光精軸與精度數

使用 JCC 確認精確的圓柱鏡度數時，其一大優點是當翻轉變換兩個相對的圓柱鏡度數時，不需要改變球面度數仍可維持相同的等價球面度數。假設在綜合驗光儀上的矯正度數爲 +1.00DS – 0.50DC×180，當置放上 ±0.25D 之交叉圓柱鏡時（其兩個方位的度數分別爲 +0.25DS – 0.50DC 以及 –0.25DS + 0.50DC），綜合驗光儀上的矯正度數與交叉圓柱鏡度數相結合後的度數分別爲 +1.25DS – 1.00DC×180 以及 +0.75DS – 0.00DC×180，由此可發現不論是在哪個方位，其等價球面度數皆爲 0.75D。

由於使用交叉圓柱鏡確認精確的散光度數與軸度時並未將雙眼霧視，因此，當受測者的散光度數完全矯正時，水平方向與垂直方向的聚焦線會同時落在視網膜上，如圖 3-26A 所示。當位於綜合驗光儀前的交叉圓柱鏡負軸位落在 180° 時（其交叉圓柱鏡的屈光度此時爲 +0.25DS – 0.50DC×180），位於水平軸位的垂直入射光會增加，而位於垂直軸位的垂直入射光會減少，進而導致垂直方向的聚焦線落在視網膜前，水平方向的聚焦線則落在視網膜後（圖 3-26B），因此，所看到的視標或影像會變得模糊。當翻轉交叉圓柱鏡使負軸位落在 90° 時（其交叉圓柱鏡的屈光度此時爲 +0.25DS – 0.50DC×090），水平方向的聚焦線落在視網膜前，垂直方向的聚焦線則落在視網膜後（圖 3-26C），所看到的視標或影像仍是模糊的，因此，在翻轉交叉圓柱鏡的過程中，無論是鏡片 1 或鏡片 2，對於受測者皆是模糊的。

在眼睛未霧視的情況下，若受測者的順規散光度數未完全矯正時，水平方向與垂直方向的聚焦線將會分別落在視網膜前後，如圖 3-26D 所示。將交叉圓柱鏡負軸移至 180° 時（平行於矯正圓柱鏡的軸位），將會導致垂直方向的聚焦線往前移，水平方向的聚焦線往後移，此時兩個方向的聚焦線會同時落在視網膜上，如圖 3-26E

所示。當翻轉交叉圓柱鏡後，兩條聚焦線將同時會更遠離視網膜（圖 3-26F），因此，在翻轉交叉圓柱鏡的過程中，鏡片 3 所呈現的影像會比鏡片 4 較爲清楚。

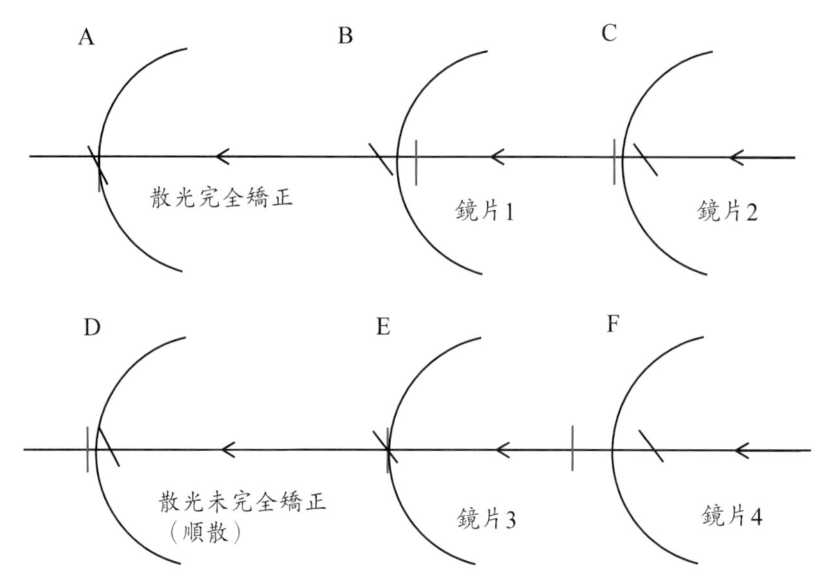

圖 3-26 翻轉傑克森交叉圓柱鏡後，於眼睛內部之成像示意圖

四、雙眼平衡

雙眼平衡爲自覺式驗光流程中的最後步驟，其目的並非是要使兩眼的視力相等，而是要平衡兩眼之間的調節狀態，讓兩眼視網膜的影像可以同時對焦，避免因雙眼矯正不平衡所帶來的眼睛疲勞。針對雙眼之調節狀態可透過下列方式來平衡：

（一）雙眼稍微霧視以進行雙眼平衡（Balancing with little fog）

相繼完成右眼與左眼的自覺式驗光後，可將雙眼度數留在驗度儀上，並將受測者眼前的遮蓋全部打開，讓雙眼同時注視位於 6 公尺處的一行視標，同時增加受測者雙眼的正度數或減少雙眼的負度數，使 20/20 視標模糊，但仍可辨識 20/25 的視標，再以稜鏡分離法（Prism dissociation）或交替遮蓋法（Alternate occlusion）讓受測者比較哪隻眼睛的視力較清晰。以稜鏡分離法或交替遮蓋法進行雙眼平衡時，兩眼之最佳矯正視力需相同。

1.稜鏡分離法

雙眼霧視至 20/25 後，在受測者的右眼前放置 3ΔBD、左眼前放置 3ΔBU，此時受測者會看到視標往垂直方向分離成兩個影像（若受測者有水平方向的斜位，視標則會同時往水平與垂直方向分離），請受測者判斷上方或下方哪行視標較爲清晰。

(1)若上、下兩行視標一樣清晰，代表雙眼調節已達平衡狀態。

(2) 若上、下兩行視標沒有一樣清晰，則給予清晰眼 +0.25D，並請受測者再次比較哪行視標較爲清晰，直到受測者回答兩者一樣清晰。

A. 當上方視標較清晰時，給予右眼 +0.25D。

B. 當下方視標較清晰時，給予左眼 +0.25D。

(3) 若受測者無法達到兩行視標同時一樣清晰，則選擇讓主利眼較爲清晰。

2.交替遮蓋法

不同於稜鏡分離法，在交替遮蓋法中並沒有使用稜鏡將視標分離，而是將雙眼霧視至 20/25 後交替遮蓋左、右眼，並請受測者比較哪一眼看視標較爲清晰。在操作時可使用遮眼棒或直接設定綜合驗光儀將單眼視線快速遮蓋。

(1) 若左、右眼視力一樣清晰，代表雙眼調節已達平衡狀態。

(2) 若左、右眼視力沒有一樣清晰，則給予清晰眼 +0.25D，並請受測者再次比較哪一眼看視標較爲清晰，直到受測者回答兩眼一樣清晰。

A. 右眼看視標較清晰時，給予右眼 +0.25D。

B. 左眼看視標較清晰時，給予左眼 +0.25D。

(3) 若受測者無法達到左、右眼看視標一樣清晰，則選擇讓主利眼較爲清晰。

（二）雙眼不霧視以進行雙眼平衡（Balancing with no fog）

由 Giles 於 1965 年時提出，當完成雙眼自覺式驗光後，不將雙眼霧視而直接請受測者注視 20/20 視標，並透過稜鏡分離法與交替遮蓋法進行雙眼平衡，此時兩眼之最佳矯正視力需相同。

1. 先以稜鏡分離法讓受測者比較上、下兩行視標何者較爲清晰。

(1) 若上、下兩行視標一樣清晰，則繼續進行交替遮蓋法。

(2) 若上、下兩行視標沒有一樣清晰，則給予清晰眼 +0.25D，並請受測者再次比較哪行視標較爲清晰，直到受測者回答兩者一樣清晰，再繼續進行交替遮蓋法。

A. 當上方視標較清晰時，給予右眼 +0.25D。

B. 當下方視標較清晰時，給予左眼 +0.25D。

(3) 若受測者無法達到兩行視標同時一樣清晰，則選擇讓主利眼較爲清晰，再繼續進行交替遮蓋法。

2. 以稜鏡分離法完成雙眼視力平衡後，再利用雙替遮蓋法求得單眼視力最佳正度數。

(1) 將左眼遮蓋後給予右眼 +0.25D，直到 20/20 視標模糊之前停止動作。

(2) 將右眼遮蓋後給予左眼 +0.25D，直到 20/20 視標模糊之前停止動作。

(3) 檢查者完成雙眼平衡後，若想要再次確認檢測結果是否爲正確之終止點，可請受測者雙眼注視 20/20 視標，同時在受測眼前給予 +0.25D，再請受測者判斷視標的清晰度是否有變化，此時的預期答案應爲「些微模糊」、接著再一次給予受測眼 +0.25D，此時的預期答案應爲「很模糊」、最後再給予受測眼一次 +0.25D，所得到的預期答案應爲「完全模糊」。當已給予受測者 +0.75D 時，仍能輕易地看到 20/20 的視標，則代表受測者的調節力在驗光的過程並未完全放鬆。若給予受測者 +0.25D 時，20/20 視標完全模糊，則代表在驗光過程中，給予受測者較多的正度數。

（三）紅綠法

在兩眼最佳矯正視力相同的情況下，可使用稜鏡分離法或交替遮蓋法進行雙眼平衡。但若在自覺式驗光時發現兩眼看同一行視標，左、右眼可辨識出的字不一樣多時，則建議改用紅綠法（The Bichrome Test）進行雙眼平衡。以紅綠法檢測時又可再分爲單眼終點測試（Monocular end point test）與雙眼平衡測試（Binocular balancing test）。

1.單眼終點測試

紅綠法需在近乎完全暗室的環境下操作，以單眼的主覺式驗光結果爲起始點，並分別於兩眼前加入 +0.50D 或 +0.75D 的球面度數，並請受測者觀察於紅綠中，哪一側的視標較爲清晰（如圖 3-27 所示，紅色背景於左側、綠色背景於右側）。

圖 3-27 含有維爾赫夫氏環（Verhoeff 's circle）的紅綠視標

若眼睛有得到適當地霧視，在一開始時紅色光線的聚焦點會距離視網膜較近、綠色光線的聚焦點則較遠（圖 3-28 A），且紅色側的視標比起綠色側視標在視網膜上會形成較小的模糊圈，此時可請受測者告知紅色背景與綠色背景中的視標，何者較清晰、較黑或較明顯。在圖 3-28 A 的情況下，受測者應告知紅色背景中的視標較爲較清晰，若慢慢給予 0.25D 的負球面度數，則會產生圖 3-28 B 的情況，此時受測者應認爲紅色與綠色背景中的視標一樣清晰，若仍繼續給予 0.25D 的負球面度數，則會產生圖 3-28 C 的情況，此時受測者應認爲綠色背景中的視標較爲清晰。

若起始的單眼主覺式驗光結果正確，當給予 +0.75D、+0.50D 及 +0.25D 霧視時，受測者應會認爲紅色背景的視標較爲清晰，若將霧視度數完全去除，應會認爲紅色與綠色背景中的視標一樣清晰，當額外多退掉一片 0.25D 的正度數時，則會變成綠色背景中的視標較爲清晰。此測試的終止點爲紅色與綠色背景中的視標一樣清晰。

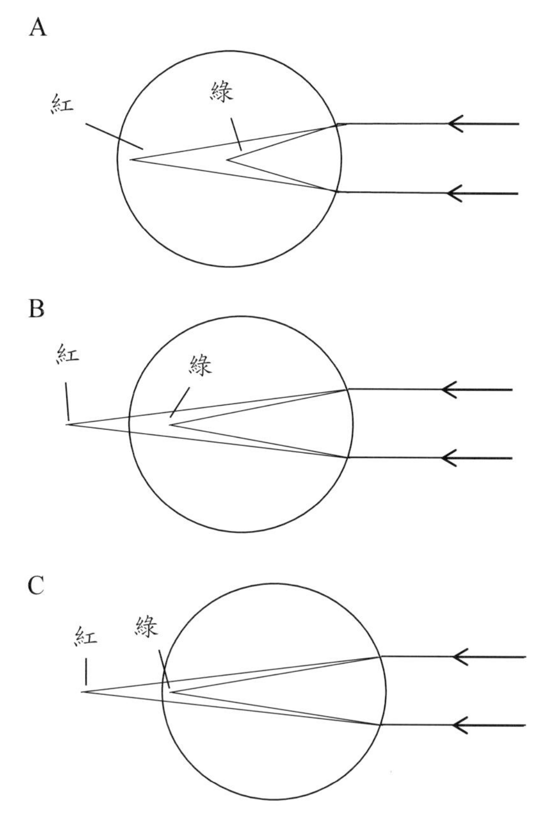

圖 3-28　紅綠視標於眼睛之成像示意圖

A：由於紅色聚焦點較接近視網膜且其模糊圈較小，因此受測者會看到紅色背景上的視標較爲清晰。B：此時紅綠距離視網膜的距離相同，因此受測者會出現紅色與綠色背景上的視標一樣清晰。C：由於綠色聚焦點較接近視網膜且其模糊圈較小，因此受測者會看到綠色背景上的視標較爲清晰。

2.雙眼平衡測試

當紅綠法使用於雙眼平衡測試時，需同時搭配上稜鏡分離法操作，在測試開始前需將雙眼的遮蓋去除，並同時雙眼霧視 +0.50D 或 +0.75D，再將 3ΔBD 置於右眼前、3ΔBU 置於左眼前。在測試過程中需請受測者先持續注視上方的視標（由右眼所視），再請受測者回答紅、綠側視標何者較清晰、較黑或較明顯，此時受測者的預期答案應爲紅色側視標較爲清晰，接著再將右眼前的正度數以每次 0.25D 的速度慢慢退掉，直到得到「紅綠側的視標一樣清晰」與「第一片綠色側視標較清晰」的答案爲止，再將一片 +0.25D 加回右眼前，讓右眼處於紅綠兩側視標一樣清晰的結果。待右眼測試完畢後，請受測者改持續注視下方的視標（由左眼所視），並重複上述的步驟直到左眼處於紅綠兩側視標一樣清晰的結果。

最終的測試終止點爲左右兩眼的結果皆爲「紅綠兩側視標一樣清晰」，但若右眼結果爲一樣清晰，左眼結果爲紅色側清晰，則在右眼前加入 0.25D 的正度數，使雙眼皆爲紅色側清晰；若假設右眼結果爲一樣清晰，但左眼結果爲綠色側清晰，則可在左眼前加入 0.25D 的正度數，使雙眼皆爲一樣清晰，需避免給予眼睛過多的負度數，其可能會導致不必要的調節產生。

五、完全霧視法

由於有些受測者在沒有散瞳的情況下，無論是在檢影鏡驗光或自覺式驗光，皆無法讓調節完全放鬆，因此完全霧視法（Overfogging）的應用使眼睛在沒有散瞳劑的情況下，也可以讓調節達到最大放鬆的狀態。

（一）延遲性自覺式測試（The Delayed Subjective Test）

此方法由 Borish 於 1945 年所提出，當整套眼睛屈光檢查完成時，立即接著實施負相對性調節測試（Negative relative accommodation），透過正鏡片讓雙眼對於 40 公分處的視標產生持續性模糊，此時約已給予雙眼 +2.25D 或 +2.50D 以上的正度數。接著將近用視力卡移除，並請受測者注視霧視前雙眼於遠方可看到的最小視標，若受測者沒有老花症狀，此時所看到的視標應爲非常模糊，再以每次 0.25D 的速度慢慢將受測者雙眼前的正度數移除，直到受測者雙眼可再次看清楚遠方的最小視標爲止，所剩下來的度數爲延遲性自覺式測試的最終度數，此種測試方法對於有視覺疲勞（asthenopia）症狀的患者特別有應用價值。

（二）調節抑制法（Cyclodamia）

1930 年時，由 Dorland Smith 於檢查軍隊新兵眼睛的過程中所發現，並在 1947 年由 Bannon 記錄並提出，此驗光方法是爲了要透過不散瞳的方式，達到散瞳後的調節放鬆狀態進行驗光。當檢影驗光完畢後，選擇不將工作距離的屈光度加入受測眼前，而是直接進行後續的自覺式驗光流程，此時受測者等同雙眼已被霧視了 –1.50D、–1.75D 或 –2.00D（視工作距離而定）。

六、雙眼驗光法

在一般自覺式驗光流程中，最後可選擇在雙眼前給予稜鏡做最後的平衡，但在雙眼驗光法（Binocular refraction）中考量到眼睛有注視偏移（Fixation disparity）的現象產生，因此會請受測者以雙眼注視視標的周邊部分，讓周邊影像可運用融像將畫面固定，由於個別眼睛會有其主要的中央注視區，因此視標的中央部分則是透過單眼個別注視檢測。

雙眼驗光法的流程於 1946 年時由 Turville 提出，又稱爲特維爾無限平衡法（Turville infinity balance），此方法將視標置於受測者頭部的後上方，受測者需透過鏡子觀察視標，此鏡子附有 3 公分寬的隔板，使得左眼只能看到左邊的影像，右眼只能看到右邊的影像，視標的周邊設計爲深黑色，讓雙眼周邊融像可以固定範圍，使得單眼得以個別受刺激（圖 3-29）。

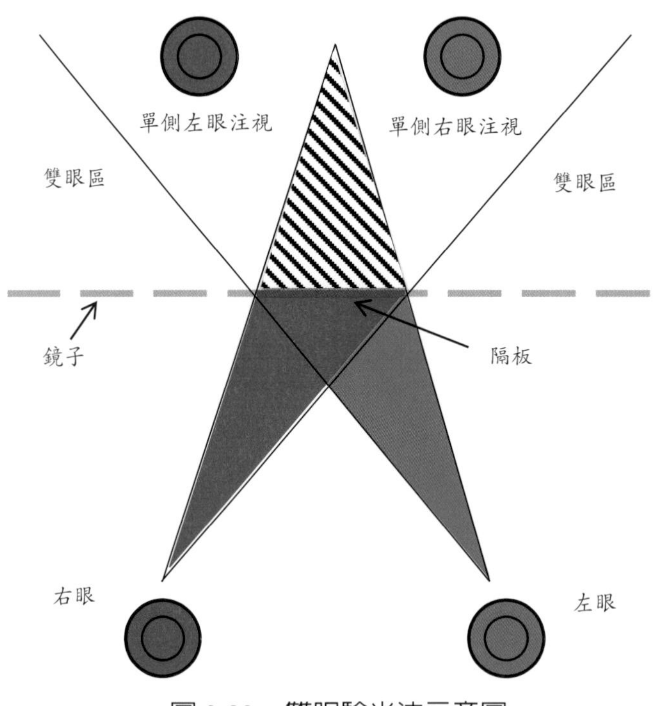

圖 3-29　雙眼驗光法示意圖

七、散瞳驗光法

當我們在視近物時，眼睛會透過調節力使得近的影像變得清晰，但是給予散瞳劑後，會使得睫狀肌痲痺、瞳孔放大、調節力暫時喪失，此時視近物的影像會變得模糊不清。透過散瞳後的驗光方式稱爲散瞳驗光法（Cycloplegic refraction），又稱作濕式（Wet）驗光法，目前較爲常見的散瞳劑分別有：

1. Atropine：有 0.5% 與 1.0% 兩種濃度，可連續點藥 3 天，每日點 2～3 次，其所帶來的痲痺效果可持續 7～10 天，散瞳效果可持續兩週。

2. Homatropine：相對於 atropine 所需之給藥次數較少，一天給一次藥即可，給藥後的 45～60 分鐘內開始有痲痺效果，但對於 15 歲以下兒童的痲痺效果較不足。

3. Cyclopentolate：屬於短效散瞳劑，有 0.5% 與 1.0% 兩種濃度，給藥後的 30～45 分鐘內即開始有痲痺效果，效果可持續 24 小時。常使用於 2 歲以上受測者的散瞳檢查中，對於 6 歲以下的幼童可每天給予 1～2 滴 1% 的 cyclopentolate；6～16 歲的孩童可每天給予 1 滴 1% 的 cyclopentolate；至於成年人則建議可使用 1 滴 0.5% 的 cyclopentolate。

4. Tropicamide：屬於短效散瞳劑，有 0.5% 與 1.0% 兩種濃度，對於成年人每天可給予 3～4 滴 1.0% 的 tropicamide（每滴間隔 1 分鐘左右），在給藥 30 分鐘內即可達到完全痲痺的狀態，tropicamide 的藥效在給藥後的 2～6 小時之間會慢慢退去。

各種散瞳劑的使用整理如表 3-2 所示：

表 3-2　各種散瞳劑及使用方法

散瞳劑種類	濃度	使用頻率	藥效時間	剩餘調節力
Atropine	0.5%, 1%	每日 2～3 次，連續給藥 3 天	2 週	無
Homatropine	2%	每日 1 次	1～3 天	無
Cyclopentolate	0.5%, 1%	每日 1 次	24 小時	少
Tropicamide	0.5%, 1%	每日 1 次	2-6 小時	中

散瞳劑在臨床上可應用於：

1. 驗光：經常使用於調節力較強，且具有潛在性遠視或調節性內斜視的幼童上。由於散瞳劑會導致調節力較長時間的痲痺，因此散瞳驗光不包含在學齡兒童或成人的常規驗光流程中。

2. 近視：幼童過度使用調節力可能會導致假性近視或近視加深，散瞳劑的使用可以使調節放鬆、減緩近視度數。

3. 弱視：將視力較佳眼散瞳，使得患者必須用弱視眼視物，達到類似遮蓋的效果。

4. 觀察眼底：利用儀器檢查視網膜時，透過散瞳使瞳孔放大，較能更全面地檢查視網膜的健康情況。

散瞳劑對眼睛可能產生的副作用有：

1. 藥物本身對眼睛產生的疼痛感、發炎。

2. 增加隅角閉鎖性青光眼的風險。

3. 眼壓上升。

散瞳驗光對於不同年齡層的應用如下：

1. 孩童：在學齡前兒童中，很容易觀察到內聚性斜視的情形，但在此年齡層所產生的內斜視，可能是由於未矯正的潛在性遠視度數所致，因此可透過散瞳後驗光，觀察受測者是否有潛在的遠視度數存在，如果散瞳驗光確實有檢測出潛在的大量遠視度數，則此內斜視屬於調節性內斜視，於遠視度數完全矯正後應能明顯地被改善；但若在散瞳驗光後，受測者並沒有被檢查出大量的潛在度數，則需改用手術治療才能改善內斜視。若兒童的眼位處於正常位置，但卻帶有一定量的內斜位，則透過散瞳驗光檢查是否有潛在遠視度數，對於眼位的改善也有很大的幫助。

2. 成人：18～40 歲的成年人，若有未矯正的潛在遠視度數，可能會造成近距離工作時產生頭痛等症狀。一開始可先透過霧視的方式取代散瞳驗光，如果霧視法不能測得潛在的遠視度數，則可考慮使用對眼睛較無副作用的 tropicamide 進行散瞳驗光。

3. 中老年人：由於調節幅度隨著年齡增加而快速下降，到 55 歲時幾乎已無調節幅度存在，而 40 歲以上的成年人透過霧視法已可將潛在的遠視度數檢測出來，因此隨著年齡增加，散瞳驗光的必要性也跟著下降。

第4章　調節與老花

蔡政佑

第一節　調節力概述

調節，指的是因睫狀體的收縮導致暫時性水晶體屈光度的改變，從而改變光線進入眼球後對於網膜的共軛點。此種屈光度的改變能使眼睛改變遠方物體近移後焦距的改變。

17 世紀以前，人們並不清楚當注視不同距離物體時，眼睛必須改變其焦距。於 1619 年，Christopher Scheiner 使用具有兩個針孔的卡片（現稱爲 Scheiner disc）證實了調節的存在。如果卡上兩個針孔分離的距離小於觀察者瞳孔直徑，此時物體便無法聚焦在視網膜上，使得觀察者看到兩個影像（複視），座落於視網膜上的物體將好似被分別單眼看到。當透過 Scheiner disc 觀察遠方物體時，遠方的物體則會被辨認爲單一清楚的影像，如圖 4-1 所示。然而，假使爲一個像針頭般大小的物體位於視線上時，如果慢慢靠近眼前，此針頭會被辨認成模糊的複影。如果此時觀察者專注於近方的針頭上，此時近方針頭便爲單一清楚的，而遠方影像則爲模糊的複影。經由 Scheiner 的實驗證實：(1) 遠方與近方的物體無法同時聚焦於視網膜上；(2) 爲了要在各種不同距離皆能清晰地看到物體，眼睛屈光度的改變是必需的。雖然如此，Scheiner 仍然無法理解眼睛是如何調整屈光度的。

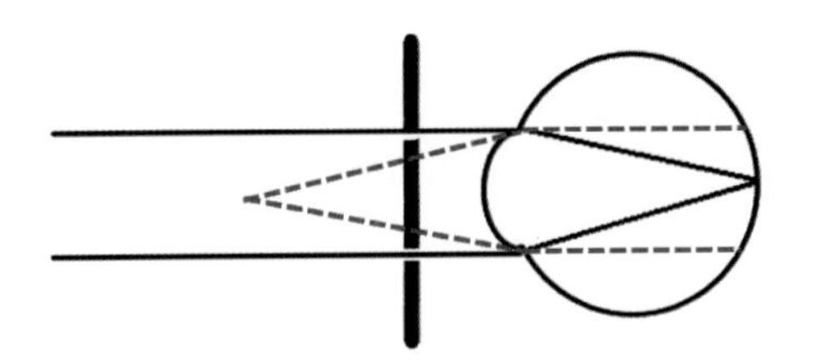

圖 4-1 Scheiner disc。當物體無法聚焦時便呈複視。

上述的問題直到 1801 年 Thomas Young 證實了眼睛的調節是由水晶體所負責。如同 Levene 於 1977 年所述，Young 說明了調節無法經由角膜屈光度的改變或眼軸長的改變而產生。Young 經由將眼睛浸入水中來中和角膜的屈光力，從而證實調節仍然可以發生；然後他將眼睛向內轉向鼻子並將鑰匙放在眼睛的後極部後方來排除眼軸長的變化。將鑰匙置於黃斑部後方導致他產生壓力性光幻視。Young 發現當他為了看清近物產生調節時，光幻視的大小並沒有改變，這表示眼軸長並無任何改變。最終，Young 證實了調節的主要負責組織為水晶體，因為當其使用一無水晶體的眼睛時，他便無法看清近物。

對於調節力而言，眼睛內部所參與調控的組織結構可分為睫狀體及懸韌帶，有關這兩部分結構的敘述說明如下：

一、睫狀體

Young 的實驗雖證明了水晶體為產生調節功能的主要組織，但由於其是在眼睛結構被詳細解析之前所完成的，因此他錯誤地推斷認為水晶體纖維是負責調節的肌肉纖維。1847 年，Bowman 和 Bruke 分別發現了睫狀肌以及正確地認為睫狀肌在眼睛調節時負責改變水晶體的屈光力。睫狀肌被認為是通過懸韌帶對水晶體進行影響。Fincham 將睫狀肌描述為占據睫狀體大部分並具有稜形環狀的組織結構，且其稜形基底部位於前方接近虹膜根部。睫狀體是由三種型態的纖維所組成：

1. 縱向纖維：為起源於鞏膜突的長纖維，位在角鞏膜接合處後面，且廣泛地深入到上脈絡膜赤道部的彈性層中。

2. 放射纖維：同樣為起源於鞏膜突的短纖維，並向後延伸形成環狀纖維。

3. 最內層的纖維—環狀纖維：具有括約肌功能的纖維。

二、懸韌帶

懸韌帶的主要部分大範圍地進入水晶體囊袋部分（被認為是水晶體上皮所分泌的基底膜組織）。Moses 指出主要懸韌帶是由三種纖維束所組成：(1) 前纖維束，為最強壯最厚實的纖維，延伸進入水晶體前囊並負責維持水晶體於無調節狀態時的位置；(2) 赤道纖維，與其他兩者相比之下數量相對較少；(3) 後纖維，數量最多但相對最細。Moses 同時也指出第二部分的懸韌帶是由兩個次纖維束所組成：睫狀體內表面纖維組成的緻密網狀結構及由睫狀體平坦部延伸而來的纖維最終進入玻璃體形成玻璃體基底。

（一）調節過程中所產生的變化

1855 年，Herman von Helmholtz 使用 Purkinje 影像（由角膜及水晶體反射或折射而成的影像）說明調節過程中所產生的變化。發現經由水晶體前表面所形成的第三 Purkinje 影像在調節產生時明顯的變小並向前方移動，然而，由水晶體後表面所形成的第四 Purkinje 影像只有略爲變小。Helmholtz 認爲當調節產生時，眼睛內部發生了以下的情況：

1. 縮瞳。
2. 虹膜瞳孔緣及水晶體前表面向前移動。
3. 水晶體前表面變凸。
4. 水晶體後表面略微變凸。

另外兩項 Helmholtz 沒有觀察到的變化爲：

1. 由於重力的影響，當水晶體產生調節時略爲下沉。
2. 脈絡膜向前移動。

（二）調節的機制

在上述改變的情況下，Helmholtz 假設在自然情況下水晶體爲調節性的相對球狀。當水晶體於無調節情況時，懸韌帶會緊拉，使得水晶體呈現扁長狀。然而，當睫狀肌收縮時同時帶動了括約肌，此時懸韌帶呈放鬆狀，具有彈性的水晶體囊增加曲度，同時使水晶體變厚，更接近球狀。Helmholtz 認爲水晶體組成物質較爲柔軟能夠被彈性外囊所塑形，因此，他提出老花眼的發生是因爲水晶體物質的硬化，進而無法對於懸韌帶鬆緊度彈性變化所反應。

Fincham 研究水晶體囊袋後證實前囊的厚度較後囊爲厚，赤道部（接近懸韌帶接觸部分）又比接近極部更爲厚實。調節過程中，囊袋厚度的變化導致水晶體前表面變爲相當彎曲，如果水晶體囊袋具有相同的厚度，則可能會大得多。對於 Helmholtz 的理論來說，此爲相當重要的貢獻，否則無法完整地解釋當懸韌帶的壓力釋放後水晶體屈光度大幅改變的情況。

第二節　常用調節力檢測

調節於臨床上可被量化爲屈光度（D），如果一患者爲正視眼的情況，調節刺激則爲距離視近物之間的距離轉爲公尺後取倒數即可。舉例來說，當看一近物距離 20 公分時，其調節刺激爲 1/0.2 (m) = 5.0 D。

臨床上有兩種主要類型的調節檢測方式，第一種爲調節幅度，爲評估患者最大調節能力以及測定特定刺激下的調節反應，當患者調節能力下滑時（通常是由於老花眼），將需要矯正眼鏡使他們能夠於近距離看清物體；第二種爲檢驗調節與聚散間的相互關係，包含相對調節及調節靈敏度的評估，以及兩種功能之間相互連結的定量。

一、調節幅度及調節範圍

無論是幅度或是範圍皆取決於遠點（眼睛所能在視網膜上呈現最清楚影像的最遠點）及調節時所產生近點（視網膜上呈現最清楚影像的最近點）的位置。

當一位年輕人沒有任何屈光不正的狀態（或是已利用鏡片進行屈光矯正），他所能看清物體的距離從無限遠處一直到鼻子前方 10 公分的距離爲止。經過計算其調節範圍爲無限遠減掉 10 公分，仍然爲無限遠；但其調節幅度就不盡相同，調節幅度爲調節遠點的屈光力減掉調節近點的屈光力 10 D-0 D=10 D。臨床上調節幅度相對於調節範圍更具有意義。

（一）調節幅度

調節遠點爲當調節能力完全放鬆時，與視網膜相互共軛的點。

調節近點爲當調節能力完全作用時，與視網膜相互共軛的點。

調節幅度爲介於調節遠點及調節近點之間的屈光距離。

因此，調節幅度的計算爲遠點屈光力減去近點屈光力。假設其調節遠點位於光學上的無限遠則爲 0 D，此時調節幅度就等於調節近點的屈光力。當臨床上要檢查此參數時，最簡單的方式就是完全矯正患者之屈光不正，如此一來，遠點屈光力就會趨近於 0 D。

（二）調節範圍

調節範圍的檢查只在老花眼患者身上進行。此爲雙眼視覺檢查中的最後一步，於正負相對調節檢查後進行。患者於檢查過程中需配戴暫時加入度處方。患者雙眼同時注意位於眼前 40 公分處近用視標卡的 20/20 大小的視標，此時檢查者逐步將視標推進患者，並請患者於出現模糊時告知。此時檢查者須記錄發生模糊的距離（公分）後將視標回復至 40 公分處。接下來請患者注視 20/30 之視標，並將視標推離患者，請患者於出現模糊時告知。同樣地，檢查者記錄發生模糊的距離（公分）後，同時計算此兩次測驗的範圍（例如 20 公分至 50 公分）。接下來，檢查者可告知患者目前的處方可以使他看清楚的範圍爲何，也可讓患者思考此範圍是否有涵蓋其閱讀或近用工作之範圍。

當患者考慮首次使用近用處方時，建議將其近用處方置於試鏡架上，讓患者可以於此視覺範圍間做眞實的體驗。

二、調節刺激

調節刺激可由兩種方式所誘導：

1. 將物體由無窮遠處向患者方向移動（臨床上爲短於 6 公尺即可）。

2. 在患者眼前加入負鏡片進行刺激。

上述兩種方式皆能增加進入眼睛內部光線之聚散度。無論利用何種方式進行誘導，調節刺激皆需利用屈光度的方式做表示。

假設一檢測眼並無屈光不正現象或已利用鏡片矯正其屈光不正，置於無窮遠處的物體便能夠在不需要任何調節介入的情況下清晰地投射於視網膜上。然而，當物體改放置於眼前鏡片平面前方 40 公分時，此時來自於物體的光線成發散狀，假使無任何調節介入，影像便會聚焦於視網膜後成一虛像。若適時的調節介入時，原本來自於物體的發散光便能夠順利聚焦於網膜上。當物體置於 40 公分時，其所需之調節量爲 1/0.4 (m) = 2.50 D。再次說明此 2.50 D 爲調節刺激的表現。

同上之檢測眼，另一個不藉由將物體由無限遠處移至眼鏡平面前 40 公分刺激調節之方法爲仍然將物體置於無限遠處，但同時加入 –2.50 D 在眼前，此時其調節刺激同樣爲 2.50 D。臨床上在某些情況下此兩種方法會同時使用。

例題：當一物體擺放於眼前 1 公尺時，其調節刺激爲 1.00 D，此時在眼前加入 –2.00 D 的鏡片，爲了看清楚物體，調節刺激會增加至 3.00 D。

（一）推進法（Push-up method）

患者需配戴最佳矯正視力的矯正處方，Snellen 視標卡放置於患者眼前 40 公分處，視標大小的選擇可以爲 20/20 大小的單一或單行視標。視標卡最好能利用 40 瓦的白熾燈進行照明以防止過亮的光線造成患者焦深的增加使得調節幅度過高。檢查者同時也需注意當視標移近患者時，光照量同樣需維持恆定。此檢測首先進行單眼的檢查，隨後再進行雙眼檢查。

當檢查者緩步地將視標移近患者時，要求患者當視標開始變模糊及持續模糊時進行告知。値得注意的是，當首次出現持續模糊時，調節幅度就應該被記錄。

大部分低於 40 歲的患者對於在 40 公分處閱讀 20/20 的視標大小是沒有問題的（表示 2.50 D 的調節力）。假使患者在老花眼的初期，且在 40 公分觀看視標時表示模糊，此時將視標往後移動直到患者表示爲清楚爲止。確認患者表示視標清楚後再將視標往患者方向移動，直到首次出現持續模糊時。如果將視標移至離 40 公分處很遠的距離，患者還是表示無法清楚，則將視標移回 40 公分處，在雙眼前同時加入正度數直到 20/20 視標清楚時才可開始進行檢測。

如果患者戴有加入度處方，則需在計算出檢測的調節幅度後再扣掉即爲患者眞正的調節幅度。例如：一患者表示視標首次出現模糊時爲距離 33 公分處（約等於 +3.00 D），但他戴著 +1.50 D 的加入度，其調節幅度爲 +3.00 D –（+1.50 D）= +1.50 D。

（二）負鏡片法（Minus lens method）

利用負鏡片測量調節幅度的方法，近點卡放置於患者眼前 40 公分處。指示患者分別利用單眼注視 20/20 視標，對側眼則進行遮蓋。並告知患者即將於眼前逐漸地加入負度數，請患者於首次出現持續模糊情況時告知。

爲了得到正確的調節幅度，+2.50 D（注視 40 公分時所產生的調節力）需在加入於利用負鏡片至模糊時的屈光度。例如：假設檢查者於患者本身的屈光矯正度數上又加了 –4.50 D 後患者表示持續模糊，則調節幅度爲 +4.50 D + (+2.50 D) = +7.00 D。假設在開始檢查前需額外加入正度數於遠用處方上患者才能看清 40 公分處視標，此額外的加入度於最後進行調節幅度之計算時需扣除。

（三）兩種檢查法的比較

當進行推進法檢測調節幅度時，20/20 大小視標的視角會隨著視標靠近眼睛而逐漸變大。例如：40 公分時，20/20 視標的視角爲 5 分角，在 20 公分時，視角則變爲 10 分角。進行負鏡片法時，視標的視角大小並無變化（視網膜影像僅會由於負鏡片的加入使得調節介入而微幅縮小）。

臨床上藉由推進法所檢測出的調節幅度通常比負鏡片法來得高。這是由於推進法會使得視網膜影像顯著增加而導致較高的變化幅度。對於老花眼或是近老花眼的調節幅度來說（+1.00 D～+5.00 D），使用上述兩種方式的檢查結果差異並不太大。

三、調節幅度檢查數據之應用

大多數的人在未到老花眼的年紀時（40 歲以下），其調節幅度皆位在屬於其年齡的正常範圍內。然而，少數的年輕患者被發現會因爲功能性或病理性的原因導致其調節幅度偏低。

當患者年紀到 40 歲或更大時，根據經驗法則表示，爲了要能夠在閱讀或近距工作時能有清楚及舒適的視覺品質，需使用不超過自身調節力的一半。因此，當工作距離爲 40 公分時，如果患者的調節幅度小於 5.00 D，依據經驗法則此患者可能需要額外近用度數的輔助。

例如：當患者經檢測其調節幅度爲 3.50 D，則於近用工作時其可付出的調節力約爲 1.50 D，如果他的工作距離設定爲 40 公分（2.50 D），則額外的 1.00 D 可能就需要另行輔助。雖然還有許多方法可以決定加入度的選擇，但此經驗法則能夠對於剛開始進入老花眼的患者做簡單的加入度評估。

四、調節幅度與年齡的關係

臨床上已證實調節幅度會隨著年紀的增長而下滑，最廣爲人知爲 Donders（1864）及 Duane（1912）所做的研究。兩位研究者皆認爲調節幅度每年約莫有 0.3 D 的減少（如表 4-1 所示）。

Hofstetter 於 1944 年也發表了三種方程式分析最小、平均及最大調節幅度：

1. 最小調節幅度 = 15 – 0.25× 年齡
2. 平均調節幅度 = 18.5 – 0.3× 年齡
3. 最大調節幅度 = 25 – 0.5× 年齡

此三種方程式於臨床上的應用會比查表還要廣爲使用，因爲提供檢查者能夠設定因年齡不同的正常範圍作爲參考。

表 4-1　年齡與調節幅度的關係

年齡及調節幅度（D）的關係		
年齡	Donders	Duane
10	14	11
15	12	10.25
20	10	9.5
25	8.5	8.5
30	7	7.5
35	5.5	6.5
40	4.5	5.5
45	3.5	3.5
50	2.5	
55	1.75	
60	1	1.25
65	0.5	
70	0.25	1
75	0	

資料來源：依據 Donders（1864）及 Duane（1912）所做之研究整理

五、調節反應

視軸測定立體鏡爲一般研究上用來測定調節反應的機器，但並不常在臨床上所使用。在此儀器的使用中，一微小的光點被用來作爲一檢查眼的刺激物，而視力値大小爲 20/20 的 Snellen 視標則置於 6 公尺作爲另一檢查眼的刺激物。使用霧視技巧（相當於在眼前擺上一定度數的凸透鏡），此時便會將進入眼內的光線變爲會聚光線，且聚焦在視網膜前，同時模擬爲近視的情況，如果患者產生大量的調節介入只會使得目標物越變越模糊。當造成模糊的度數慢慢開始減少時，模糊的光影便開始逐漸變清楚直到出現一清晰銳利的影像爲止。於此同時，檢查者便能用此方式判別此患者在過程中使用了多少量的調節。

（一）調節反應常用檢測

臨床上要測量調節反應時，常用的檢測方式有動態檢影鏡及雙眼交叉圓柱鏡（Binocular crossed-cylinder）檢查法。動態檢影鏡爲客觀檢查法（患者只需聽從檢查者之指示即可）；雙眼交叉圓柱鏡檢查法則爲主觀檢查法（檢查結果會依照患者的反應來決定）。

1.動態檢影鏡

動態檢影鏡爲臨床上一客觀讓檢查者能夠決定患者近點屈光不正度數之方法。爲了決定要增加多少正度數（或減少負度數），需經由與靜態檢影鏡比較後找到中和之度數。在動態檢影鏡檢查中，檢查者並沒有使用工作鏡，患者住視於在檢影鏡上或檢影鏡後一單一、單行或其他總類的視標，於此同時，檢查者試著利用觀察到的眼底反光中和度數。假使患者於遠距離觀察目標時作用完整的調節，動態的觀察便會與靜態觀察得到相同的結果（不需要在靜態檢影鏡檢查結果上額外加入正度數或負度數去找到中和點）。額外需要加入的正鏡片度數即爲患者調節延遲的量。

(1) The Cross Method

此方法爲紐約的驗光師 Andrew J. Cross 於 1911 年提出，亦爲動態檢影鏡檢查法的先驅，此方法可以取代對於隱性遠視患者的散瞳驗光。檢查步驟起點爲靜態檢影鏡驗光結果但將工作鏡移除，因此會發現患者眼底反光條爲順動，此時便加入正度數直到反光條反轉爲逆動爲止。Cross 臆測雖然患者於檢查時可能會有睫狀肌麻痺的情況無法像未散瞳遠望 6 公尺時那樣的完全放鬆調節，但因爲肌肉所影響而使動態檢影鏡檢查出的量是比較貼近於正常調節與內聚間的關係，同時也能找到眞正的遠視量。Cross 建議處方經由動態檢影鏡所找到的全部正度數處方。

(2) The Sheard Method

Charles Sheard 爲臨床驗光及雙眼視覺異常研究領域之專家，提出不同於 Cross 的動態檢影鏡檢測方法。Sheard 建議對於患者來說所需要的正度數只需達到中和點的度數即可，同時認爲利用 Cross 的方式找到的正度數事實上爲負相對調節。並指出經由 Cross 方式判讀的正度數因爲太高而使得患者無法持續配戴。此爲 Sheard 所解釋的調節延遲概念，認爲這些調節反應是當動態檢影鏡在檢查時於內聚產生後所引起的。Sheard 覺得這樣的調節延遲爲正常現象，且一正視眼患者具有正常的調節幅度及正常的融合儲備量介於 +0.50 D～+0.75 D 間能夠中和。

當操作動態檢影鏡時，Sheard 選擇患者慣用閱讀距離作爲其工作距離，接下來加上正度數直到中和點產生。Sheard 相信正常的調節延遲約爲 +0.50 D 或微量的高一些，他經常於檢查完的數値中在扣除 0.50 D。

例如：假使靜態檢影鏡檢查結果爲 +1.50 D，動態檢影鏡結果

爲 +2.50 D，最終動態結果爲 +1.00 D（動態減靜態），此時數值需減去被認定爲正常延遲的 +0.50 D，剩餘結果爲 +0.50 D。算出來的 +0.50 D 即爲需被考慮加到患者近距離工作的處方度數。

(3) Tait's Method

Tait 參考 Sheard 的動態檢影鏡檢查方式，但將工作距離訂爲 33 公分，檢查 712 位 40 歲以下的患者。Tait 發現全體平均的調節延遲量爲 +1.12 D，但如果單獨觀察 20～25 歲群組，其平均調節延遲量則降低爲 +0.75 D。

隨後 Tait 使用另一種方式測量 300 位患者，首先利用一定量的正度數霧視患者，隨後藉由逐漸地降低正度數找到患者的中和點。藉著此霧視技巧，Tait 發現平均會比利用 Sheard 的方式找到的度數高上 +1.50 D，整體的調節延遲量約爲 +2.25 D。令人覺得有趣的是，此結果相當接近於負相對調節檢查（正鏡片到模糊檢測法，測驗距離爲 40 公分，起點爲遠距離自覺式檢查結果，每次於患者眼前加入 +0.25 D 的正度數，直到患者表現視標出現持續模糊時）的期望值 +2.50 D。

(4) Nott's Method

患者閱讀近用視標卡的環形視標，檢查通過近用視標卡上的孔洞進行檢影鏡檢查。取代前述方法皆使用鏡片尋找中和點，此方法利用檢影鏡向後移動直到完成中和。隨後換算當找到中和點時檢影鏡與眼鏡平面之距離爲屈光度，同時換算近用視標卡至眼鏡平面之距離爲屈光度，兩者相較後決定調節延遲量。

例如：假設近點卡與眼鏡平面的距離爲 33 公分；檢影鏡與眼鏡平面的距離爲 50 公分，其調節延遲量爲 +3.00 D − (+2.00 D) = +1.00 D。

(5) Low-Neutral and High-Neutral Methods

Low-Neutral 檢查法為操作 Sheard Method 時終點設定為觀察到中和反射時的最小正度數。High-Neutral 檢查法則為根據 Cross Method 所找到的多一個正度數使中和反射反轉動向時的正度數。

(6) Bell Retinoscopy

R. J. Apell 與其團隊發表的動態檢影鏡檢查法。檢查者於距離患者 50 公分處操作檢影鏡。檢查者一手持檢影鏡與目標球，另一手將球懸空於眼睛的高度。此測驗中不使用鏡片輔助。請患者注視自己於球體上的反射，此時患者通過檢影鏡觀察患者瞳孔中的眼底反射動向，慢慢地將球移動向患者的臉部直到找到中和點，此測驗需分別中和不同的軸位線。Apell 表示中和點通常發生於球距離患者臉部約 37～40 公分處，因此調節延遲量約為 +0.50 D – +0.75 D。

(7) Monocular Estimate Method（MEM）

MEM 動態檢影鏡檢查法不同於其他檢查法，其需將注視物擺放於患者習慣性的閱讀距離上，而不是隨意地放置距離。

Bieber 於 1974 年解釋了 MEM 檢影法的技巧。注視物需有一個 1 吋半的小洞，且上方要有字母、文字或給於孩童檢查用的圖畫。此檢查卡能夠置於檢影鏡上方，因此檢影鏡的光線可藉由上面的小洞通過。檢查者位於比患者視線稍低的位置，這樣患者可以以適中向下注視的方式閱讀視標，就像平常的閱讀習慣一般。患者配戴遠距慣用處方、近用閱讀處方或不需要任何矯正處方。閱讀距離的決定可依據患者本身的習慣距離或是依據「Harmon distance」法則（指關節到肘關節間的距離）訂定。

於孩童的檢查上，引導其大聲念出視標卡上的字或是描述圖片，於此同時，檢查者快速移動垂直光條觀察反光的動向，並同時記錄為順動或逆動。假如孩童配戴遠距離矯正處方，通常會因內聚所引起的調節延遲而觀察到順動的情形。此時可利用手持式板鏡決定度數，隨後同樣的方式利用水平光條觀察垂直軸的變化。在整體操作過程的評估需盡可能地快速，以避免患者調節反應的影響或雙眼的對準。

(8) 動態檢影鏡技巧的比較

Locke 及 Somer 於 1989 年比較了四種動態檢影鏡及雙眼交叉圓柱鏡檢查法的結果。研究對象為 10 位年紀介於 24～30 歲的年輕人。四種動態檢影鏡檢查法為：Bell Retinoscopy、MEM、Low-Neutral、Nott's Method。10位研究對象皆由兩位檢查者進行四種動態檢影鏡及雙眼交叉圓柱鏡檢查法檢驗。結論如下：

A.兩位檢查者所得到之結果並無顯著差異。

B.MEM、Low-Neutral、Nott's Method 這三種檢查法所得到的答案並沒有發現有顯著不同。

C.Bell Retinoscopy 及雙眼交叉圓柱鏡檢查法的結果與其他檢查法的結果有顯著差異。

表 4-2 為上述檢查之平均結果。如表中結果所示，由 Bell Retinoscopy 檢查出的平均調節延遲結果比其他三種動態檢影鏡法的結果高上 +0.25 D 或更多。而雙眼交叉圓柱鏡檢查法所發現的調節延遲量則是比動態檢影鏡的結果還要少上 +0.50 D 或更多。

表 4-2 不同測驗方式所得的調節反應量

	Bell	MEM	Low-Neutral	Nott	BCC
檢查者 A	+0.73 D	+0.50 D	+0.60 D	+0.56 D	+0.08 D
檢查者 B	+0.92 D	+0.50 D	+0.61 D	+0.64 D	+0.13 D

2.雙眼交叉圓柱鏡

臨床上雙眼交叉圓柱鏡測試為近距離檢測法（40 公分），患者在昏暗的檢測環境下，雙眼同時透過負軸擺放於 90 度軸位的交叉圓柱鏡觀察視標（交叉柵欄視標）。當球面度數改變時，詢問患者於直線與橫線視標一致清楚時回答。就像動態檢影鏡的結果一樣，是比較與原遠距離自覺式驗光度數相較後增加之正度數。這些額外增加的正度數即為測量出來的調節延遲（Lag of accommodaton）。較為可惜的是，臨床上當進行遠距離自覺式驗光或雙眼視覺測試時並沒有辦法能夠檢測調節反應。

六、調節的休息狀態

過去調節被認為是一個單向的反應，它會於患者觀看遠方時休息，但現今的研究發現，調節實為雙向反應，它會在無限遠至近點間的距離休息（Owens, 1991）。在比休息點還要近的距離時，調節的量會比實際刺激所需的量更少，此時稱為調節延遲；然而，在比休息點還要遠的距離時，調節的量會企圖做比實際刺激的量更多，此稱為調節超前。

過去認為研究調節最為透徹的為 Morgan 教授，他提出證明，認為有由交感神經系統所調控的負向調節存在，以及正常近視眼的調節休息狀態約為 0.75 D。

七、調節延遲

臨床上能夠測量調節反應的檢測，包含動態檢影鏡及雙眼交叉圓柱鏡，此兩項檢測為近點測試，提供檢查者能夠判定患者的調節延遲反應。藉由這些測試發現年輕患者的調節延遲量約爲 0 D～+1.00 D，平均約爲 +0.50 D，然而，對於老花眼的患者來說，這些測試提供檢查者能夠估計其加入度的選擇。調節延遲取決於眼睛的焦深（對於網膜來說）或景深（對於物體來說）。

對於眼睛而言，焦深的改變依賴於瞳孔大小及關注物體的大小變化。瞳孔越小，焦深越大；物體越大，同樣焦深也會越大。爲了減少焦深的影響，要盡量避免使用過量的光線造成患者瞳孔過度的縮小。此外，觀察字體盡可能保持與患者最佳視力一致，同時檢查者應該要適時提醒患者保持視標的清晰。

八、調節超前

臨床上於主觀及客觀檢查時所使用的霧視技巧中的正度數可以用來確認患者最小的調節超前量。然而，年輕的患者於遠距離視力檢查時通常都企圖誘發調節使其介入。此類的過度調節反應通常發生在隱性遠視及假性近視的患者上。臨床上可用來確認患者調節超前的方式爲比較患者於散瞳驗光及非散瞳驗光時所得到之結果的不同。在一些包含成年人的研究報告中指出，相對較少比例的患者散瞳驗光的結果爲較多遠視或較少近視的情況，此結果表示爲調節超前。Bannon 於 1947 年提出報告，認爲於遠視的孩童中，通常存在 +0.50 D～+1.00 D 或甚至更多的調節超前量。

九、調節功能檢查

組成雙眼視覺檢查中調節功能的檢測項目包含單眼及雙眼交叉圓柱鏡檢查、調節幅度、正負相對調節以及調節範圍。

（一）單眼及雙眼交叉圓柱鏡

此類測試提供檢查者有關於患者於近距離（40 公分）的調節狀態，以及能夠被認定為近距的自覺式驗光，檢查結果相似於動態檢影鏡（他覺式）。檢查的視標為交叉圓柱鏡視標。進行操作時，照射於近點卡上的光線不能過亮且需穩定維持於固定角度避免產生反射或陰影，因此，患者便能分辨出視標上的線條。假設光線過亮，患者焦深將會擴大使得檢查結果無意義化。傑克森交叉圓柱鏡擺放於患者眼前時需呈現負軸於 90 度的位置，同時需放置足夠的正度數進行霧視確保直線與橫線聚焦於視網膜前。

假設患者並無老花現象，+1.00 D 鏡片已足夠進行霧視。對於老花眼患者而言，霧視度數一定會超過預期的近用度數，通常都會超過原本患者遠距離處方度數再加上近用處方度數的量。臨床上廣為使用的約為患者近距離總和正度數的量加上 +1.00 D。例如：遠用處方眼鏡度數為 +1.50 D，加入度為 +1.50 D，要操作交叉圓柱鏡的起始度數可訂定為 +4.00 D。

1.單眼交叉圓柱鏡

檢查者可於檢查過程中分別遮蓋單眼或者是使用約 6 個稜鏡度的垂直分離稜鏡。因此，患者便可以先注意到右眼所看到的影像（假設擺放基底朝下的稜鏡於右眼前，則先注意上方影像），再注意左眼的影像。要求患者表示哪一條線比較清晰或銳利。檢查開始時，預期可聽到回應應該為橫線較清楚，此時開始減少正度數直到患者表示直線與橫線一樣清楚。假設清晰的情況直接由橫線反轉到直線，並沒有一樣清楚，結果將記錄當使用最少正度數時，患者表示直線比橫線清楚的時候。右眼完成後便直接進行左眼的檢測。

2.雙眼交叉圓柱鏡

雙眼交叉圓柱鏡的操作流程與單眼的操作皆爲一致，只在於並沒有進行遮眼或放置稜鏡於眼前。同樣地，假設直線橫線並無出現一樣清楚的情況，建議檢查者止於使用最少正度數時，患者表示直線較清楚的時候。

3.交叉圓柱鏡檢查數據之應用

對於無老花眼的患者而言，交叉圓柱鏡的測量結果提供檢查者考量是否有調節延遲的情況。在某些情況下，交叉圓柱鏡的數據能夠判斷患者是否爲隱性遠視或是此度數能夠成爲對於患者近距離工作時有用的處方。雙眼交叉圓柱鏡結果則能與斜位檢查結果幫助檢查者發現患者是過高的調節性聚散／調節之比（AC/A ratio）。對於老花眼的患者而言，雙眼交叉圓柱鏡的結果提供一個快速又方便的方式去決定暫時加入度。假設雙眼交叉圓柱鏡爲第一個操作的近用檢查，則其結果可被作爲後續檢查，包含水平／垂直斜位測試、融像性聚散功能檢查、相對性調節檢查，及調節範圍等的暫時近用加入度。

（二）相對性調節

正負相對調節（負鏡片到模糊／正鏡片到模糊）爲近距離（40公分）雙眼同時的檢測，搭配 20/20 大小的視標進行調節刺激。對於沒有老花的患者，起始點爲遠用最佳矯正視力處方；對於老花眼患者而言，起始點爲經由雙眼交叉圓柱鏡或其他方式找到的暫時加入度。與所有檢測調節幅度的測驗一樣，檢查時的光線不能過亮以致於改變焦深進而影響到檢測結果。由於負相對調節爲放鬆性測試

（正度數到模糊），正相對調節爲刺激性測試（負度數的模糊），臨床上習慣由負相對調節開始進行檢測。

1.負相對調節

檢查時於雙眼前每次同時加入 0.25 D，並指示患者於視標出現模糊且爲持續性模糊時告知。當終點出現時，記錄爲起始點（最佳矯正視力處方、暫時加入度等）以外加上去的正度數值。臨床上建議檢查者可於操作時記錄加了多少次正度數，待完成後再轉換爲屈光度。例如：於患者眼前加入了 10 次正度數則爲 0.25 X 10 = 2.50 D。

2.正相對調節

操作步驟完全等同於負相對調節，只是將正鏡片改爲負鏡片即可。

3.相對性調節檢查數據之應用

由於 40 公分檢查距離所產生的調節刺激爲 2.50 D，所以最大量的調節於 40 公分處能夠放鬆的部分便能預期也同樣爲 2.50 D。因此，負相對調節的期望值應該不超過 +2.50 D。假使患者檢查出的數值超過 +2.50 D，檢查者需思考是否於先前的自覺式驗光中尚未完全放鬆患者之調節，並應重新確認雙眼自覺式驗光終點是否正確。

當每一個 0.25 D 的正度數加於患者眼前時皆是在放鬆患者的調節。由於調節的放鬆，視軸可以預期比原本專注在 40 公分時會更加開散，因此，患者可能出現複視的情況。但複視的情況會依個人情況的不同被正融像性聚散力所抵銷。只要正融像性聚散力的存在，患者便可以放鬆調節及調節性內聚，但當其極限到達時，患者便會表示模糊的出現。臨床上，正鏡片到模糊的檢測可被視爲是正融像性聚散力極限值的測試。

同樣地，每一個 0.25 D 的負度數會刺激患者的調節。當調節被刺激時，視軸會有更加內聚的情況。但複視的情況仍會依個人情況的不同被負融像性聚散力所抵銷。臨床上，負鏡片到模糊的檢測可被視爲是負融像性聚散力極限值的測試。

4.相對性調節之期望值

正負相對性調節之期望值有賴於不同因素，包含：患者的調節幅度及正負融像性聚散力的範圍。

於負相對調節檢查中，大部分的患者都具有足夠的正融像性聚散力範圍去釋放調節，因此期望值約爲 +2.00 D～+2.50 D。假使數值低於 +2.00 D 則有可能爲：(1) 患者正融像性聚散力範圍嚴重受限，於後續的功能性檢查中（基底朝外稜鏡到模糊）也可以預期到數值會偏低；(2) 患者自覺式驗光度數過正，以致於少於正常值（40 公分，2.50 D）的調節能夠被釋放。

對於正相對調節而言，其限制因子爲調節幅度。假設患者其調節幅度只有 1.50 D，可以推測其負鏡片到模糊不會超過 –1.50 D。對於年輕的患者而言，其擁有較高的調節幅度，負鏡片到模糊的結果往往受到患者的負融像性聚散力所限制。反過來說，很大的比例會取決於患者的 AC/A 比值。一般而言，AC/A 比值越高，負鏡片到模糊的值則會越低。

（三）調節敏銳度

此測試主要在測量患者對於調節是否能夠快速轉變的能力。臨床上通常搭配翻轉鏡於患者單眼及雙眼的情況下檢測。首先，請患者於配戴遠距離矯正處方的情況下注視眼前 40 公分處（調節刺激 = 2.50 D）大小約爲 0.7 的單行視標。臨床上最常使用的翻轉鏡度數爲 ±2.00 D，並建議於使用前先行解釋給患者了解操作過程，另外，提醒患者需於視標完全清楚時告知。檢查者在操作翻轉鏡時，於翻轉的過程要盡可能快速且精準地置於患者眼前。翻轉過程中能夠提供患者 0.50 D 及 4.50 D 的調節刺激。結果的部分爲記錄於 1 分鐘內總共操作多少個循環（正度數與負度數視標皆爲清楚）。然而，在檢查過程中，檢查者需特別注意患者在正度數或負度數看視標時是否有任何不對稱的情況出現。

單眼測試主要是測試患者模糊驅動的迅速調節反應。雙眼測試則是測試當患者維持適當聚散反應時，增加或減少調節的能力。因此，此測試也同樣能夠檢測正負相對調節的迅速改變。

許多研究認爲（Hennessy et al., 1984; Levine et al., 1985; McKenzie et al., 1987; Zellers et al., 1984），臨床上單眼檢測通過標準爲 11 個循環 / 分鐘，以及雙眼檢測爲 8 個循環 / 分鐘。統計上約有 67% 的年輕患者能夠達到此標準。Hoffman 及 Rouse 指出，如果在單眼檢測時，左右兩眼的差異達到 2 個循環以上，並伴隨有臨床近距離用眼症狀時，就需特別注意是否有調節異常的現象。

比較患者有無近距離視覺症狀患者調節敏銳度時，Hennessy 的研究團隊於 1984 年發現，近距離視覺症狀組有明顯較低的敏銳度（單雙眼檢測皆是）。Levine 的團隊則沒有發現此問題，但是他們發現有近距離視覺症狀組於多次測驗中數據較不穩定。此外，Bobier 及 Sivak 發現藉由視覺訓練所提升的調節敏銳度會與調節反應的動態測量時間特性（延遲性、移動時間、反應時間）的改善有關。這些研究表示，調節敏銳度檢測爲臨床針對篩檢患者是否有調節異常上一個非常有用的技巧。

第三節　臨床老花眼驗配

一、老花眼的評估

老花眼爲隨著年紀增長，調節反應逐漸下降有關。通常於個體未達到 40 歲左右並不會有太明顯的臨床症狀出現。Donders 證實調節幅度的減少約始於青春期開始。老花眼可以利用額外的凸透鏡度數來做矯正，藉由此種透鏡讓進入眼內的光線順利聚焦於視網膜上。臨床上有幾項標準檢測可以用來協助決定適當的近用視覺需求：

1. 動態交叉圓柱鏡。
2. 正度數加入法。
3. 依照患者的年紀。
4. 調節幅度的比例。
5. 動態檢影鏡。
6. 正負相對調節的平衡。
7. 近方紅綠測試。

前三項檢測爲臨床上最常見的技術。然而，任一種技術皆是可接受的，檢查者需仔細且確實的記錄患者的視覺需求。舉例來說，檢查者需詢問患者室內、外工作時的視覺需求。目前社會上普遍工作需求皆與電腦相關，檢查者需特別留意此部分，尤其是患者與螢幕間的距離、注視位置及座位高度等。最常犯的錯誤是檢查者認定所有患者的工作距離皆爲 40 公分。值得注意的部分是，上述的檢測項目只是決定合適的近用度數的第一步而已。患者眞正透過近用閱讀的位置需要時常確認。視力需求及視覺清晰範圍也同樣在近用度的確認上必須去檢測。當近用度增加時，明視範圍會被縮小，此區域也會移近患者。例如：一位完全的老花眼患者（假設其焦深爲 ±0.40 D），透過 +2.00 D 加入度所能看見的明視範圍爲 20.9 公分（41.6 公分到 62.5 公分之間），然而，若透過 +3.00 D 則會縮減爲 9 公分（29.4 公分到 38.4 公分之間）。對於某些特定鏡片而言，記錄其明視範圍是有必要的（例如：ADD + 2.50 D, 20/20, 範圍 22～40 公分）。一個需要注意的重點是，確保患者喜歡或需要的工作距離在其明視範圍中。

二、動態交叉圓柱鏡

此測驗能提供檢查者得知患者是否有調節異常的徵兆。有一個部分值得注意的是，許多較年輕的患者在這個測驗上會有困難的情形，但他們並不屬於老花眼的群組。假使患者初始無法看清楚視標，需加入適當的正度數直到患者表示視標清楚。雙眼的檢測經常用於決定患者的暫時加入度需求，單眼的檢查也可被記錄，尤其是當雙眼平衡有疑慮時可作爲參考數值。雙眼的檢查數值通常會略比單眼低，因爲當雙眼檢測時會有聚合性調節介入所致。

三、正度數加入法

正球面度數直接加入於患者遠距離處方上（0.25 D 一跳），直到患者能達到在一定工作距離中的適當近距視力。在所需工作距離處提供清晰視覺的最小正度數，使景深的近端與目標物重合。因此，額外的正度數（通常是額外加入 +0.25 D）就需要被加入在患者明視範圍中習慣的閱讀位置上。此測試通常是雙眼檢測，但同樣的，單眼的檢查也可被操作，為了在雙眼平衡有疑慮時可作為參考數值。

四、依照患者的年紀決定加入度

暫時加入度可依患者的年紀決定。然而，真正需求的加入度是需要依照患者不同的工作距離或是不同的調節幅度等因素做適當的調整。在一位患者因不滿意的加入度處方而返回驗光所的研究中，Hanlon 的團隊發現與使用雙眼動態交叉圓柱鏡法檢測比較下，依照患者年紀所決定的加入度是比較少失誤的。有研究發現（Pointer, 1995）加入度需求的增加高峰為 41 至 55 歲，但 55 歲後至 80 歲增加的量便顯著地減少。類似的研究（Blystone, 1999）也指出 40 到 50 歲間加入度每年平均增加 0.12 D，然而，50 歲之後增加的量變為 0.03 D。典型歐洲人近用加入度，如表 4-3 所示。對於加入度而言，不同種族間因年紀增長而產生的調節能力變化是不盡相同的，因此皆需多方考量。

表 4-3　歐洲人種隨年紀增長之預期加入度

年齡（歲）	加入度（D）
40	0
45	+1.00
48	+1.25
50	+1.50
52	+1.75
55	+2.00
60	+2.25
65	+2.50

五、調節幅度的比例

依經驗法則而言，患者在看近物時應該要能夠使用本身調節幅度的一半。因此，近用加入度就取決於患者之工作距離及一半的調節幅度。舉例而言：假設一患者其調節幅度爲 3 D，所需之工作距離爲 40 公分，因此他需要的加入度即爲 2.50 D（40 公分）–1.50 D（調節幅度 1/2）= +1.00 D。

六、動態檢影鏡

動態檢影鏡可用來決定患者對於外在刺激的給予後之調節反應。請患者於習慣的工作距離注視目標物，在患者遠用處方前加入正度數，直到獲得適當的反應爲止。一般患者爲了保有最佳景深，皆會有 0.25 D – 0.50 D 的調節延遲。由此可讓檢查者能處方較爲低度數的加入度，也讓患者具有較廣泛的明視範圍。

七、正負相對調節的平衡

經由上述任一方式決定暫時加入度之後，便可藉由此度數進行後續正負相對調節的檢測。最後根據正負相對調節的數值與暫時加入度做修正，便可得到最後的加入度處方。經由此加入度後便可使患者正負相對調節數值接近相等。

例如：一正眼患者其初步的加入度爲 +1.00 D。隨後，透過此加入度檢測正負相對調節。假使患者於眼前度數加至 +2.00 D 時，表示視標模糊（負相對調節 = +1.00 D）以及眼前度數降至 +0.50 D 時同樣表示視標模糊（正相對調節 –0.50 D），其加入度需透過正負相對調節的一半去做最後修正，最終加入度爲 +1.25 D。透過此度數患者能得到正負相對調節皆爲 0.75 D。決定近用度數時所考慮的平衡正負相對調節概念相似於在處方稜鏡所參考的 Percival 法則，主要都是提供這兩種動眼系統最大彈性。

八、近方紅綠測試

此測試需將近方紅綠視標擺放在患者眼前適當工作距離，操作方法皆與遠距檢查相似，將正確的度數加入後得到最終的平衡點。

九、結語

調節的評估爲驗光檢查中一重要項目。近距離視力模糊爲成年患者於臨床檢查中最常抱怨的情形。提供患者在其需要的視覺距離中舒適、清晰且單一視覺的影像，能使患者完成其職業工作及休閒活動。

參考文獻

Donders F. C. 1864, On the anomailes of accommodation and refraction of the eye (Translated by W. D. Moore). The New Sydenham Society, London.

Duane A. 1912, Normal values of the accommodation at all ages. Journal of the American Medical Association 59: 1010-1013.

Hennessy D. Iosue RA, Rouse MW 1984, Relation of symptoms to accommodative infacility of school-aged children. American Journal of Optomety and Physiological Optics 61: 177-183.

Levine S, Ciuffreda KJ, Selenow A et al 1985, Clinical assessment of accommodative facility in sympotomatic and asymptomatic individuals. Journal of American Optometric Association 56: 286-290.

Mckenzie KM, Kevr SR, Rouse MW et al, 1987. Study of accommodative facility testing reliability. American Journal of Optometry and Physiological Optics 64: 186-194.

Owens, D. A. New work, accommodative tonus, and myopia, in refractive anomalies: Research and clinical applications, T. Grosvenor and M. Flom, eds. Boston: Butterworth Heinemann, 1991.

Zellers JA, Alpert TL, Rouse MW. 1984. Areview of the literature and a normative study of accommodative facility. Journal of the American Optometric Association 55: 31-37.

第5章 斜視與弱視

尤振宇

第一節 斜位與斜視定義

一、斜位（Phoria）

又稱眼位或隱斜視，外觀無法察覺，眼睛在放鬆注視時所在的位置，可以藉由眼外肌自身力量將眼球調整回正確注視位置。大部分人有微量的斜位。

二、斜視（Tropia; Strabismus; Squint）

斜視是指雙眼眼位不正，雙眼無法同時注視同一個目標。注視目標時只有一眼注視目標物，而另一眼偏移注視目標物，且無法藉由眼外肌自身力量將眼球調整回注視目標物，若患者偏斜量大，從外觀就可以發現斜視。

雙眼視覺功能需要藉由雙眼融像來進行，但斜視患者因某些眼外肌的拉扯力量過強或過弱，導致眼球運動的方向未對齊注視目標方向無法完成雙眼融像。由於斜視患者雙眼注視方向的不同，雙眼個別看到不同的影像，因此患者會出現複視（Diplopia）的狀況，此外，斜視患者立體視、空間感、距離感比正常人更差，斜視患者也常伴隨有弱視的情形。

第二節　斜視的分類

一、以偏斜方向分類

1.水平方向

內斜視（Esotropia），內斜視爲最常見的斜視類型。如圖 5-1 所示。

圖 5-1　內斜視

(1) 先天性內斜視（Congenital esotropia）：又稱嬰兒性內斜視（Infantile esotropia），爲固定型斜視，出生即可發現的內斜視，通常在出生六個月內發生，大多數有家族病史，部分案例有發育異常，外直肌力量不足導致開散不足，偏移角度大於 30Δ。

〔臨床表現及診斷〕

因偏移量大，外觀會發現明顯的內斜視，此外，患者會使用右眼注視左側影像，使用左眼注視右側影像，此現象稱爲交叉注視。部分患者有水平方向眼球震顫的現象。另外，患者多爲交替性斜視，因此發生弱視的機率不大，但若未予以積極治療，可能會影響日後雙眼視覺功能的發展。

(2) 調節性內斜視（Accommodative esotropia）：屬於後天型內斜視，好發於 2～3 歲，因爲調節所造成的內斜視。可能會由交替性內斜視發展成固定性內斜視進而誘發弱視。多數患者若能早期發現並給予遠視矯正通常能有顯著的效果。

〔臨床表現及診斷〕

調節性內斜視依照臨床表現又可分爲以下兩類，也有可能同時存在。

A.屈光性調節性內斜視（Refraction accommodative esotropia）：因遠視而誘發調節產生過多內聚力所造成的內斜視，通常此類患者有 +4.00D 至 +7.00D 的遠視屈光不正，大多數患者在使用遠視鏡片矯正後皆能有所改善。

B.非屈光性調節性內斜視（Non-refraction accommodative esotropia）：沒有明顯的屈光不正，但患者有高的 AC/A 比值（High AC/A ratio），導致看近距離時有過多的內聚力造成注視近距離斜視。

(3) 不協同內斜視（Incomitant esotropia）：第六對腦神經麻痺所造成，外直肌作用力較弱，促使內直肌作用力量無法與其平衡所產生的斜視，若未接受適當的矯正有非常高的機率會造成偏心固視。

〔臨床表現及診斷〕

不協同內斜視患者通常會有頭部偏斜的現象，且會往神經麻痺眼的方向偏斜。

(4) 假性內斜視（Pseudoesotropia）：部分孩童有內眥贅皮的情況，大多發生在在亞裔兒童，在眼眶鼻側有較寬的鼻梁，容易讓人誤以爲有內斜視，實際上並無內斜視的存在。

〔臨床表現及診斷〕

外觀看起來似乎有內斜視，但使用赫斯柏格檢查法檢查，就可明顯看到沒有偏斜的狀況。如圖 5-2 所示。

圖 5-2 假性內斜視

外斜視（Exotropia），如圖 5-3 所示。

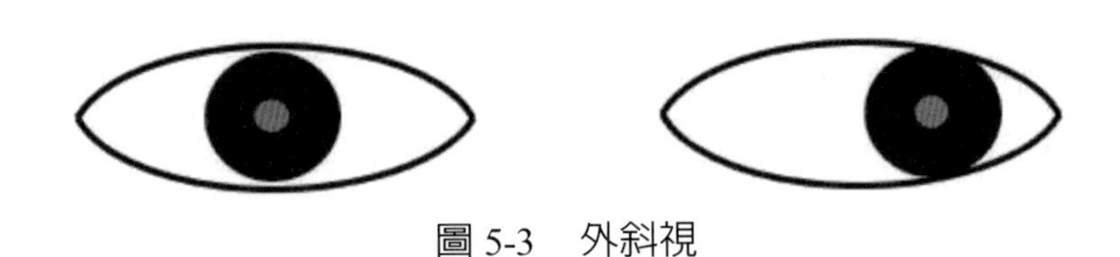

圖 5-3 外斜視

(1) 間歇型外斜視（Intermittent exotropia）：最多數的外斜視種類，絕大多數有家族病史且發生在兩歲左右。間歇型外斜視患者，外斜視的頻率會越來越高，甚至發展成固定型外斜視。

〔臨床表現及診斷〕

平時雙眼同時注視目標，注意力不集中或疲勞時，只剩單眼注視目標，另一眼則向外側偏斜，一旦意識專注又可以恢復正常眼位。由於疲勞時偏斜眼被抑制，專注時又可恢復正常狀態，因此不會有複視的現象。

(2) 先天性外斜視（Congenital exotropia）：又稱嬰兒性外斜視（Infantile exotropia），出生即可發現。因開散過度或內聚力不足，偏斜量大約 30Δ 到 50Δ，患者通常沒有明顯的屈光異常，多數的先天性外斜視都是交替性斜視，因此發生弱視的機率不高，部分患者會有神經發育異常的情形。

〔臨床表現及診斷〕

外斜視角度大，且沒有明顯的屈光異常。

(3) 知覺性外斜視（Sensory exotropia）：後天發生的斜視，因為眼睛病變導致單側視力喪失或者視力模糊（如白內障等眼睛疾病），使雙眼喪失視覺功能，造成該眼抑制（Inhibition）而漸漸偏斜，通常偏斜眼會伴隨著視網膜發育不良導致弱視。

〔臨床表現及診斷〕

知覺性外斜視是因眼睛病變所造成的單側眼睛偏斜。

(4) 假性外斜視（Pseudoexotropia）

因眼睛外側覆蓋面積較大，容易讓人誤以為有外斜視，實際上並無外斜視的存在。如圖 5-4 所示。

圖 5-4　假性外斜視

〔臨床表現及診斷〕

常發生於臉型過瘦或瞳孔距離較大者。

2.垂直方向

垂直斜視中較少見有偏移方向，患者為了保持雙眼融像，通常會有不由自主頭部歪斜的情況。上斜視與下斜視如圖 5-5、圖 5-6 所示。

造成垂直性斜視的幾個原因：

(1) 先天性：最常見的原因，主要是因為上斜肌麻痺。

(2) 頭部創傷：因頭部創傷所導致的垂直性斜視。

(3) 其他：可能因爲頭部腫瘤、糖尿病原因。

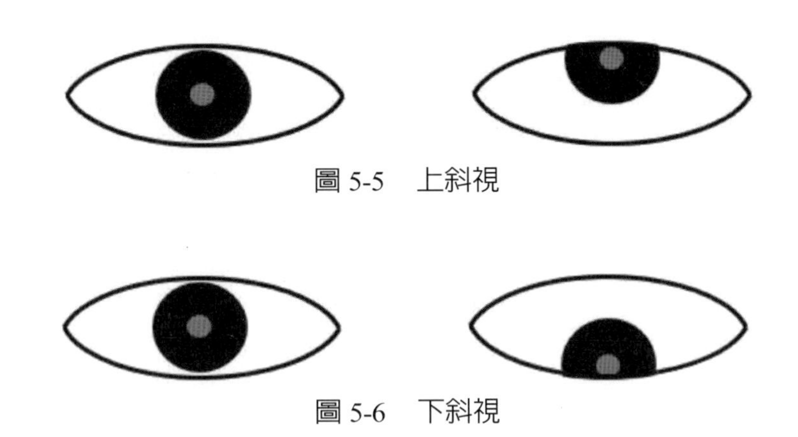

圖 5-5　上斜視

圖 5-6　下斜視

3.A-V 型斜視（A-V pattern）

A-V 型斜視患者在分別注視上方、中央、下方時，皆有不同的眼位。通常注視上方至下方眼位落差 10Δ 以上，依照注視上方、注視中央及注視下方時眼位的相對位置的不同，可分成 A 型斜視與 V 型斜視。

(1) A 型斜視（A-pattern）

A.A 型內斜視（A-esotropia）：外直肌作用不足導致向上看時眼球內聚較多；下斜肌作用不足導致向上看時外展能力不足；上斜肌的作用過度導致眼球向下看時沒有明顯的內斜視。如圖 5-7 所示。

B.A 型外斜視（A-exotropia）：下直肌作用的不足導致內聚力不夠而讓眼球外展；上斜肌作用過度導致眼球向下看時外展；內直肌作用過度導致眼球上看時外展；在向上看時外直肌作用不足導致向上看的眼位接近正位。如圖 5-8 所示。

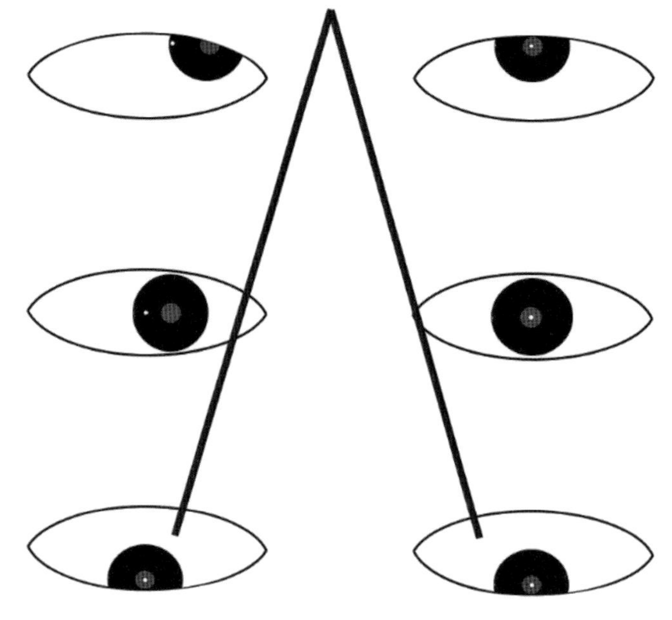

圖 5-7　A 型內斜視

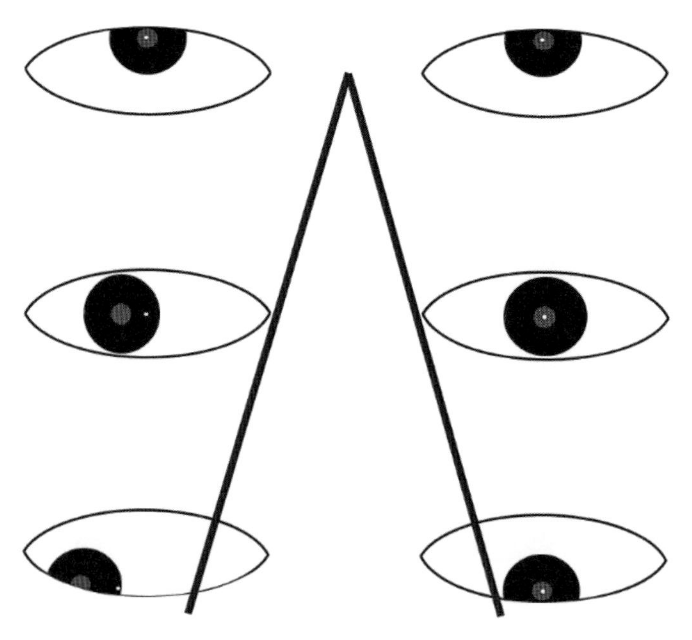

圖 5-8　A 型外斜視

〔臨床表現及診斷〕

A 型內斜視：患者注視上方時明顯內斜視；注視中央時輕微內斜視；注視下方時接近正常眼位。

A 型外斜視：患者注視上方時接近正常眼位；注視中央時輕微外斜視；注視下方時明顯外斜視。

(2) V 型斜視（V-pattern）

A.V 型內斜視（V-esotropia）：外直肌過度作用導致向上注視時相對外展；內直肌過度作用導致向下注視時眼球向內偏斜；上斜肌的作用不足導致向下注視時外展能力不足；下斜肌的過度作用導致向上注視時相對更多外展，接近正位。如圖 5-9 所示。

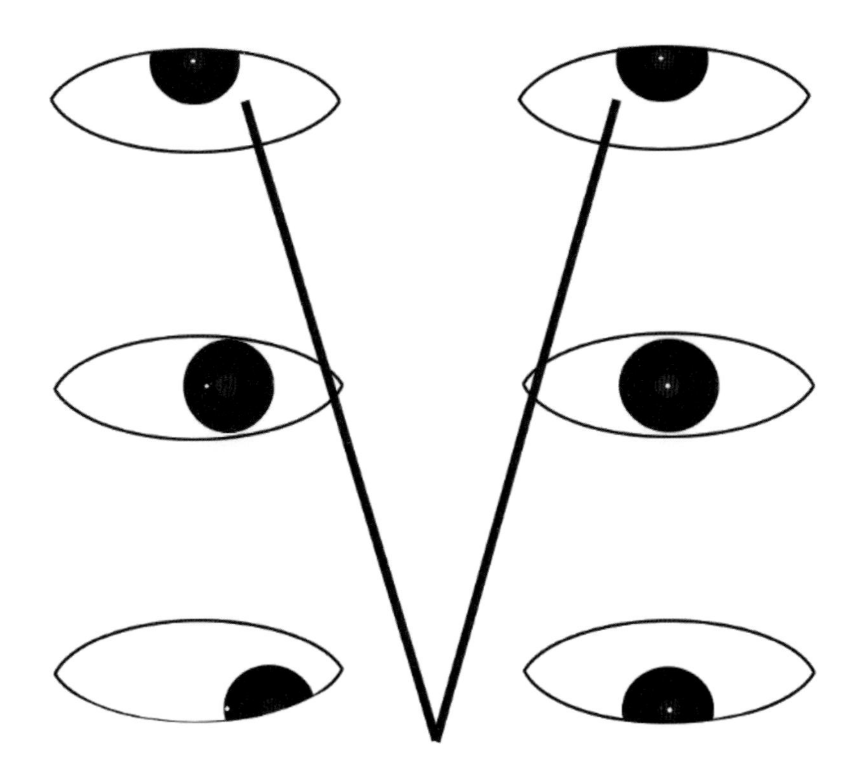

圖 5-9　V 型內斜視

B.V 型外斜視（V-exotropia）：外直肌過度作用導致注視上方時眼睛向外偏斜；上直肌的作用不足導致向上注視時眼球向外偏斜；下直肌過度作用導致向下注視時相對內聚，接近正位；第四對腦神經麻痺伴隨下斜肌過度作用，導致注視上方時眼球明顯向外偏斜。如圖 5-10 所示。

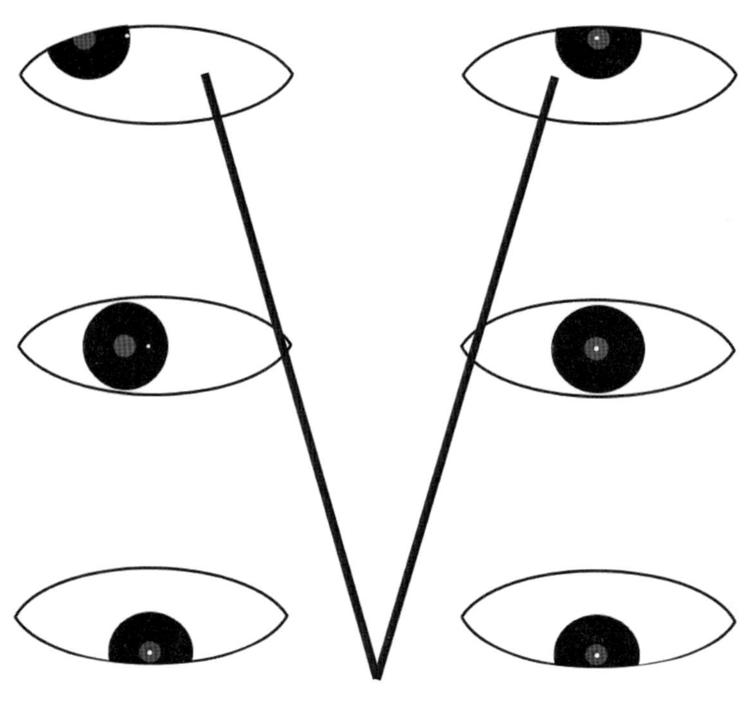

圖 5-10　V 型外斜視

〔臨床表現及診斷〕

V 型內斜視：患者注視上方時接近正常眼位；注視中央時輕微內斜視；注視下方時明顯內斜視。

V 型外斜視：患者注視上方時明顯外斜視；注視中央時輕微外斜視；注視下方時接近正常眼位。

二、以斜視眼分類

1.固定型斜視（Consecutive tropia）

或稱永久型，不論在任何情況下都會有偏斜的狀況。固定使用單側眼睛注視，另側眼睛偏移，此類患者注視眼視力正常，但偏移眼會伴隨著弱視。

2.交替型斜視（Alternating tropia）

雙眼可以各別注視，但雙眼無法同時注視，此類患者通常雙眼視力值皆正常。

3.間歇型斜視

有時可藉由眼外肌自身力量將眼球調整回正確注視位置，換句話說，並不是隨時都有斜視的情況，通常會在眼外肌疲勞時才會發生斜視。絕大多數的間歇型斜視都是外斜視。

第三節　斜視與弱視

1.弱視定義

弱視是指眼睛並無疾病或任何異常的情況下，最佳矯正視力未達 20/25（0.8）。弱視可能發生在單眼或雙眼同時發生。弱視形成是因爲視網膜發育不完全，在視網膜發育的過程中屈光不正、屈光介質混濁、眼瞼下垂、斜視、物理性遮蓋等原因，使視網膜無法接受到光訊號的刺激，而無法順利發育。

2.弱視的原因與危險因子

人類剛出生時視覺系統功能尚未健全，在出生後陸續藉由清晰的影像刺激、光線刺激等，促使視覺功能相關路徑進行發育，出生後到 8 歲間是視力發育的關鍵時期。而弱視的患者則是在這段視力發育的過程中受到阻礙，因此影響視力發育的過程。不論是未矯正屈光不正、視力剝奪、斜視等，任何的原因，只要沒有讓視網膜接收到光線和清晰的影像的刺激都會造成弱視的產生。

3.斜視與弱視

斜視所引起的弱視都是固定型斜視。固定型斜視因爲偏斜眼，只有在注視眼被遮蔽的情況下才會注視。因此，固定型斜視的偏斜眼通常爲弱視眼。反之，交替型斜視雖無法雙眼同時對目標物注視融像，但患者可以雙眼輪流作爲注視眼，不會只依賴單側眼睛注視，因此，發生弱視的機率較小。

4.弱視種類

(1) 斜視型弱視（Strabismicamblyopia）：斜視所造成的弱視，固定型斜視患者的偏斜眼睛較容易發展成弱視，由於雙眼影響不相同而產生複視（Diplopia）及視混亂（Confusion），接著，大腦會漸漸開始抑制偏斜眼的影像，影響視網膜發育造成弱視。交替型斜視、間歇型斜視患者沒有固定單眼受到抑制，因此較少發生弱視。

(2) 不等視型弱視（Anisometropic amblyopia）：雙眼屈光不正程度差異大，相差 1D 以上就有可能會形成視差型弱視，兒童最常發生的弱視種類。由於雙眼視網膜上的成像大小、模糊程度不同，而影響清晰度不佳的該側眼睛發育，進而造成弱視。

(3) 剝奪性弱視（Stimulus deprivation amblyopia）：疾病所造成的弱視，如先天性白內障、外傷性白內障、角膜病變、角膜混濁、先天性眼瞼下垂等原因，阻礙視網膜的正常發育，可能爲單側或雙側眼發生弱視。

(4) 屈光性弱視（Ametropic amblyopia）：未矯正的屈光不正所造成。通常都是高度屈光不正未矯正，導致視網膜成像持續模糊，因此無法刺激視網膜發育，且大多爲遠視屈光不正，此類型弱視爲雙眼同時發生，若提早給予正確的矯正，通常能有所改善。

(5) 經線型弱視（Meridional amblyopia）：未矯正的散光所造成，使得某軸位受到視覺剝奪，可能發生在單眼或雙眼。

5.弱視的臨床症狀

弱視有可能發生單眼或雙眼。單眼弱視患者會使用非弱視眼注視，久而久之弱視眼也有可能因此而偏斜，此外，單眼弱視患者因只有一眼視力正常，因此，處於單眼視的狀況，也就是說單眼弱視患者沒有雙眼視覺功能，包含融像、立體視等。雙眼弱視的患者大多是屈光性弱視，雙眼視力均不佳且視力値差距不大，視覺品質比單眼弱視患者更差，對患者生活上帶來許多困擾。

6.弱視的治療

若在視力發育的關鍵時期給予適當的矯正或治療，成功的機率將會大增，且治療年紀越小效果越好。因年紀越小的學童視力發育機制越容易受到刺激；相反的，年紀越大，視力發育機制越不易受到刺激發育，因此治療效果越差。弱視的治療首要條件是矯正屈光不正，讓視網膜接收到清晰影像，但因學童調節力較靈活，爲了防止調節力介入導致驗光度數不準確，驗光時需配合使用睫狀肌痲痺劑或霧視法來預防調節過度所造成的驗光度數不正確，此外，若是因爲視線遮蔽所造成的弱視，如眼瞼下垂、白內障等，應迅速治療排除遮蔽物使視網膜接收完整影像。

弱視的形成是因爲某些原因導致視網膜未受到刺激而發育不完全，因此，弱視的矯正主要是刺激弱視眼視網膜，強迫學童使用弱視的眼睛注視，並暫時停止刺激視力正常眼。

(1) 遮蓋（Occlusion）：最簡單且最常使用的方法，使用眼貼或眼帶遮蔽正常眼睛強迫學童使用弱視眼注視。

(2) 處罰（Penalization）：使用藥物使好的眼睛模糊，迫使弱視眼睛注視。此方法主要是針對無法持續戴眼罩的學童。

第四節 偏心注視與網膜對應異常

正常的眼睛視力中心應對齊視網膜中心凹（Fovea），視網膜對應異常（Anomalous retinal correspondence, ARC）的患者，視力中心並不會對齊中心凹，而是對齊中心凹的周邊（圖 5-11），大多會發生在斜視型弱視患者，患者會以斜視眼偏斜對應的角度來注視目標，通常只會發生在單側眼睛。弱視程度與偏心注視的角度會影響患者的視力值，換句話說，弱視的程度越嚴重或偏心注視的角度越大，患者的視力就會越差。此外，偏心注視患者還有一項特徵就是，偏斜眼的視力通常不會太差，即使是偏斜眼有弱視的狀況，視力也不會差太多，因此，可以發現，不等視型弱視的患者，較少有偏心注視的狀況，是因爲患者弱視眼的視力值相當不佳。

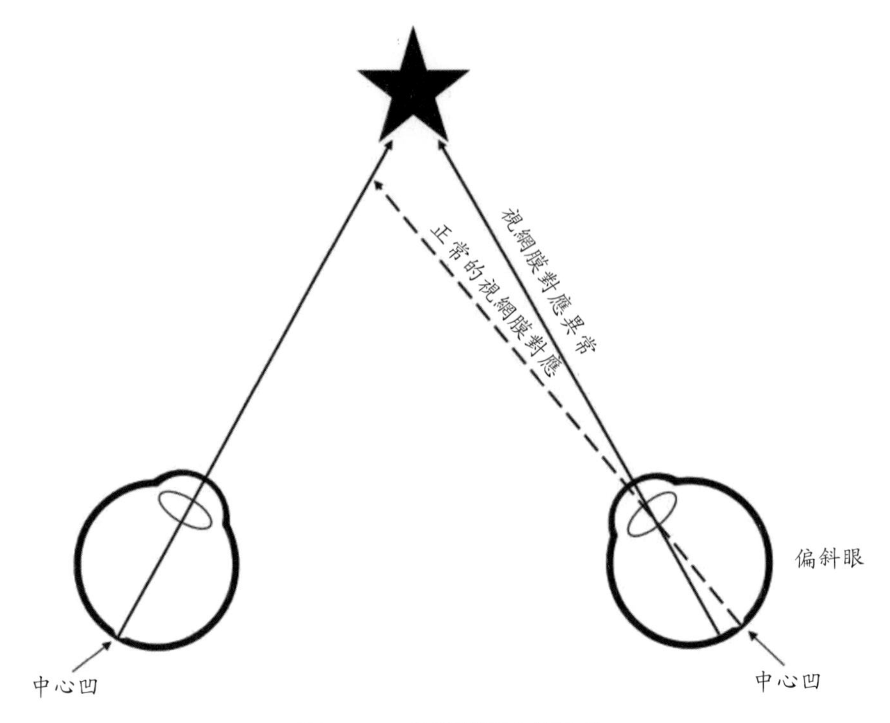

圖 5-11 視網膜對應異常

因患者使用偏離視網膜中心凹的位置來注視目標，因此，使用遮蓋測試無法檢測出偏心注視患者斜視的狀況，必須使用赫斯柏格檢查法才能檢測出斜視。

第五節 斜視位常見的測驗方法

1.遮蓋測試（Cover test）

最常用的斜視檢查方法，利用受測者注視目標物，以遮蓋單眼的方式觀察受測者眼睛是否有移動，來判斷是否有斜視。大致可分爲「遮蓋－去遮蓋測試」（Cover – uncover test）以及「交替遮蓋測試」（Alternating dover test）兩種，其步驟如下：

遠距離遮蓋測試，開啓遠距離單一視標；近距離使用單一調節性視標。請受測者注視視標。

遮蓋－去遮蓋測試：用來檢查斜視。首先，請受測者注視目標物，可設定目標物爲近距離或遠距離，檢查者反覆遮蓋、不遮蓋受測者單眼，觀察未被遮蓋眼有無移動，移動量即是斜視的偏斜量，若遮蓋眼沒有移動則該眼沒有斜視，測試過程中受測者持續注視目標物，接著，用相同步驟測另側眼睛。過程中未被遮蓋眼睛由顳側向鼻側移動，即是外斜視（圖 5-12）；反之，由鼻側向顳側移動則是內斜視（圖 5-13），垂直斜視以此類推。可用稜鏡輔助得知患者斜視偏移量。

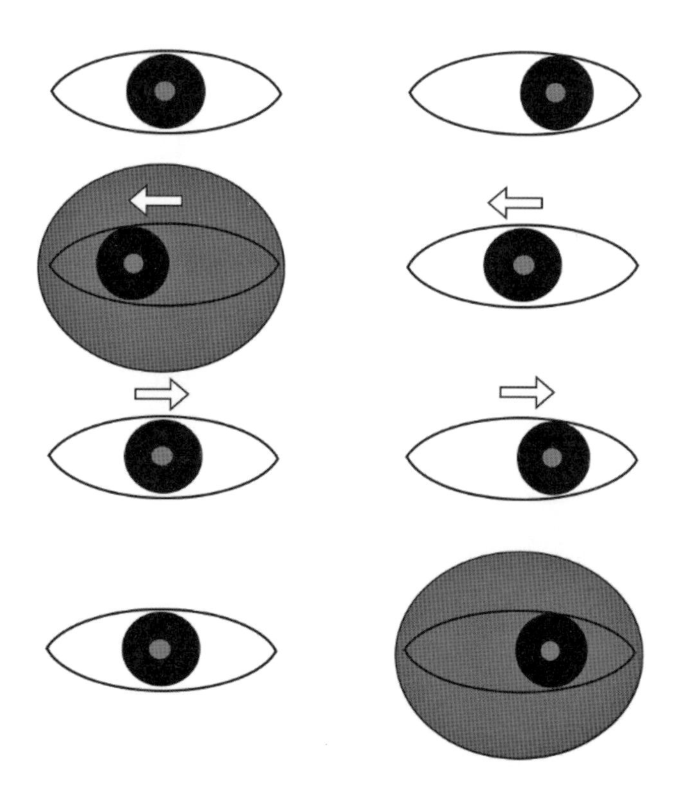

圖 5-12　遮蓋測試—外斜視

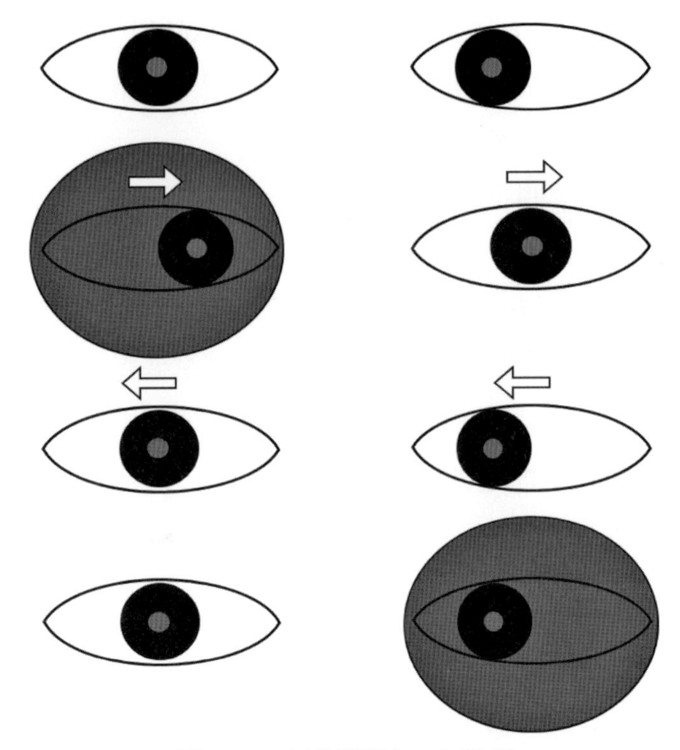

圖 5-13 遮蓋測試—內斜視

對於交替型斜視的患者，因爲沒有固定注視眼或固定偏斜的眼，而是兩眼交替注視與交替偏斜，所以使用遮蓋—去遮蓋測試時，會發現第一次遮蓋非偏斜眼，則偏斜眼會移動回來注視視標，接著繼續反覆遮蓋原本的非偏斜眼，偏斜眼不會移動，也就是說只有第一次遮蓋非偏斜眼時，偏斜眼會移動（圖 5-14）。若患者爲固定型斜視，不論遮蓋非偏斜眼幾次，皆會發現偏斜眼移動回來，這就是固定型斜視與交替型斜視的區別。

交替遮蓋測試：主要用來檢查斜位量。請受測者注視目標物，接著檢查者輪流遮蓋受測者左眼及右眼，觀察未被遮蓋眼睛的移動

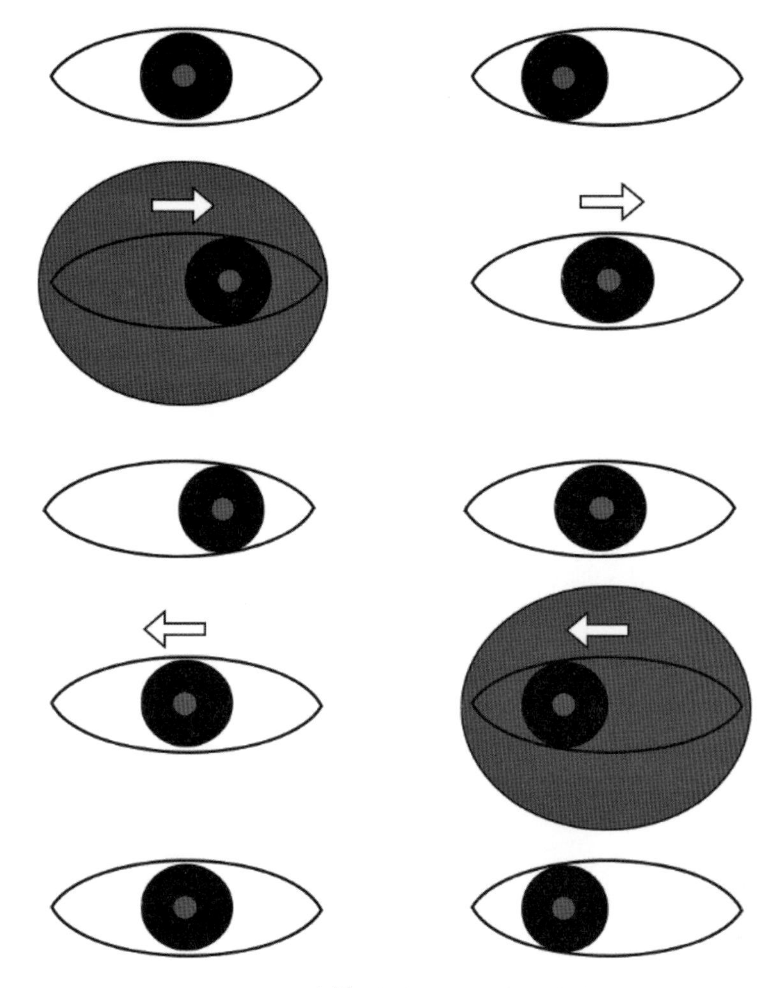

圖 5-14　遮蓋測試—交替性內斜視

量，移動量即是斜位的偏斜量。過程中若未遮蓋眼與遮蓋板移動方向相同，即是外斜位；未遮蓋眼與遮蓋板移動方向相反，則是內斜位。

若懷疑受測者有間歇型斜視，則需再執行一次遮蓋—去遮蓋測試，這是因爲間歇型斜視患者的斜視在剛開始的遮蓋—去遮蓋測試時未被發現，執行第二次遮蓋—去遮蓋測試時，可能會顯現出來。

2.赫斯柏格檢查法（Hirschberg test）

赫斯柏格檢查法是利用筆燈發出的燈光照射角膜，觀察角膜表面的反射光，反射光與瞳孔中心的相對位置，判斷是否有眼位偏斜的情形。

首先，將筆燈放置於受測者雙眼正前方50公分至100公分處，將光線照向患者雙眼，並請受測者注視筆燈，觀察反射光在受測者角膜上的位置，若反射光點在瞳孔正中心，λ角爲0；反射光在瞳孔鼻側λ角爲正；反射光在瞳孔顳側λ角爲負。

若沒有斜視，應會觀察到反射光點在瞳孔中心（圖5-15）。若反射光靠近瞳孔顳測，則該眼有內斜視（圖5-16）；反射光靠近瞳孔鼻側，該眼有外斜視（圖5-17）。反射光與瞳孔中心距離1mm的偏斜代表22稜鏡度。

圖5-15　赫斯伯格檢查法—正位

圖5-16　赫斯伯格檢查法—內斜視

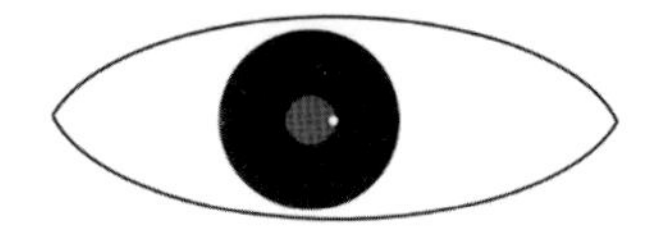
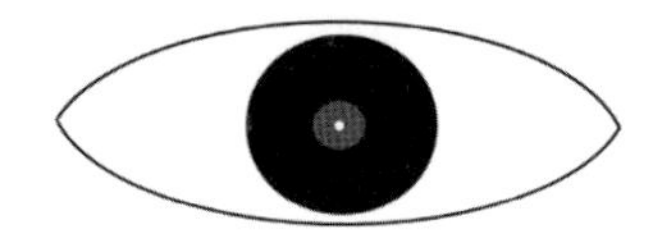

圖 5-17　赫斯伯格檢查法—外斜視

3.馬篤氏鏡檢查（Moddox）

藉由馬篤氏鏡破壞雙眼融像，使雙眼不受內聚力的影響，藉此讓受測者觀察注視燈光的相對位置來達到測量斜位的目的。

先將馬篤氏鏡置於受測者右眼前方，馬篤氏鏡線條朝著水平方向，將筆燈置於受測者雙眼正前方 40 公分，此時受測者右眼看到的筆燈燈光已被折射成垂直線，且雙眼已被破壞融像、沒有內聚。若受測者觀察到光點與垂直線互相重疊，則受測者水平眼位爲正位；若受測者觀察到光點在左邊、垂直光線在右邊，則受測者爲內斜位；若受測者觀察到光點在右邊、垂直光線在左邊，則受測者爲外斜位（圖 5-18）。

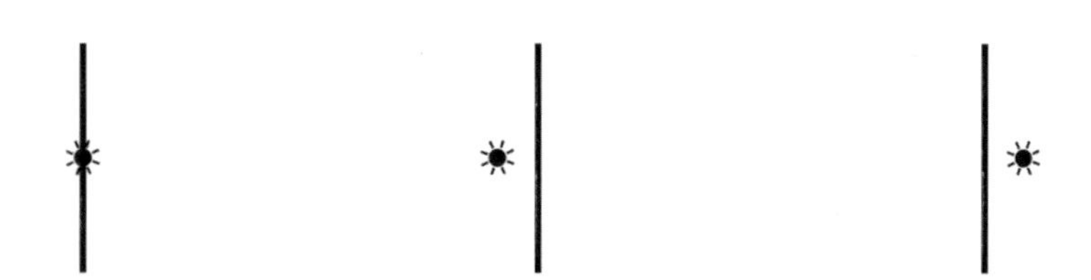

馬篤氏鏡檢查—正位　馬篤氏鏡檢查—內斜位　馬篤氏鏡檢查—外斜位

圖 5-18　馬篤氏鏡水平眼位檢查

接著，測試垂直斜位。一樣先將馬篤氏鏡置於受測者右眼前方，此時將馬篤氏鏡線條朝著垂直方向，將筆燈置於受測者雙眼正前方 40 公分，若受測者觀察到光點與垂直線互相重疊，則受測者垂直眼位爲正位；若受測者觀察到光點在上側、垂直光線在下側，則受測者爲右眼上斜位；若受測者觀察到光點在下側、垂直光線在上側，則受測者爲左眼上斜位（圖 5-19）。

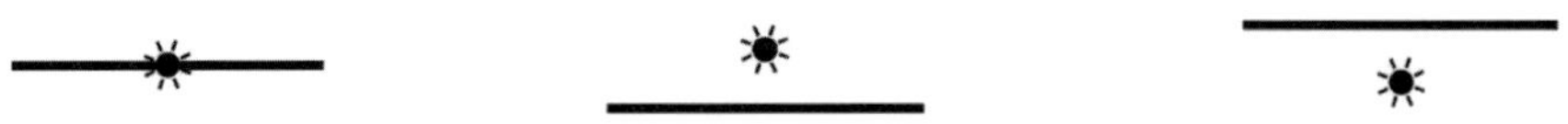

馬篤氏鏡檢查—正位　馬篤氏鏡檢查—右眼上斜位　馬篤氏鏡檢查—左眼上斜位

圖 5-19　馬篤氏鏡垂直眼位檢查

第六節　斜視的處置

一、非手術視治療

1.鏡框眼鏡

以框架眼鏡矯正視力的方式來刺激雙眼融像能力，爲了能得到清晰的影像來刺激雙眼融像，通常會給予全矯正。且針對間歇型外斜視及調節性內斜的視患者其效果會較好，恢復正位的成功率會隨著患者的年齡而不同，年齡越小成功率越高。

針對屈光性調節性內斜視遠視患者，應給予最大「正」度數的矯正，使患者看遠距離時不會調節進而誘發內聚偏斜，而非屈光性調節性內斜視（高 AC/A 比値）患者可以使用雙光鏡片或多焦點鏡片，減少患者注視近距離的內聚。

2.稜鏡處方（Prism）

稜鏡處方最主要目的是爲了要促進雙眼融像機制的產生，若將稜鏡處方移除，患者的將恢復到斜視無法融像的狀態。

3.視力訓練（Visual training）

透過訓練眼外肌，加強眼外肌拉扯作用力，達到平衡眼外肌作用力量，使眼球回到正確的位置。眼外肌力量增強後可促進雙眼融像能力。視力訓練以外斜視的患者爲主，加強內直肌向內轉動作用力，使眼睛融像並且回正確位置，若是間歇型外斜視患者，成功機率更高，因患者已有了基本的融像能力。

4.藥物治療（阿托品；Atropine）

阿托品散瞳可以改善調節性內斜視或部分調節性內斜視，使用阿托品可以放鬆過多的調節力，改善眼球的過度內聚力。

5.注射肉毒桿菌毒素（Botulinum toxin）

肉毒桿菌毒素是由肉毒桿菌所生產的，作用在肌肉上可以使肌肉放鬆。用在斜視的治療上可以用來放鬆作用力量較強的眼外肌，以達到平衡眼外肌力量的作用。但有作用時間的限制，因此，患者需每隔一段時間施打一次。故使用肉毒桿菌毒素，大多用在不適合進行斜視手術、拒絕進行斜視手術的患者。

二、手術治療（Surgery）

手術是斜視最主要的治療方式，斜視是由於眼外肌拉扯帶動眼球轉動的力量無法平衡所致，因此，改變眼外肌拉扯力量爲斜視手術的主要目的。其方法大致可分爲兩類：

1. 增強眼外肌力量：透過截短眼外肌、前移眼外肌附著點等方法，增加眼外肌對眼球的作用力量，以達到平衡眼外肌作用力。

2. 減弱眼外肌力量：眼外肌切除、後移眼外肌附著點等方式。削弱眼外肌拉扯力量，達到平衡眼外肌力量。

參考文獻

陳振豪，雙眼視機能異常——診斷與治療（第二版），新北市，合記，2011

江東信，臨床視光學。臺北，五南，2016。

Kanski, Jack J，臨床眼科學，2005。

Theodore Grosvenor. Primary care optometry :anomalies of refraction and binocular vision. Boston : Butterworth-Heinemann, 1996.

R. Fletcher, D.C. Still. Eye examination and refraction. Malden, MA ;Oxford : Blackwell Science, 1998.

Bikas Bhattacharyya ; foreword, Debashish Bhattacharya. Textbook of visual science and clinical optometry. New Delhi : Jaypee Brothers Medical Pub. Ltd, 2009.

Michel Millodot. Dictionary of optometry and visual science. Edinburgh : Butterworth-Heinemann, 2004.

Andrew Keirl, Caroline Christie. Clinical optics and refraction :a guide for optometrists, contact lens opticians and dispensing opticians. Edinburgh : Baillire Tindall Elsevier/Butterworth-Heinemann, 2007

Michael P. Keating. Geometric, physical, and visual optics. Boston : Butterworth-

Heinemann, 2002.

Sonja Collier-Vanhimbeeck. A guide to the optometric training of myopia control. Santa Ana, CA : Optometric Extension Program Foundation, 1997.

David B. Elliott. Clinical procedures in primary eye care. Edinburgh : Butterworth Heinemann/Elsevier 2007.

Theodore Grosvenor. Primary care optometry. Boston : Butterworth-Heinemann, 2002.

Theodore Grosvenor, David A. Goss ; with a foreword by Henry W. Hofstetter. Clinical management of myopia. Boston : Butterworth-Heinemann c1999.

Blystone P. A. Relationship between age and presbyopic addition using a sample of 3,645 examinations from single private practice. Journal of the American Optometric Association. 1999; 70: 505-508.

Fincham, E. F. The Mechanism of Accommodation, Mon. Supp. 8, Br. J. Ophthal.,1937; 2-80,.

Hanlon S. D., Nakabayashi J, Shigezawa G. A critical view of presbyopic add determination. Journal of the American Optometric Association 1987; 58: 468-472.

Pointer J. S. Broken down by age and sex. The optical correction of presbyopia revisited. Ophthalmic Physiological Optics. 1995; 15: 439-443.

Clinical Procedures for Ocular Examination, Nancy B. Carlson, Daniel Kurtz, McGraw-Hill/2015/4TH

Optometry: Science, Techniques and Clinical Management, Mark Rosenfield, Nicola Logan, Keith Edwards, Butterworth Heinemann Elsevier/2009/2TH

Primary Care Optometry,Theodore Grosvenor, Butterworth Heinemann Elsevier/2007/5TH

Presbyopia: Origins, Effects, and Treatment, Ioannis Pallikaris, Sotiris Plainis, W. Neil Charman, Slack Incorporated, 2012

HimadriDatta (2004),Strabismus de Gottrau P, Gajisin S, Rother A. Ocular rectus muscle insertions revisited: an unusual anatomic approach. Acta Anat 1994; 151: 268-272.

Jaggi GP, Laeng HR, Muntener M, Killer HE. The anatomy of the muscle insertion (scleromuscular junction) of the lateral and medial rectus muscle in humans. Invest Ophthalmol Vis Sci 2005; 46: 2258-2263.

Adler's Physiology of The Eye, Leonard A. Levin, Siv F. E. Nilsson, James Ver Hoeve, Samuel M. Wu, Elsevier/2011/11TH

Clinical Procedures for Ocular Examination, Nancy B. Carlson, Daniel Kurtz, McGraw-Hill/2015/4TH

Optometry: Science, Techniques and Clinical Management, Mark Rosenfield, Nicola Logan, Keith Edwards, Butterworth Heinemann Elsevier/2009/2TH

Primary Care Optometry,Theodore Grosvenor, Butterworth Heinemann Elsevier/2007/5TH

The Eye, John V. Forrester, Andrew D. Dick, Paul G. McMenamin, Fiona Roberts, Eric Pearlman, Elsevier/2016/4TH

Theodore Grosvenor (2002), Primary Care Optometry4th Edition, U.S.A, Butterworth-Heinemann.

Steinman S B, Steinmam B A, Garzia R P. Foundations of binocular vision : a clinical prespective. Publish : New York : McGraw-Hill, 2000.

Sireteanu R. Binocular luminance summation in humans with defective binocular vision. Invest ophthalmol Vis Sci. 1987, 28(2) :349-355.

Griffin J R, Grisham J D, Ciuffreeda k J. Binocular anomalies : Diagnosis and vision therapy. Publisher : Butterworth Heinemann, 2002.

Mitchell Scheiman Bruce Wick. Clinical management of binocular vision : Heterophoric, accommodative, and eye movement disorders. Philadelphia : J.B. Lippincott Co., 1994.

Theodore Grosvenor. Primary care optometry :anomalies of refraction and binocular vision. Boston : Butterworth-Heinemann, 1996.

第6章 視覺知覺與運動知覺

江芸薇

有別於其他哺乳類動物，如馬、兔子等眼睛是位在頭部兩側，人類的雙眼是位於同一平面上，視野有較大的重疊部分（約 120 度），因此能夠發展成良好的雙眼視覺。所謂融像（Fusion），即是眼睛看到的物體能準確地聚焦在視網膜上，並將有相似的大小、形狀，分別落在對應的視網膜點上，而視網膜上的感光細胞能將訊息傳至大腦，使大腦將兩眼分別看的影像合爲一個。融像能力的測驗也是最能直接且快速地檢查出屈光矯正是否符合該眼睛，或有其他雙眼視覺機能問題（例如：斜視、弱視）的檢測。

要達到融像能力，首先要有雙眼同時注視的能力，若同第 5 章節所提及的因斜視導致複視、抑制或因疾病等其他因素使任何一眼無視覺能力，則無法有融像的能力。當雙眼分別看到的影像，經視覺路徑進入大腦視覺皮質後，將兩眼看到的影像合而爲一，此情形即稱之爲融像。立體視是擁有融像能力後才發展的表現，與雙眼的視網膜對應點（Corresponding retinal point）有相關性，可以使眼睛有視覺知覺深度與 3D 立體影像的能力。因此，可將融像分爲三個等級，第一級爲雙眼同視（Superimposited），第二級爲融像，第三級爲立體視（Stereopsis）。

第一節 視覺知覺

當眼睛注視空間中任何物體時，皆可由個體本身的方向及距離的兩個參數決定。物體的水平與垂直方向，可以決定物體的二維空間，而距離是屬於第三個維度。

當眼睛穩定地直視眼前一個點時，我們將之稱爲視覺方向。視覺方向可區分爲：主要視覺方向（Primary visual direction）及次要視覺方向（Secondary visual direction）。如圖 6-1 所示。

1. 主要視覺方向

當單眼注視外物時，注視點與眼瞳孔中心的連線成爲視線，向後延伸至中心窩。眼所見物體位於眼前方。

2. 次要視覺方向

其他方向進入眼球的光線，成像於中心窩外。

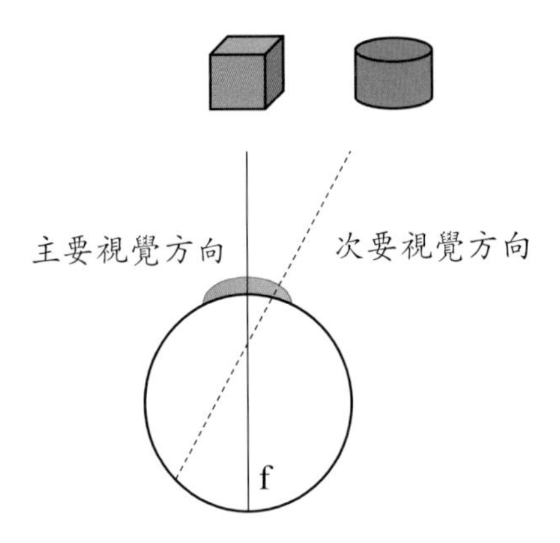

圖 6-1 主要視覺方向及次要視覺方向

當兩眼同時注視某位於正前方或頭前方物點時，物點的影像會落在各眼的中心窩並形成影像，可將之視爲單一頭正前方向，而這種在兩眼注視狀況下所確定的方向可稱爲頭位中心視覺方向，此方向會略爲偏向主利眼，如圖 6-2 所示。

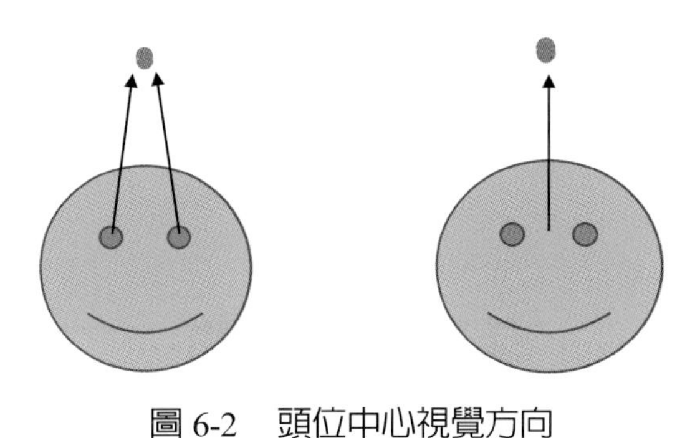

圖 6-2　頭位中心視覺方向

而兩眼看到的影像除了顳側約 30 度不會重疊外，其他很大部分是重疊的，如圖 6-3 右眼所看見的視野爲黑色部分，左眼爲白色，重疊部分則爲橫線條區域。而此重疊視野區域裡的各點會分別在兩眼視網膜形成互相對應的點。右眼所見的物體同樣的會在左眼的視網膜成像，反之左眼所見的畫面同樣會在右眼的視網膜投影，稱之爲網膜對應點（Corresponding retinal points）。

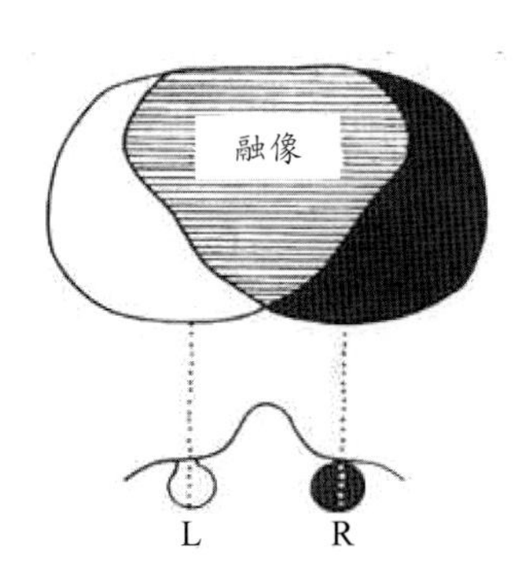

圖 6-3　雙眼個別視野及重疊區域

如圖 6-4 所示，眼睛看到的物體 F 會分別對應地呈現在雙眼的視網膜上，分別爲 f 與 f'；同樣的，在視野周邊的物體 P 會分別對應地呈現在雙眼的視網膜上，分別爲 p 與 p'；物體 Q 也會分別對應呈現於視網膜上爲 q 與 q'，網膜對應點上的神經纖維將雙眼分別看到的兩個影像投射成單一影像至視覺皮質，這樣的情形我們定義爲融像（Fusional）或一體化（unification）。兩眼視網膜的影像結合成爲單一個影像的感覺，稱之爲知覺融像（Sensory fusional）。

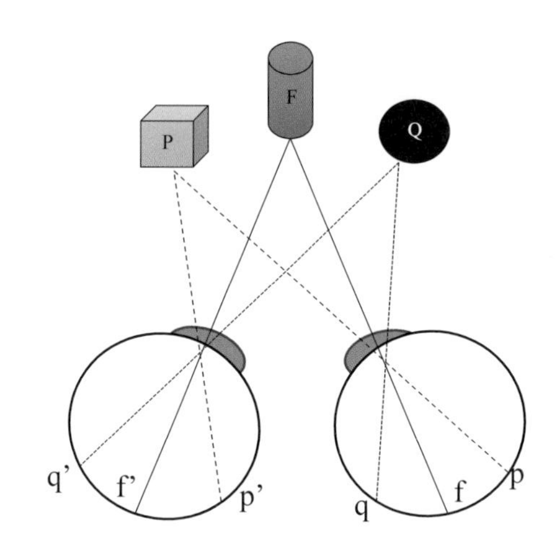

圖 6-4　所看物體在眼睛上的成對網膜對應點

第二節　雙眼視界與 Panum's 融像區

將視網膜上所有的成對網膜對應點繪出，即可形成一個平面，此一平面稱爲雙眼視界（Horopter）。Horopter 是一個想像的面，對於注視者而言通常是一個凸型的平面。學者 Ogle 定義，若雙眼的網膜對應點是對稱的，那麼 Horopter 會是一個通過注視點和雙眼瞳孔中心的圓，稱之爲 Vieth-Müller 圓，如圖 6-5 所示。

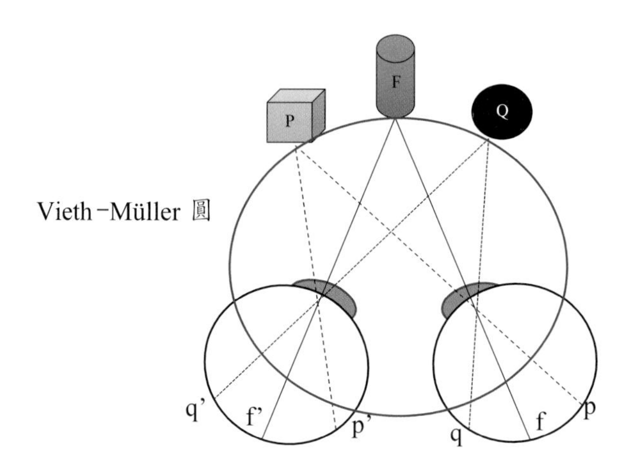

圖 6-5　理論上網膜對應點所形成的雙眼視界為一 Vieth-Müller 圓

經 apparent fronto parallel method 實驗證實 Horopter 的曲面會比 Vieth-Müller 圓來得平。Apparent fronto parallel method 實驗方法爲，使注視者看著遠方一個注視點，注視者自行將 13 根桿子前後移動，使每根桿子的前端平行對齊注視點，測驗距離分別爲 20 公分、40 公分、75 公分及 1 公尺，結果顯示：對於注視者而言，若注視的距離較短，則 Horopter 會呈現偏凹型弧面，若注視的距離較長，則 Horopter 會呈現偏凸型弧面。這個實驗證實 Horopter 並不是一直遵守著 Vieth-Müller 圓。

1856 年，Panum 證明了當注視一個物體卻感覺出現兩個影像，則表示影像並未落在視網膜對應點上，所以無法產生融像。Panum 建立了最大融像區（Panum's fusional areas），一般而言，水平的 Panum's 融像區會比垂直的 Panum's 融像區來得大。

將 Horopter 與 Panum's 融像區結合在一起，雙眼單一融像區會是兩條弧線之間一個區域，當物體落在此區域內，看到的影像都會是單一個的，若影像超出這個兩條弧線圍成的融像區，則會出現複視，也就是生理性複視。然而，這樣的單一雙眼視覺區範圍並沒有被明確的定義下來，Ogle 和其他幾位學者認爲這個區域是個從中間往周邊開始遞增的一個區域，如圖 6-6 所示。

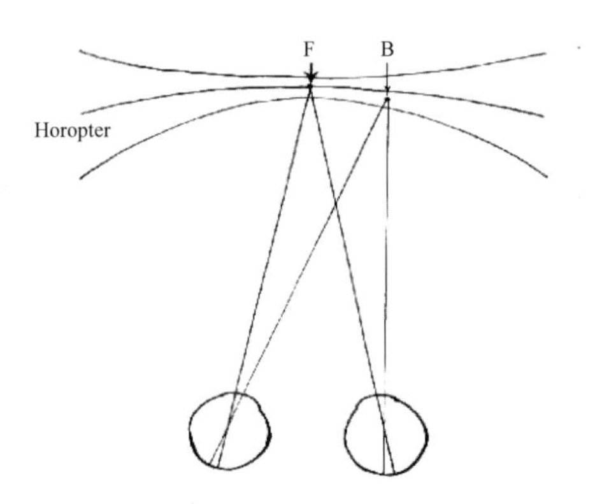

圖 6-6　經實驗測量結果的雙眼視界

正常的雙眼視情況下，注視物體時兩眼視軸會準確地對準物體，使影像落在每一眼的黃斑上。但當一注視者看著一個物體時，其視軸並沒有準確的對應在物體上，但此注視者也沒有表示複視現象，表示受測者有注視偏差（Fixation disparity）的情況。因爲這注視偏差落在 Panum's 融像區內，所以受測者沒有複視。Panum's 融像區是一個很小的區域，注視偏差也是個很小的錯位，通常小於 10 分弧，否則不會有融像的感覺。注視偏差可依據其偏差的狀況分爲，在雙眼視的情況下視軸有輕微的聚合過度，也可稱爲內斜的注視偏差；或有輕微的聚合不足也可稱爲外斜的注視偏差。注視偏差與立體視覺有相關性，通常這兩者之間的關係成反比。

注視偏差的測驗方法與評估斜位的方法不同，評估斜位的方式會透過遮蓋或稜鏡的方式將兩眼注視狀態分離，屬於分離性斜位（Dissociated phoria）。而注視偏差的測驗方法只是將眼睛注視的狀態分離一部分，利用偏光視標設計，除了中間一小區域外，其餘的視野都是在雙眼同時注視的狀態。是藉由單眼各看一個圖案（或線條），若這兩個圖案沒有對齊的話，則代表有注視偏差的存在，也可被稱爲關聯性斜位（Associated phoria）。通常同一個人關聯性斜位所測出的量都會小於分離性斜位。一般來說注視偏差的類型也會跟斜位的類型一致，舉例而言，當一個有外斜位的受測者，他的注視偏差也會是外斜。但並非全部的受測者都會有理論上的表現，約有四分之一至三分之一的人會有相反的結果，這些情況被稱爲「矛盾性注視偏差」（Paradoxical fixation disparity）。

一般臨床上注視偏差的測驗並沒有直接地將偏差量測出來，而是透過改變稜鏡量的方式直到偏差量變爲 0，這些稜鏡也可被稱爲「對齊稜鏡」（Aligning prism）。同樣地，調節與聚合有相互連帶關係，所以也可以透過改變球面鏡片度數來達到對齊偏差量的方式，但這是比較不常見的測量方式。

「Mallett 注視偏差測驗」可做爲測量注視偏差的一個檢查方式，可以分成遠距離與近距離來測量。其主要的測量視標是像鎖狀的視標○ × ○，○ × ○提供中心注視，其上、下方會有條狀圖形的設計，如圖 6-7 所示。條狀圖形則分別設計給個別單眼注視，假設上方條狀圖形爲右眼注視，下方條狀圖形則爲左眼注視。遠距離的測驗視標通常沒有周邊融像的設計，近距離則會在測驗視標旁設計有字體大小爲 N5 或 N10 的周邊融像。

圖 6-7 Mallett 注視偏差測驗視標

請受測者注視○ × ○中間的符號 ×，並回報上、下的條狀是否有對齊？若沒有對齊則上、下條狀的相互位置關係爲何？透過上下條狀的位置關係來判斷眼睛狀態。舉例 4 個受測者可能回報的情形說明之：

1. 上、下條狀圖形都與符號 × 對齊，表示沒有注視偏差，如圖 6-7 所示。

2. 若下方的條狀圖形較符號 × 偏左（右眼所視），上方的條狀圖形較符號 × 偏右（左眼所視），則表示此受測者有外斜的注視偏差，如圖 6-8 所示。

3. 若下方的條狀圖形對齊符號 ×（右眼所視），但上方的條狀圖形較符號 × 偏右（左眼所視），則表示此受測者只有左眼有外斜的注視偏差，如圖 6-9 所示。

4. 若下方的條狀圖形較符號 × 偏右（右眼所視），上方的條狀圖形較符號 × 偏左（左眼所視），則表示此受測者有內斜的注視偏差，如圖 6-10 所示。

圖 6-8　右眼所視的條狀圖形較符號 × 偏左（下方），左眼所視的條狀圖形較符號 × 偏右（上方），則表示此受測者有外斜的注視偏差

圖 6-9　右眼所視的條狀圖形對齊符號 ×（下方），左眼所視的條狀圖形較符號 × 偏右（上方），則表示此受測者的只有左眼外斜的注視偏差

圖 6-10　右眼所視的條狀圖形較符號 × 偏右（下方），左眼所視的條狀圖形較符號 × 偏左（上方），則表示此受測者有內斜的注視偏差

將視標 Mallett 注視偏差旋轉 90 度，○ × ○視標便會變成垂直方向，以前述的方式測量垂直的注視偏差。若同時存在水平與垂直的注視偏差，則需先將水平注視偏差矯正後，再測量垂直的注視偏差量。

注視偏差曲線（Fixation disparity curve, FDC）是一個根據受測者的注視偏差稜鏡量，以分弧爲單位，繪製而成的 X 跟 Y 座標圖。Y 軸座標表示受測者的偏差狀態，上方爲內斜的注視偏差，下方爲外斜的注視偏差，此軸也表示爲關聯性眼位，表示讓注視偏差量降到 0 的稜鏡量。X 軸座標表示稜鏡量，左方爲基底朝內的稜鏡，右方爲基底朝外的稜鏡，此軸也代表著沒有加入任何稜鏡時的注視偏差量。通常會用幾個稜鏡來繪製曲線，常用 3^{Δ}基底朝內、3^{Δ}基底朝外、0^{Δ}。

一般會以 Ogle 系統將注視偏差曲線分成以下四的類型：

Type I：在 X 軸兩側有陡峭的曲線，基底朝內近乎垂直的上升及基底朝外的地方近乎垂直的下降，但在中間的部分是比較平緩的，如圖 6-11 所示。約有 60% 的人屬於 Type I，這類型的人較不會有雙眼視覺上的抱怨。若有抱怨，其測量的注視偏差曲線會呈現更陡峭，矯正其偏斜的量可以有效的減緩受測者抱怨，矯正後的注視偏差曲線也會變得較平緩。

Type II：曲線在基底朝外會呈現平緩，基底朝內的曲線則會較陡峭的上升，如圖 6-12 所示。大部分注視偏差曲線呈現 Type II 的受測者會有內斜位，這類型的受測者對於加入稜鏡或加入度會有好的反應。

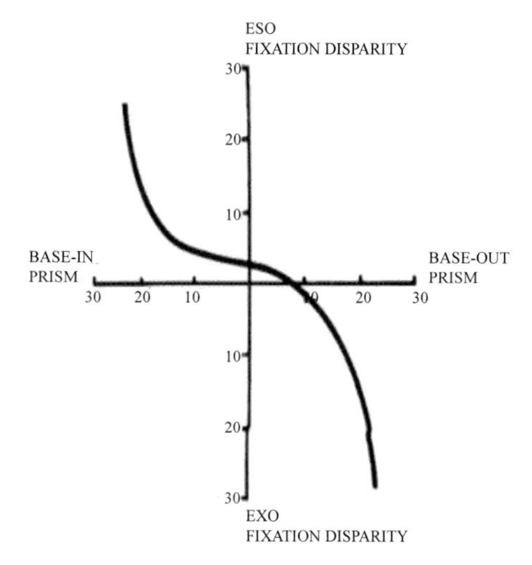

圖 6-11　Type I 注視偏差曲線

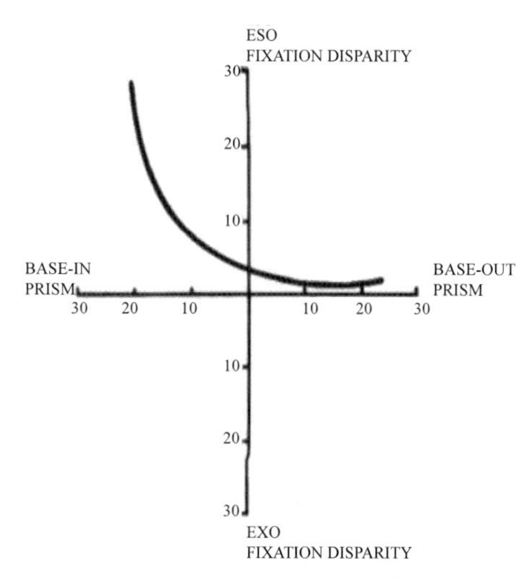

圖 6-12　Type II 注視偏差曲線

Type III：曲線在基底朝內會呈現平緩，基底朝外的曲線則會較陡峭的下降，如圖 6-13 所示。注視偏差曲線呈現 Type III 的受測者通常會有高度的外斜位，這類型的受測者可以使用訓練的方式，來達到對準視標的效果，但訓練起來比 Type I 的受測者還要不容易。也可以處以稜鏡的方式減緩受測者的抱怨，有學者建議處方的稜鏡應爲 X 軸中間部份上最平坦的稜鏡量，而不是關聯性眼位的稜鏡量。

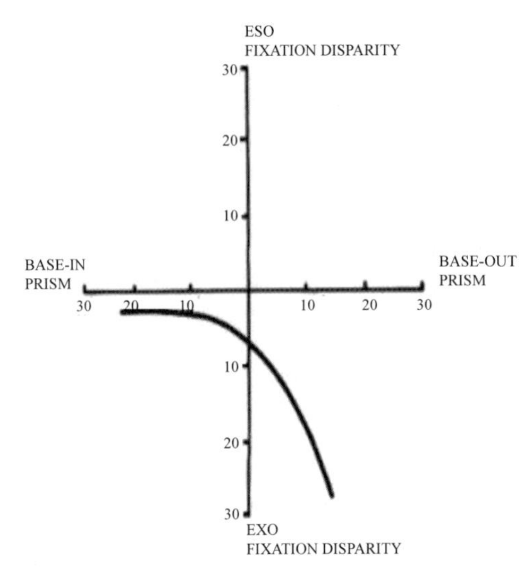

圖 6-13　Type III 注視偏差曲線

Type IV：在 X 軸兩側有平緩的曲線，但在中間部分則有較陡峭的變化，如圖 6-14 所示。這類型受測者的處置方式較無明確一致的方法。

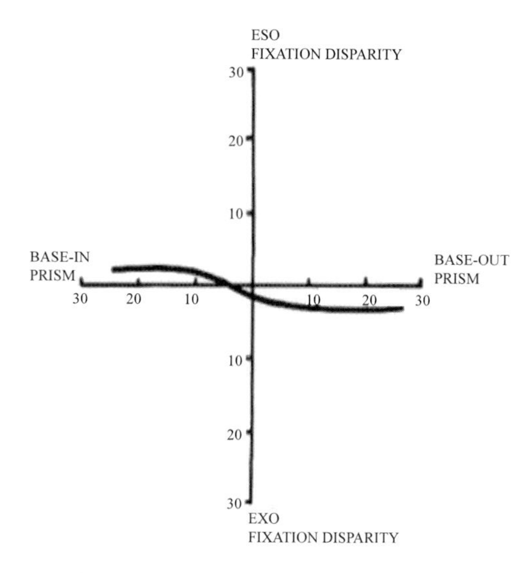

圖 6-14　Type IV 注視偏差曲線

第三節　生理性複視

生理性複視爲人眼的正常現象，經常發生在日常生活中，簡便測量方式可使用雙手各指出一手指頭放於眼前，並使一前一後排列爲一直線，或使用聚散球（如圖 6-15），當注視近方手指頭／聚散球時，使用餘光觀察遠方手指頭／聚散球會產生複視現象。反之，當注視遠方手指頭／聚散球時，使用餘光觀察近方手指頭／聚散球也會產生複視現象。

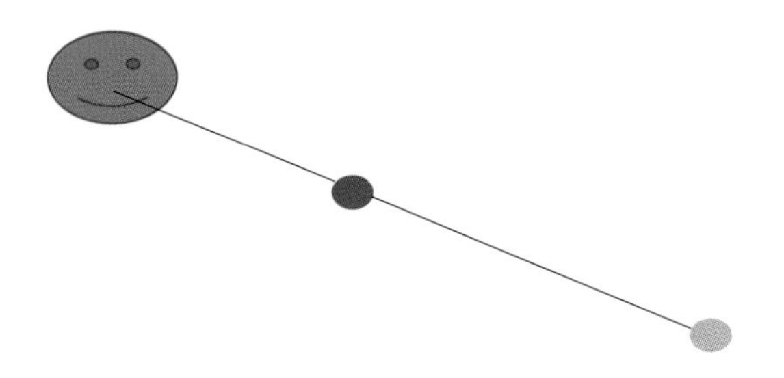

圖 6-15 使用聚散球測量生理性複視

生理性複視可依據產生複視的位置關係分爲交叉性複視及非交叉性複視。舉例而言，當注視近方的物體時，遠方物體會產生複視現象，此時閉上左眼以右眼觀察複視影像，會發現複視的影像偏右；閉上右眼以左眼觀察複視影像，會發現複視的影像偏左（如圖 6-16 所示），此現象稱爲非交叉性複視。反之，當注視遠方的物體時，近方物體會產生複視現象，此時閉上左眼以右眼觀察複視影像，會發現複視的影像偏左；閉上右眼以左眼觀察複視影像，會發現複視的影像偏右（如圖 6-17 所示），此現象稱爲交叉性複視。

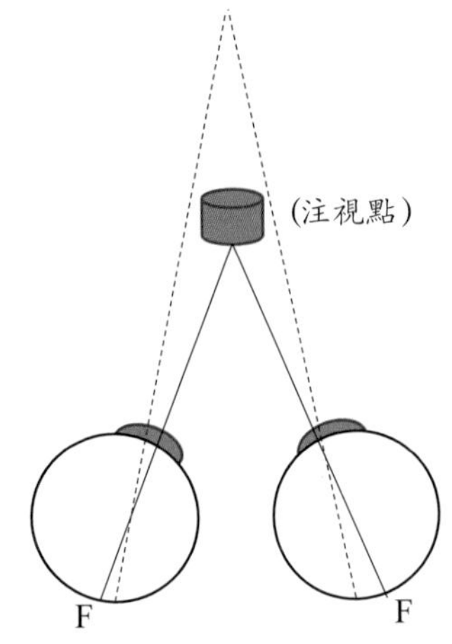

圖 6-16 注視較近點，遠方產生的生理非交叉性複視

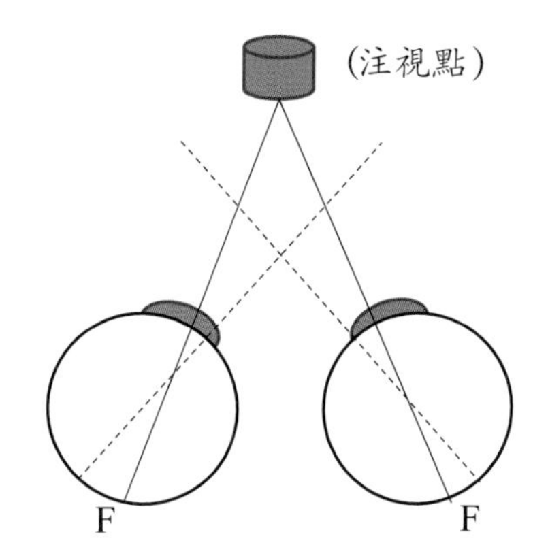

圖 6-17　注視較遠點，近方產生的生理交叉性複視

第四節　網膜對應差與立體視

當影像沒有對應地落在雙眼視網膜的對應點上，此情形稱之為刺激對應差（disparity）或非網膜對應點（Noncorresponding），也是後來所稱的網膜對應差（Retinal disparity）。當網膜對應差的量很大時就容易產生生理性複視；但當網膜對應差的量很小時，且在 Panum's 融像區範圍內，眼睛的雙眼視覺功能會將網膜對應差拉近注視點，而形成一個 3D 的立體感覺或是深度知覺，這也是常見的立體知覺深度（Stereoscopic depth）或稱之為立體視（Stereopsis）。

立體知覺的產生是因為兩眼有分別不同的兩個視覺空間，視野重疊的部分則會形成一個雙眼立體知覺。就像在使用裂隙燈顯微鏡之前，會先分別單眼校正再調整瞳距，當瞳距不符時會產生複視影像，調整合適瞳距時雙眼影像便會融像成單一影像，且會是一個具有深度立體知覺的影像。而立體視覺是一種經驗的累積，一種因生理刺激直接產生的知覺，就如同認知顏色一紅色這個知覺是視網膜接收紅色波長的經驗累積，而有了紅色知覺一樣。發育過程中，雙眼會自然的發展成雙眼視覺中最重要的立體視後，即使因疾病或其他因素，只剩單眼時也可透過線索與經驗得到立體視的知覺，可以從圖 6-18 所示的幾個現象來得到深度的知覺：

1. 相對尺寸：也就是影像大小，可透過觀察圖中相同物體，例如圖 6-18 右方的椅子會認為較大的椅子較靠近注視者，反之較小的椅子則較遠離注視者。

2. 重疊、物件穿插：例如圖 6-18 的酒瓶，酒瓶影像若重疊一起，則可認為當有顯露全體或被覆蓋較少的是距離較近的，反之則是距離較遠的。

3. 幾何線性透視：如圖 6-18 中同為一體的桌子，可發現距離愈遠的桌子面積會相較起近方桌子來得小。

4. 光、陰影：透過觀察圖 6-18 的物體影子方向可以得知光的方向，而得知所有物體的相對位置擺設。

以上即使只有單眼也可得到深度知覺線索，但這些線索都是需要透過學習的。

圖 6-18　可依據圖片中各種現象獲得線索得知物體的各相對位置

第五節　視覺知覺常見檢查測驗

一、融像力測驗

魏氏四點（Worth 4-dots）經常使用來測量受測者是否有抑制現象及知覺融像能力的測驗方法。利用兩種不同色調的濾鏡分別置於各眼前來區隔雙眼注視狀態，通常右眼爲紅色濾鏡，左眼爲綠色濾鏡，使受測者注視魏氏四點視標，通常魏氏四點視標的擺置爲紅光點在上方，白光點在下方，如圖 6-19 所示。紅色光點能通過右眼看到，綠色光點則通過左眼看到，而下方的白色光點兩眼均能看到。

圖 6-19　魏氏四點視標及輔助濾鏡

測驗時，需避免讓受測者在尚未配戴紅綠濾鏡前就看到魏氏四點視標。魏氏四點測驗可分爲遠距離及近距離兩個方式。遠距離測驗時需注意受測者是否已配戴遠用處方，再將紅綠濾鏡配戴於矯正處方前方，再進行測驗。近距離測驗時則需注意將視標放在受測者的閱讀位置。若是有老花的受測者，則需注意配戴處方是否爲近距離的矯正處方。魏氏四點的測驗是依據受測者看到光點的數量及相關位置得知受測者眼睛狀態，共有以下 6 種狀態：

1. 融像正常：可以看到左右 2 個綠色光點、上方 1 個紅色光點及下方 1 個紅綠不斷變換的紅綠光點，共 4 個光點視標，表示雙眼平面融像狀態正常，如圖 6-20 所示。

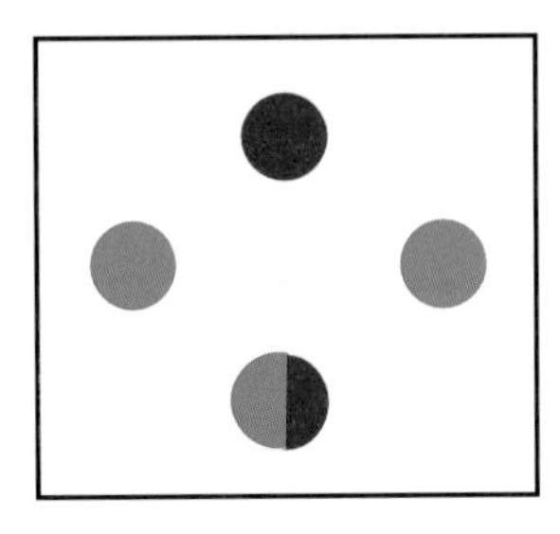

圖 6-20 受測者融像正常時所看見的魏氏四點視標

在沒有斜視的受測者，表示看到 4 個光點，表示此受測者有正常的雙眼融像能力。但若是有斜視的受測者表示看到 4 個光點。那表示此受測者有異常的網膜對應（Abnormal retinal correspondence, ARC）。

2. 右眼抑制（OD suppression）：只透過左眼注視，所以只能看到綠色光點及下方白色光點，下方白色光點透過綠色濾鏡觀察也會變成綠色的，共 3 個綠光點，如圖 6-21 所示。

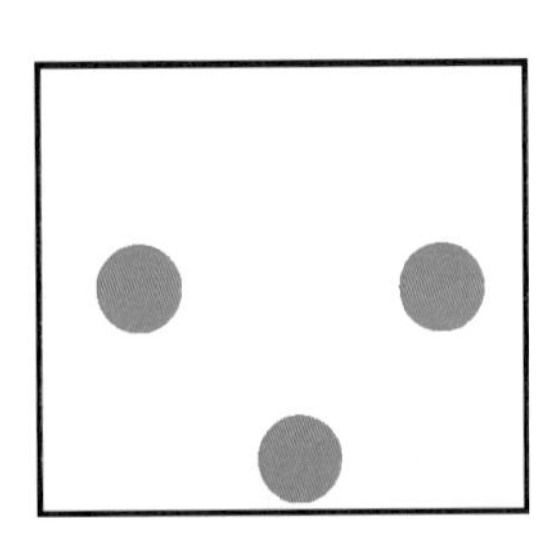

圖 6-21 當受測者右眼抑制時，所看到的魏氏四點視標

3. 左眼抑制（OS suppression）：只透過右眼注視，所以只能看到紅色光點及下方白色光點，下方白色光點透過紅色濾鏡觀察也會變成紅色的，共 2 個紅光點，如圖 6-22 所示。

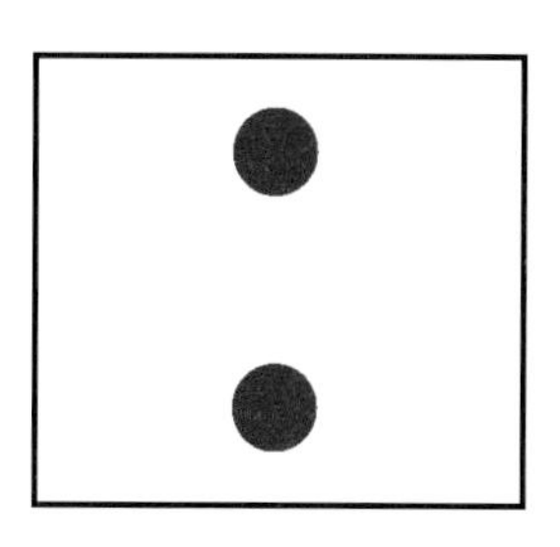

圖 6-22　當受測者左眼抑制時，所看到的魏氏四點視標

當發生第 2 或 3 的任一種抑制狀態，可以先將測驗環境燈光調暗後，再測驗一次。而若抑制的狀況只發生在遠距離時，則可以從近距離開始將魏氏四點視標慢慢往後移，直到發生抑制的距離，將此距離記錄，爲發生抑制的距離。發生抑制時，表示抑制暗點（Suppression scotoma）大於 4 個光點對應到視網膜的視角。而遠距離光點大小會小於近距離光點，所以對應於視網膜的角度較小，所以較容易出現抑制暗點。

4. 內偏斜（Eso deviation）：內偏斜的眼睛視線會呈現交叉狀態，如圖 6-23 黑色線，但以頭位中心視覺方向，將兩眼所視假想爲一眼，綠光點投射在中心窩，而紅光點影像則會投射在中心窩鼻側，所以看到的視標會呈現非交叉狀態。右眼看到的紅光點會呈現在右邊，左眼看到的綠光點會呈現在左邊，共看到右邊 2 個紅色光點及左邊 3 個綠色光點，如圖 6-24。

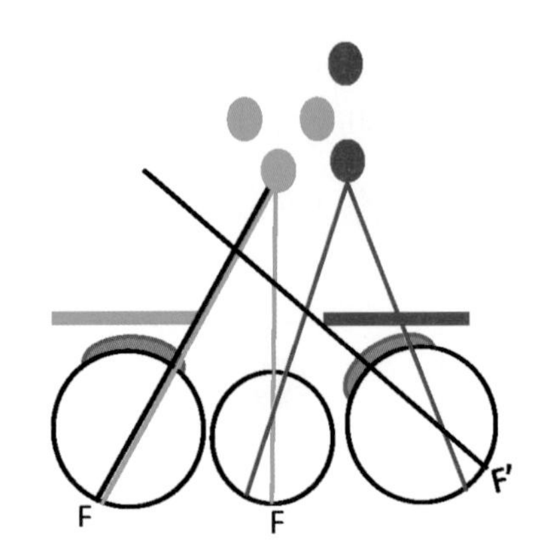

圖 6-23 內偏斜眼視線交叉，魏氏四點視標非交叉性複視

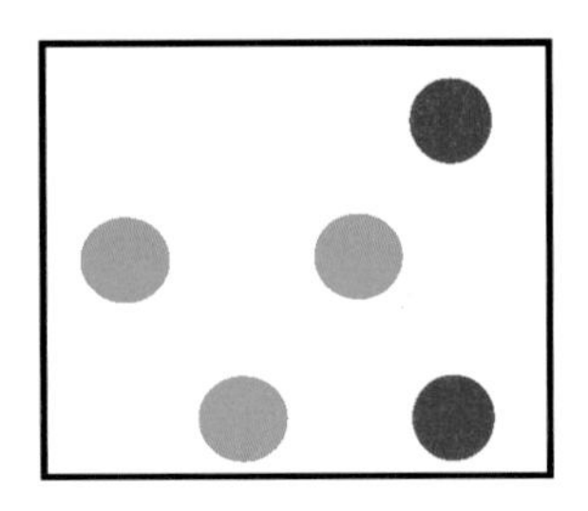

圖 6-24 內偏斜眼所看到的魏氏四點視標，紅色光點在綠色光點的右方

5. 外偏斜（Exo deviation）：外偏斜的眼睛視線會呈現不交叉狀態，如圖 6-25 黑色線，但以頭位中心視覺方向，將兩眼所視假想爲一眼，綠光點投射在中心窩，而紅光點影像則會投射在中心窩顳側，所以看到的視標會呈現交叉狀態。右眼看到的紅光點會呈現在左邊，左眼看到的綠光點會呈現在右邊，共看到左邊 2 個紅色光點及右邊 3 個綠色光點，如圖 6-26 所示。

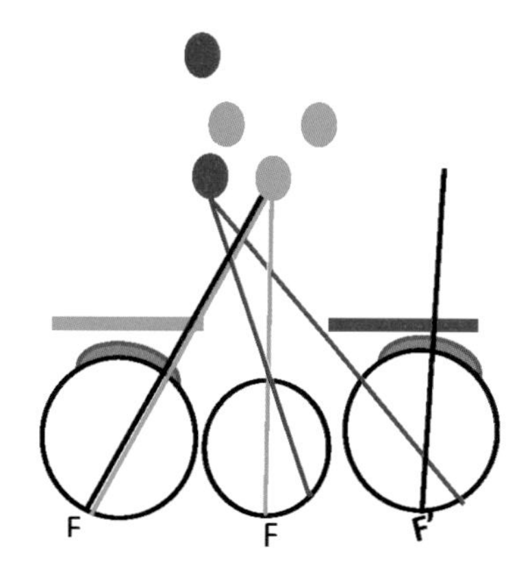

圖 6-25　外偏斜眼視線不交叉，魏氏四點視標交叉性複視

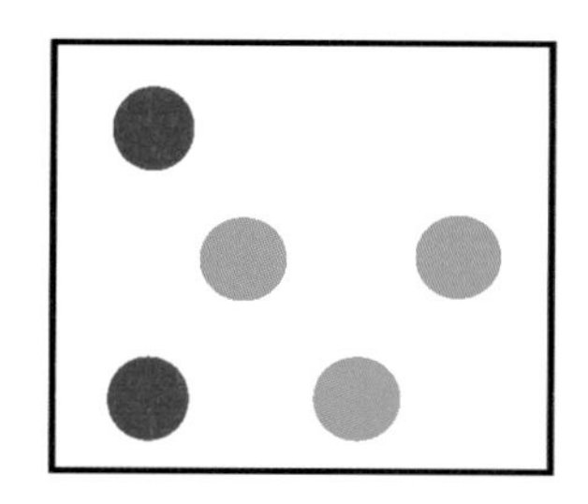

圖 6-26　外偏斜眼所看到的魏氏四點視標，紅色光點在綠色光點的左方

6. 上／下偏斜：兩眼視軸位置未在同一水平上，所見到的紅光點較綠色光點高，如圖 6-27 所示，表示右眼視軸位置較左眼低，屬於右眼下偏斜或左眼上偏斜；反之，所見到的紅光點較綠色光點低，如圖 6-28 所示，表示右眼視軸位置較左眼高，屬於右眼上偏斜或左眼下偏斜。

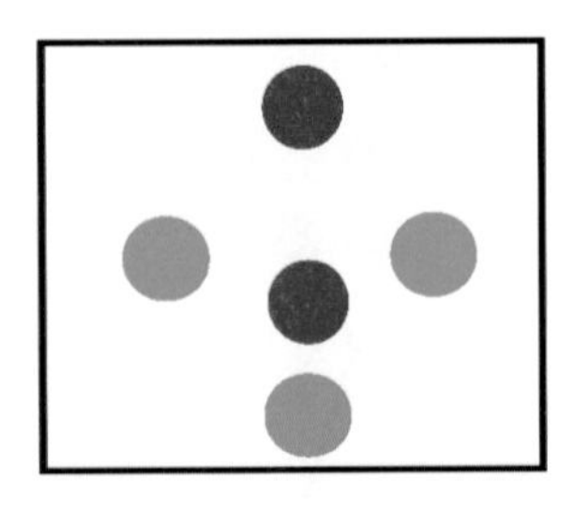

圖 6-27 右眼下偏斜或左眼上偏斜的受測者所看到的魏氏四點視標，紅光點較綠光點高

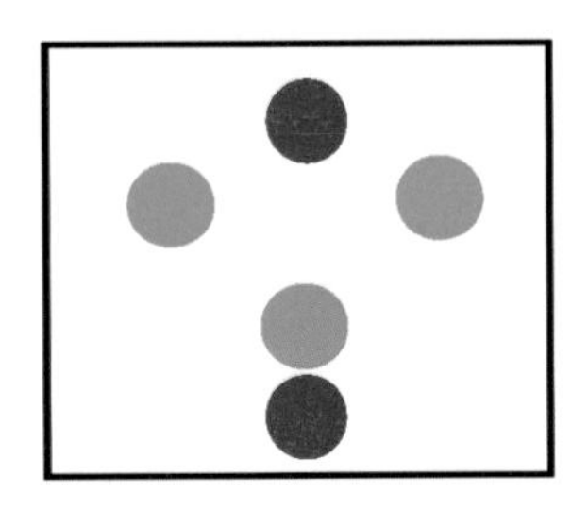

圖 6-28 右眼上偏斜或左眼下偏斜的受測者所看到的魏氏四點視標，紅光點較綠光點低

4 個稜鏡基底朝外測驗（4△ base-out test）可以做爲確認受測者是否有微量斜視（Microtropia）。受測者在矯正後視力微量的衰退進而影響立體視的表現時也可以實施此檢查已確認是否有小量的中心盲區。與魏氏四點測驗不同的部分在於 4 個稜鏡基底朝外測驗是一種完全客觀的檢查方式，是一種不需要受測者回應，檢查者只需放置 4 個基底朝外的稜鏡於受測者眼前，觀察其眼睛的動態判斷即可。

在雙眼視正常的情況下，將基底朝外的稜鏡放置於一眼前，因稜鏡特性會使影像往鏡尖跑，眼睛爲求注視影像便會朝內移動。另一眼則會因海利氏定律（Hering's law）的共動性運動跟著朝外轉動，而後爲保持融像而再次移動回注視位置。假設放置一基底朝外的稜鏡在受測者右眼前，則受測者右眼所看到的影像會往左側跑，右眼爲注視影像而內轉。此時受測者的左眼會因眼球共動性也會外轉，如圖 6-29(2) 所示。但爲了保持融像狀態，左眼會再往內轉移動回注視位置，如圖 6-29(3) 所示。

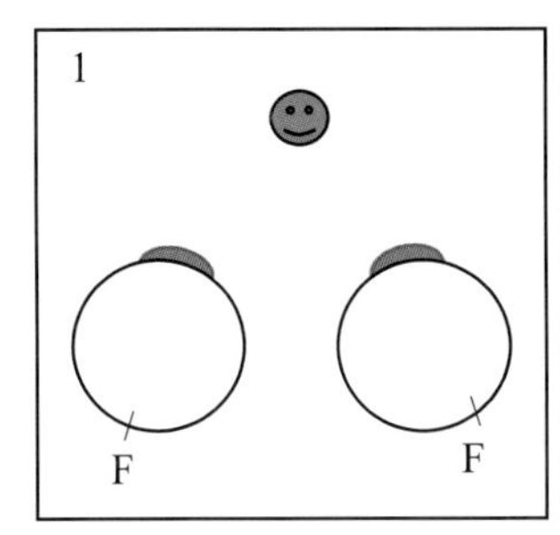

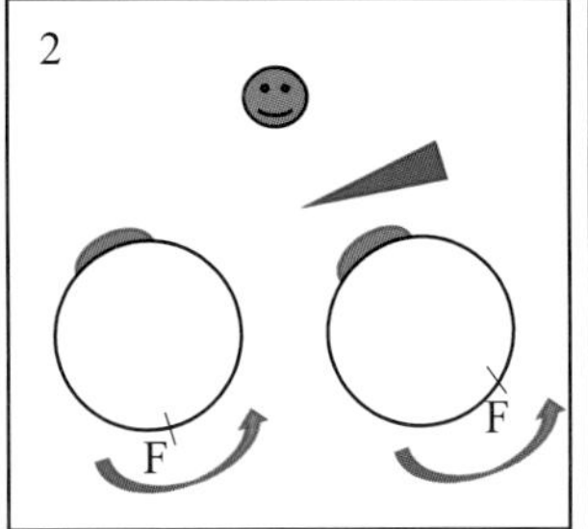

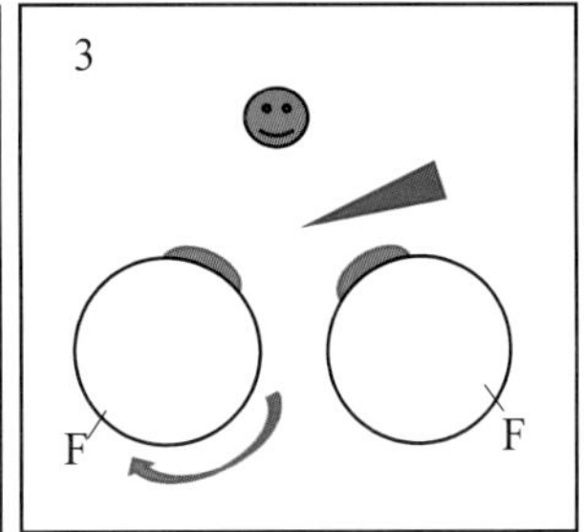

圖 6-29　雙眼視正常注視視標 (1)。右眼前放置稜鏡影像往鏡尖跑，右眼為注視視標會向內轉，眼球共動性運動，左眼也會向外轉動 (2)。為保持融像，左眼會再重新向內轉注視視標 (3)

若使一基底朝外的稜鏡在受測者右眼前，則受測者右眼所看到的影像會往左側跑，右眼爲注視影像而內轉，此時受測者的左眼會因眼球共動性運動也會外轉，如圖 6-30(1) 所示。但若受測者左眼卻沒有再往內轉移動回注視位置，如圖 6-30(2) 所示。此時將基底朝外的稜鏡改放置在受測者左眼前，則受測者左眼所看到的影像會往右側跑，但受測者左眼卻沒有內轉。受測者的右眼當然也沒有受任何影響，此時可以判定受測者的左眼可能有小量的中心盲區，如圖 6-30(3) 所示。

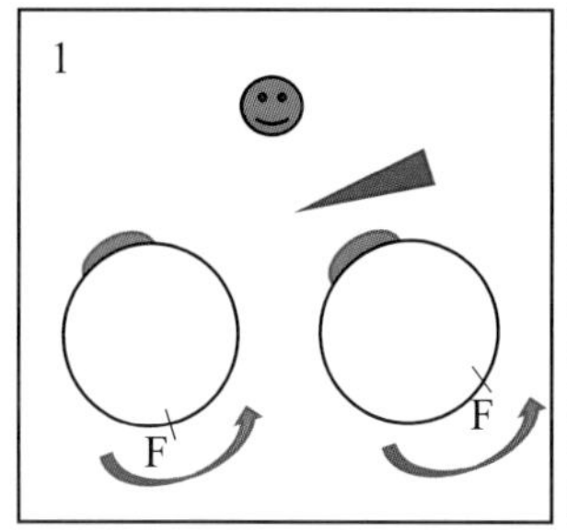

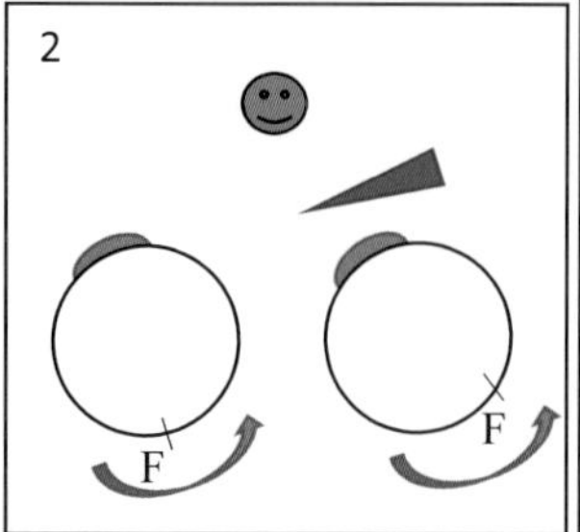

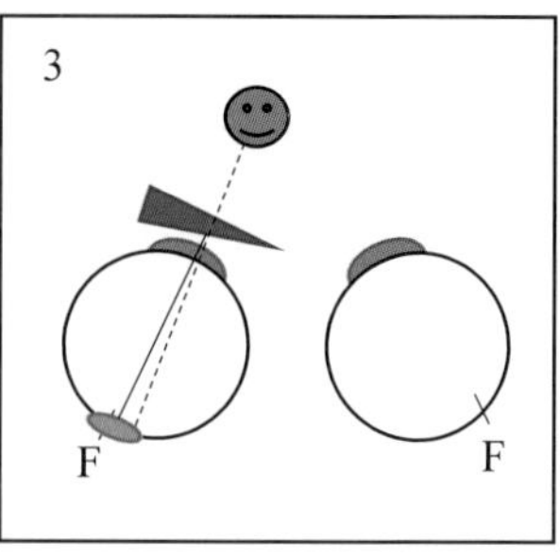

圖 6-30 右眼前放置稜鏡影像往鏡尖跑，右眼為注視視標會向內轉，眼球共動性運動，左眼也會向外轉動 (1)。但左眼因影像若在盲區所以沒有往內轉保持融像的動作 (2)。當將基底朝外的稜鏡改放在左眼前，影像一樣透過稜鏡觀看會往鏡尖跑，但影像都落在盲區內，故左眼不會向內轉動，右眼也不會有任何動作 (3)

透過稜鏡放置與眼睛轉動的反應來判斷受測者是否有中心盲區，下表 6-1 爲四個稜鏡基底朝外測驗的快速判斷指南

表 6-1　四個稜鏡基底朝外測驗快速判斷指南

4BO 放置位置	正常狀態	右眼有中心盲區	左眼有中心盲區
右眼	右眼往內轉動	右眼沒有轉動	右眼往內轉動
	左眼先往外再往內	左眼沒有轉動	左眼往外轉動 但沒有往內轉動
左眼	左眼往內轉動	左眼往內轉動	眼睛都沒有轉動
	右眼往外再往內	右眼往外轉動 沒有往內轉動	眼睛都沒有轉動

二、立體視

立體視是人類雙眼視覺中最基本的特徵。因爲兩眼有著水平距離差距，所以在相同位置及距離下，兩眼分別看同一個物體，會是兩種不同視覺畫面。當雙眼同時看時，會因爲這樣的視覺差，而產生知覺深度。

立體視覺即是檢查最小網膜對應差在知覺深度的能力或與距離的相對關係。也是臨床上重要檢查，可以快速篩檢出是否有雙眼功能異常的問題。在立體視的視標組成中，至少需要兩個點的刺激，但其中一個點並未落在 Horopter。立體視測驗依據視標類型，分別說明如下：

（一）線性或輪廓

此類型的立體視標通常需要搭配偏光濾片使用，且會有一些背景性的單眼線索，來增加視網膜對應差，當有中心或周邊融像時，便可以觀察出立體視標，但是當眼睛沒有融像時，這些視標會看起來像是平面靜止的。像是立體麋鹿（Stereo reindeer）、Titmus stereo 都是屬於線性立體視測驗，尤其以 Titmus stereo 較爲常見，適合學齡前的學童。Titmus stereo 是一本有偏光設計的視標冊子，需使用一眼爲 45° 軸和另一眼爲 135° 軸的偏光濾鏡，冊子右方有一立體蒼蠅（Stereofly）其翅膀由 3000 秒角的偏光視標組成，約占視網膜對應差的 1 度角；在冊子左下方分別有 3 列動物視標，每列有 5 個動物視標，但都只有其中一個動物是由偏光視標所組成，分別是 400 秒角、200 秒角、100 秒角的偏光視標；而在冊子左上方有 9 組圓形視標，每一組圓形視標均有 4 個，但只有一個圓形視標是由偏光視標組成，其視標組成範圍從 800～40 秒角。受測者能分辨的最小秒角偏光視標，則表示其爲立體知覺深度，如圖 6-31 所示。而立體麋鹿測驗與 Titmus 設計及測驗方式相似。

根據 Park（1976）表示，有良好的視力才會有好的立體知覺表現，如果一成人受測者有良好的視力，表示其視覺中心有融像，那麼他在近方將會有 40 秒角或更好的立體知覺，但若受測者矯正視力不佳或是有斜視、弱視、抑制等導致視覺中心融像不佳或只有周邊融像，那麼他的立體視力約會落在 3000～60 秒角，平均爲 200 秒角。

圖 6-31 Titmus stereo 測驗

（二）亂點圖

立體測驗的另一個設計是亂點圖的方式。亂點圖上的亂點可以是各式的形狀，且會相對於中心的點、線或一區塊有水平位移，使這些亂點看起來有立體的效果。此類型的立體視測驗沒有單眼線索的背景。依據不同的設計，有不同種亂點式的立體測驗，分別介紹如下：

Frisby 是一個近用的立體測驗，由 3 塊 17 公分 x17 公分的壓克力板組成，3 塊壓克力板厚度不同，分別是 1.5mm、3mm 和 6mm。而在每一塊壓克力板上有 4 個區塊的亂點，但只有其中一個區塊上的中心有立體圓的設計。測驗距離一般爲 40 公分，從最厚的壓克力量板開的測起，受測者回答正確後，再往較薄的壓克力板測量。在 40 公分處用最薄的壓克力板，可測得 85 秒角的立體視。若需測更小秒角的立體視，可用最薄壓克力板，用較遠的距離測得。因此 Frisby 可依據不同的檢查距離及不同厚度的壓克力板可以測得受測者的立體視覺。有學者認爲 Frisby 測驗是最少有單眼線索的立體測驗，如圖 6-32。

圖 6-32　Frisby 立體測驗

Lang 測驗是將亂點印製在精細的平行圓柱帶子上。圓柱上的每一個亂點理論上都只會被一個眼睛看到。亂點組成的圖形有月亮（200 秒角）、星星（200 秒角）、車（400 秒角）、大象（600 秒角）。此測驗的檢查距離被設定在 40 公分處，且有固定的注視角度，任何的晃動都可能使單眼線索產生。此測驗的特色是不需要配戴偏光濾片，如圖 6-33 所示。

圖 6-33　Lang 立體測驗

亂點 E 立體視測驗是常見的立體視亂點圖測驗。由一個示範卡和兩個測驗卡爲一組，示範卡爲一個製有浮凸 E 視標卡，無論是否有立體知覺都可以辨識此卡，作爲教導受測者辨識何謂立體視標的卡片。2 個測驗卡，一個測驗卡上製有戴上偏光眼鏡可辨識的亂點立體視標，另一測驗卡則只有亂點圖沒有立體視標，將此兩測驗卡隨機置於距離受測者 50 公分處開始測驗，請受測者辨識哪一卡製有立體視標，重複 4～5 次，回答均正確，其立體視力值在 50 公分處達 500 秒角；再增加測驗距離爲 1 公尺，則立體視力值爲在 1 公尺處 250 秒角，如圖 6-34 所示。

圖 6-34　亂點 E 立體測驗組

Rosner 的研究報告指出，如果幼童（39～76 個月）在 1.5 公尺處能夠準確地完成立體亂點圖測驗，這些幼童也同時擁有好的視覺功能（包含視力、近點聚合力、遮蓋測驗等）。而不能準確地完成此項測驗的幼童，通常都有斜視或屈光不正等的問題。

TNO 立體測驗是使用紅綠浮雕的設計，需要搭配紅綠濾片眼鏡使用。此測驗的每一個圖片都是使用紅點與綠點組合而成，所以當從紅色濾片看到綠點或從綠色濾片看到紅點時，這些點經由不同顏色交疊後會變成棕色，以此來測量出立體視的敏感度，如圖 6-35 所示。

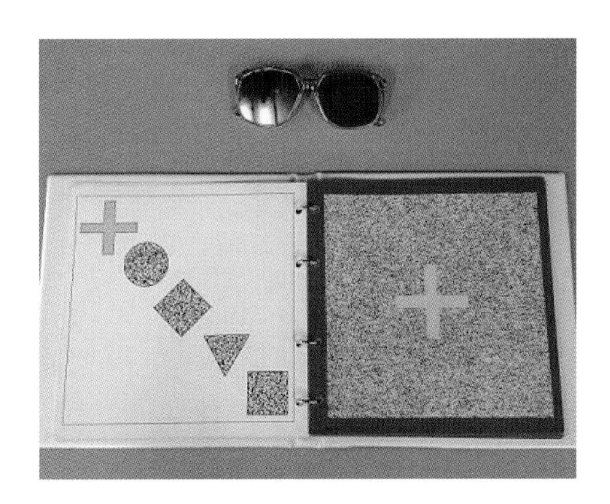

圖 6-35　TNO 立體測驗組

American Optical Vectographic project-o-chart slide 可以提供遠距離（6 公尺）的立體知覺測驗，共有 5 排圓圈視標，每排只有一個視標有立體視標的設計，可以測量在遠距離 240～30 秒角的立體知覺。

第六節　運動知覺（Motor Aspects）

運動知覺提供了雙眼運動，讓物體在不同的距離位置時能保持在網膜對應點上，進而產生知覺融像。眼外肌肉運動遵守兩個定律，分別是：

1. 海利氏法則（Hering's law）：在所有有意志的同向運動（Conjugate）中，肌肉所接收的刺激是等量的。例如，當眼睛向右看時，分別是右眼的外直肌和左眼的內直肌收縮，這兩條眼外肌肉則互稱爲協同肌或稱爲共軛肌（Yoke muscle）。

2. 軒立頓法則（Sherrington's law）：單一眼球可以經由一邊肌肉收縮，另一邊肌肉放鬆而達到運轉眼球的動作。例如，當右眼向顳側看時，分別是外直肌收縮及內直肌的放鬆來完成動作，這兩條眼外肌肉則互稱爲拮抗肌。

眼睛運動可以被分爲「同向運動」及「非同向運動」（Disjunctive）。同向運動爲雙眼移動的方向相同，包含雙眼同時向右看、同時向左、同時向上、同時向下等；非同向運動則是雙眼運動方向相反，又可分爲雙眼同時往鼻側方向運動的聚合運動（Convergence）和雙眼同時往顳側方向運動的開散運動（Divergence）。

1.同向運動

同向運動中又可依眼睛移動速度分爲 Pursuit（追視移動）和 Saccade（躍視移動）。Pursuit 是較慢的同向運動，是眼睛初步檢查的項目之一，在不轉動頭的情況下，追視移動中的物體，使影像穩定地保持在黃斑中心窩上，速度約 30 度／秒，傳達此視覺相關訊息位於顱頂骨與枕葉交叉處（Area 19）。Saccade 則是一樣在不轉動頭的情況下，但是快速且不連貫的眼睛追視運動，速度大於 45 度／秒，傳達此訊息位於額葉的眼運動區（Area 8）。

2.非同向運動

非同向運動在日常生活中是常常發生的，例如，注視著遠距離的物體再注視近距離物體就是非同向運動的一種。在雙眼聚合與開散的兩種非同向運動中，聚合能力是較高度發展的，約爲開散能力的十倍，例如，當眼睛注視遠距離的物體時運用的開散能力約 6 度（9.5 個稜鏡），當雙眼在做聚合能力時最大可以到 60 度（95 個稜鏡）。刺激眼睛聚散的因素包括：

(1) 調節：正調節產生內聚。

(2) 視網膜對應差：因兩眼視網膜對應差爲不產生複視，而產生的融像聚合或稱爲偏差聚合。

(3) 近距離感知：因感覺物體靠近眼睛而產生的聚合力。

第七節　內聚

內聚能力在雙眼視覺中是一個重要的能力，以下針對內聚的組成與基本參數及計算作介紹。

一、聚合的組成

（一）生理性聚合（Tonic convergence）

當神經衝動不再作用於眼外肌肉時，眼睛便會回到原有的生理休息位置或稱爲眼位（phoria）。控制眼外肌肉是由中心發出，因肌肉的強直性，通常生理性聚合會略呈現外斜眼位（exophoria），過度的生理性聚合則會使眼睛呈現內斜眼位（esophoria）。

（二）調節性聚合（Accommodative convergence）

指的是聚合與調節的相關性。以瞳孔距離 64 公釐的受測者且遠距離眼位是正位的受測者而言，注視著距眼球前 40 公分處的時候所測得的調節性聚合力（需考慮眼球迴旋距），做以下不同情況討論：

1. 如果受測者此時調節聚合的量爲 15 個稜鏡（Δ），那麼會發現這是足夠的聚合力以提供 40 公分的注視，則在 40 公分處的眼位也會是正位。

2. 如果受測者此時調節性聚合的量爲 10 個稜鏡（Δ），那麼他在 40 公分處的眼位則會是 5 個稜鏡量的外斜位（Exophoria）。

3. 而若在此時的調節性聚合的量爲 20 個稜鏡（Δ），那麼他在 40 公分處的眼位則會是 5 個稜鏡量的內斜位（Esophoria）。

總結：調節性聚合力的量將會取決於近距離的眼位量。

（三）融像性聚合（Fusional convergence）

聚合力是爲了補足任何過度或不足的生理性聚合，網膜對應差就是一個刺激源。可以把融像聚合力想像成，爲了保持不看到複視而使用到的聚合力。一般來說，可以將融像聚合力分爲眼睛爲保持融像而內聚的正融像聚合力（Positive fusional converge）和爲保持融像而開散的負融像聚合力（Negative fusional converge）。舉例而言，如果一位受測者有 5 個稜鏡（Δ）外斜眼位，那麼此受測者必須付出 5 個稜鏡（Δ）的正融像聚合力才可以避免看到複視。反之，若受測者有 5 個稜鏡（Δ）內斜眼位，那麼必須付出 5 個稜鏡（Δ）的負融像聚合力，由此可知，有內斜眼位者其融像聚合力是開散的（Divergence）。

（四）近感知聚合（Proximal convergence）

當意識到注視物體在近處時，所引發的聚合能力稱爲近距離感知，通常把此歸類在感覺性的。

二、內聚的基本參數

當眼睛注視 1 公尺遠的視標時，雙眼注視線與注視點所形成的夾角（內聚角），如圖 6-36 所示，將之定義爲 1 米角（meter angle），當注視 2 公尺遠時，內聚角爲 0.5 米角，注視 50 公分處時，內聚角爲 2 米角。因此，可將米角公式設定爲：

$$\text{米角} = \frac{1}{\text{注視距離（m）} + \text{眼睛迴旋距（m）}}$$

註：米角的注視距離需從眼睛的迴旋點（0.027m）開始計算。

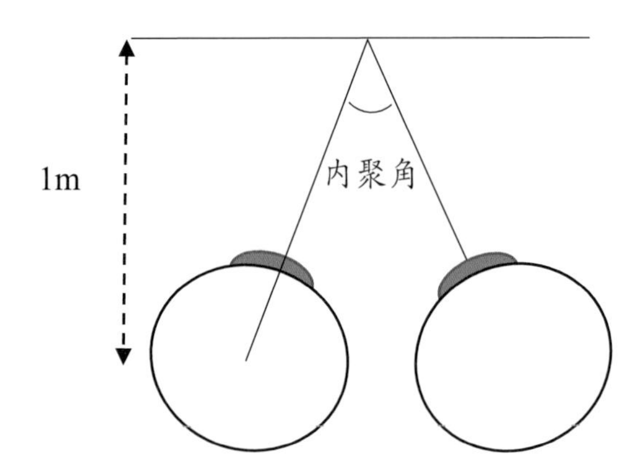

圖 6-36 眼睛注視 1 公尺遠視標時，雙眼注視線與注視點所形成內聚角為 1 米角

三、內聚能力的計算

聚合能力的測量單位是稜鏡度Δ（Prism diopter），1 個稜鏡度被定義爲 1 公尺距離影像位移 1 公分。所以假設一個瞳孔距離爲 60 公釐的受測者，注視點在距離眼睛迴旋點 1 公尺處，爲讓注視物維持在眼前中央並只有一個影像，則每隻眼睛需要使用 3 個稜鏡度（Δ）的聚合力，才可以使影像維持單一個，兩眼相加則共有 6 個稜鏡度（Δ），如圖 6-37 所示。

由上述可知，內聚力的計算公式爲：瞳孔距離（cm）× 米角。例如，當一個瞳孔距離 60 公釐的受測者，注視點在眼前 47.3 公分處，則他雙眼所需的聚合量爲 $6\ (cm) \times \dfrac{1}{0.473(m) + 0.027(m)} = 12$（Δ），個別單一眼則需要 6 個稜鏡度（Δ）。

近點聚合（Near point of convergence, NPC）是常見的聚合力檢查測驗，當物體靠近時爲看清楚物體，眼睛會有 3 個聯動動作：

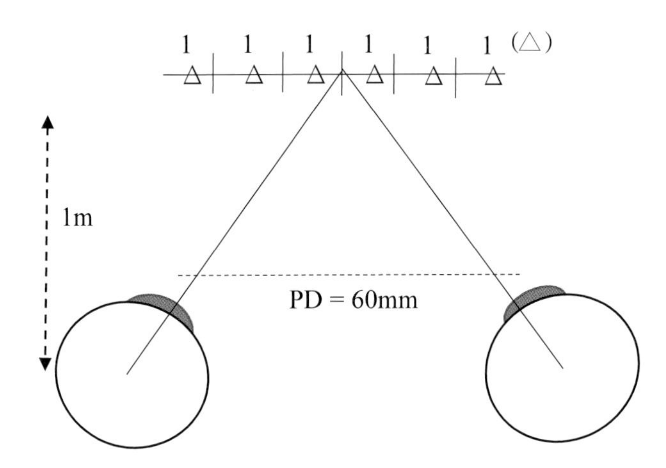

圖 6-37　瞳距為 60（mm）的受測者，注視點在 1 公尺其所使用的內聚力為 6 △

1. 聚合：爲使物像落在黃斑區眼睛會產生內聚動作
2. 調節：爲使物像聚焦在視網膜上，眼睛會產生調節動作
3. 縮瞳：減少入光量，並增加焦深效果

近點聚合可以使用調節性視標或非調節性視標的筆燈，將視標置於受測者眼前約 40 公分處，需確認此距離受測者可以看到單一個視標，表示爲融像狀態。將視標慢慢移近受測者，並請受測者在發現視標變爲兩個時回報，配戴矯正眼鏡者，則從眼鏡平面開始測量，未配戴眼鏡者，則從角膜頂點開始測量到此點距離，此段距離爲超過受測者的融像性聚合極限而產生複視，稱爲破裂點（Break point）。

但並非每一位受測者的破裂點都會有複視的情況，部分受測者並不會回報有複視，但測驗過程中會發現眼睛聚合到某個程度時，其中一個眼睛會偏離注視軸，只用單一眼睛在看，此時稱偏離注視軸的眼睛有抑制（Suppression）的現象，抑制發生時也稱爲此眼睛的破裂點。

完成破裂點測量後，再逐漸遠離視標，並請受測者發現視標變回一個時回報，表示受測者在此段距離時恢復融像。或是有抑制現象的受測者在視標退回到某段距離時，偏離注視軸的眼睛回到聚合狀態時，也屬於恢復融像狀態，此時測量眼鏡平面或角膜頂點到此點的距離，稱爲回復點（Recovery point）。

Scheiman 等學者認爲，無論受測對象爲成人或孩童，使用的測驗視標是筆燈或調節性視標，破裂點的期望值爲 5 公分，回復點期望值爲 7 公分。因此在沒有內聚不足（Convergence insufficiency, CI）的受測者中，無論使用調節性視標或非調節性視標，測量數值應差不多。如果受測者有內聚不足的表現，使用非調節性視標會比使用調節性視標測量結果來的遠。雙眼視覺異常中以內聚不足的狀況最廣爲盛行，通常可以透過其他檢查結果加以判斷，例如：近距離的外斜位量大於遠距離與較差的正融像續存力表現（詳見本章第八節）。

聚合近點測驗並不適用於近方有斜視的受測者，除非受測者的斜視狀況是近期才出現，且斜視狀況是因爲偏斜眼被抑制也沒有抱怨有複視的狀況，才適用此檢查進一步測量。對於有老花的受測者來說，近距離的檢查容易被反應視標模糊的狀況，而將模糊的狀態誤認爲複視，所以使用非調節性視標做爲聚合近點的測量視標較適合有老花的受測者。

第八節　融像聚散續存力（Fusional Vergence Reserves）

是因爲視網膜對應差受到不一致的刺激，爲保持單一雙眼視而產生的聚散力，所以又稱爲反射性聚散（Reflex vergence）或對應差聚散（Disparity vergence）。聚散力又可分爲水平聚散力及垂直聚散力，水平聚散力中又可以分爲雙眼同時向鼻側內聚的正融像聚散力（Positive fusion vergence）和雙眼同時向顳側開散的負融像聚散力（Negative fusion vergence），垂直聚散力則是相對於另一眼向上或向下的垂直融像力（Vertical fusion vergence）。

融像續存力可使用 Risley 稜鏡或旋轉稜鏡來檢查。通常會包含 3 個數據：模糊點（Blue）、破裂點（Break）及回復點（Recovery）。學者 Fry（1937）表示，融像聚散力與調節力有相互影響，當眼睛產生聚合動作時調節的反應也會增加，內聚動作使眼睛產生正調節，受測者會回報視標變模糊，表示此時受測者開始使用調節力來保持單一雙眼視，但此調節反應對於注視距離來說是過度的，所以受測者會回報視標變模糊；而當受測者聚合力開始下降，雙眼會呈現開散動作，在近距離時開散會使眼睛產生負相對調節，但此調節反應對注視距離來說是不足的，所以受測者會回報視標開始變模糊。

一般測量融像續存力會先測量水平融像續存力，再測量垂直融像續存力。有的學者建議水平融像續存力中可藉由受測者的斜位狀態，來判斷優先測量的水平融像續存力。舉例來說：當受測者是外斜位，則優先測量受測者的正融像續存力。這是爲了確保測量結果是準確的續存力，避免因隨後測量的方式透過聚散適應和疲勞而改變。

而有的學者則認爲優先使用基底朝內的稜鏡測量負融像續存力，再使用基底朝外的鏡片測量正融像續存力。因爲基底朝內的鏡片是屬於刺激性的鏡片，會促使眼睛產生調節力，若先測量正融像續存力的話，較容易影響下一項檢查數據。臨床上，一般利用稜鏡加置在雙眼前來測量融像聚散續存力，可分爲遠距離（6m）及近距離（40cm）測量。水平聚散力適合使用一行垂直視標來作爲測量視標，而垂直聚散力是使用一列水平視標來作爲測量視標。融像續存力會出現模糊點、破裂點及回復點，分別說明如下：

一、遠距離負融像續存力

在 6 公尺處放置一行視標大小爲 20/20 的垂直視標，並同時在雙眼前逐漸增加等量的基底朝內稜鏡，使眼睛產生開散以測量負融像聚散續存力，如圖 6-38 所示。直到受測者回報視標變模糊，記錄爲模糊點；持續增加等量的基底朝內稜鏡，直到受測者回報視標變爲 2 個，記錄爲破裂點；再等量減少基底朝內稜鏡，直到受測者回報視標變回一個，記錄爲回復點。

所有視覺功能檢測在遠距離的測量中，眼睛應是屬於調節放鬆的狀態（0 調節），所以在遠距離執行負融像續存力測量時，理論上不會有模糊點出現。若在遠距離測量中受測者回報有模糊點，那麼表示受測者在遠距離的矯正處方中可能有過多的負度數，才會在遠距離負融像續存力檢查中眼睛還有放鬆調節的動作，來維持單一影像。

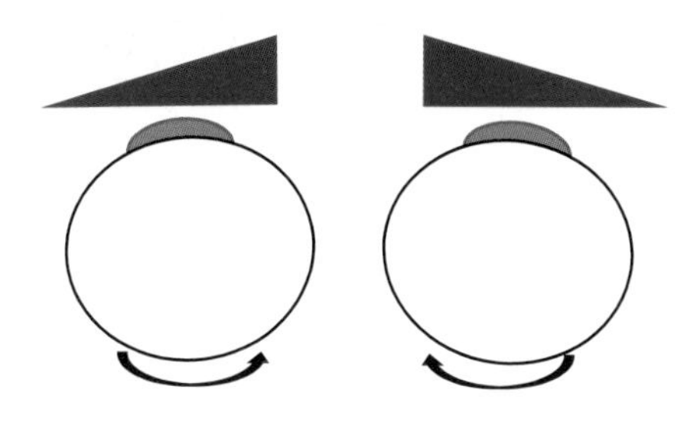

圖 6-38　雙眼前同時加入基底朝內鏡片，會促使眼睛向外轉

在遠距離的負融像續存力檢查中，無論是模糊點或破裂點的出現，都代表的是眼睛無法再維持融像而產生放鬆調節或回到眼位置（Phoria），此時將雙眼前的稜鏡量相加，為此受測者的負融像續存力的極限，當逐漸降低基底朝內的鏡片受測者會使用融像聚合力，重新建立單一影像，直到表示視標變回一個。

二、遠距離正融像續存力

在 6 公尺處放置一行視標大小為 20/20 的垂直視標，並同時在雙眼前逐漸增加等量的基底朝外稜鏡，使眼睛產生內聚動作以測量正融像聚散續存力，如圖 6-39 所示。直到受測者回報視標變模糊，記錄為模糊點；持續增加等量的基底朝外稜鏡，直到受測者回報視標變為 2 個，記錄為破裂點；再等量減少基底朝外稜鏡，直到受測者回報視標變回一個，記錄為回復點。

在遠距離的正融像續存力檢查中，無論是模糊點或破裂點的出現，都代表的是眼睛無法再維持融像而產生刺激調節或回到眼位置，此時將雙眼前的稜鏡量相加，為此受測者的正融像續存力的極限，當逐漸降低基底朝外的鏡片時，受測者會使用融像聚合力重新建立單一影像，直到表示視標變回一個。

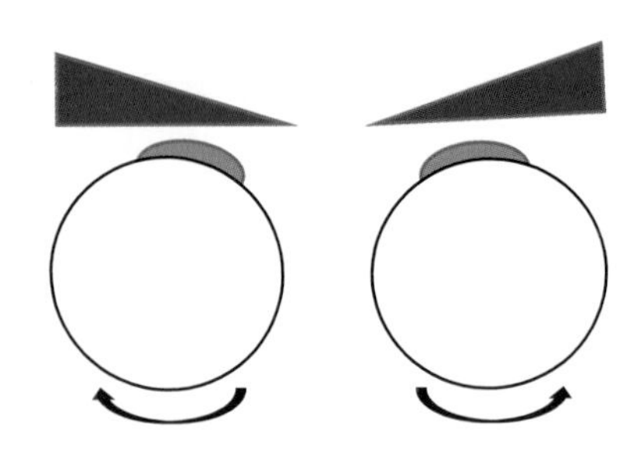

圖 6-39　雙眼前同時加入基底朝外鏡片，會促使眼睛向內轉

三、近距離正／負融像續存力

設置一 20/20 的垂直視標在 40 公分處，稜鏡操作方式與遠距離相同。執行近距離正融像續存力時，基底朝外的稜鏡帶動眼睛內聚，會使眼睛產生正相對調節。而在 40 公分處的視標，爲保持視標清楚，理論上會產生 2.50D 的調節刺激，所以當執行近距離負融像續存力時，基底朝內的稜鏡會帶動眼睛開散，使眼睛產生負相對調節。所以在近距離無論是測量正融像續力或負融像續存力，都是被預期會產生模糊點的。

開散能力在人的雙眼視中是比較有限的，故所測得的開散續存力會比內聚續存力還要來得低。但在注視近距離的時候，雙眼視大約會有 15 個稜鏡量的內聚量，所以近距離所測得的開散續存力會比較接近內聚續存力。各數據的期望值可根據 Morgan（1944）的臨床統計結果，如表 6-2 所示。

表 6-2　Morgan 臨床統計期望值

	Distance	Near
Base in	x/7/4	13/21/13
Base out	9/19/10	17/21/11

四、遠／近距離垂直融像續存力

使用一列視標大小爲 20/20 的水平視標，稜鏡則只需在單一眼前設置，可以設置基底朝上（Base up）或基底朝下（Base down），如圖 6-40 所示。逐漸增加稜鏡量，直到受測者回報視標變爲 2 個，記錄爲破裂點；再逐漸減少稜鏡量，直到受測者回報視標變回 1 個，記錄爲回復點。因垂直稜鏡並不會牽涉到調節反應，所以模糊點是不被預期出現的。

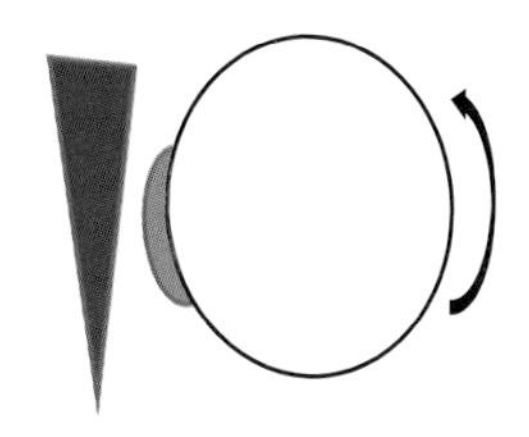

圖 6-40　在單一眼前設置基底朝上或基底朝下，測量垂直融像續存力

因爲垂直融像力是相對於另一眼向上或向下保持融像的能力，因此，對受測者的眼睛而言，右眼向上會等同於左眼向下，右眼向下也會等同於左眼向上。垂直融像力在雙眼視覺功能檢查中是必須被測量的，除非受測者的眼睛有被檢測出有垂直眼位，則可以免除測量。

測量融像續存力的過程中，需持續的注意受測者眼睛狀態。以測量正融像續存力的操作來說，加入基底朝外的時候，受測者爲保持融像，眼睛會有內聚動作。可能在剛開始加入少量稜鏡時會難以察覺，但隨著加入的稜鏡增多，眼睛內聚的動作會愈來愈大，當受測者表示出現破裂點時，可以觀察到受測者的眼睛迅速地向外展開。這樣的觀察動作可以避免下述狀況發生，有的受測者在檢查過程中可能都不會回應有複視的現象，但卻回應視標往某一方向跑。這是因爲可能影像被分得太開，導致受測者去忽視掉另外一個影像而產生的抑制現象，此時可以透過受測者回報視標的動態來判斷是哪一眼受到抑制。視標影像會朝未抑制眼前的稜鏡頂端移動。舉例而言，在執行正融像檢查時，會在受測者雙眼前均加入基底朝外的稜鏡，當受測者表示視標朝右移動，則表示受測者只有使用左眼在注視視標，故受測者的右眼受到抑制，如圖 6-41 所示。

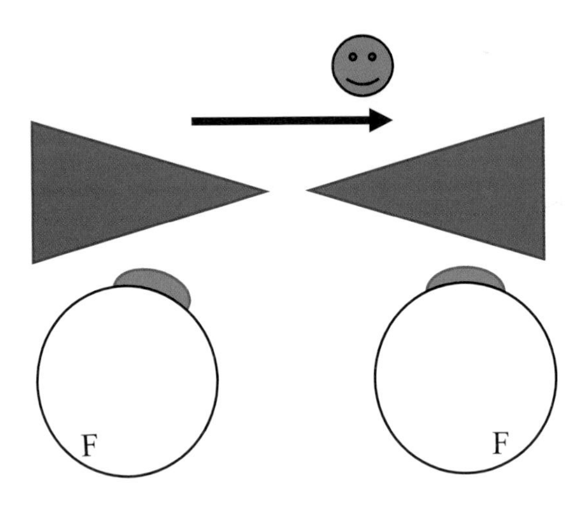

圖 6-41　執行正融像檢查時，受測者表示視標朝右移動，則表示受測者只有使用左眼在注視視標，故受測者的右眼受到抑制

所有測得的融像聚散力都表示爲此受測者可以保持雙眼融像的需求（Demand）與續存力，融像的聚散需求則取決於受測者的眼位。以外斜位的眼睛而言，需要正融像力以保持融像，例如，受測者有 5 個稜鏡的外斜位，則受測者至少需要有 5 個稜鏡的正融像聚散力，才可以保持融像以避免複視。以內斜位的眼睛來討論，則需要負融像力以保持融像，假設受測者有 3 個稜鏡的內斜位，則至少

需要 3 個稜鏡的負融像聚散力，才可以保持融像以避免複視。垂直眼位的眼睛需要垂直融像力以保持融像。

假設一受測者在 6 公尺所測得的眼位及融像力如表 6-3 所示，來討論融像聚散力的需求與續存力間的關係：

表 6-3　融像聚散力的需求與續存力間的關係

Phoria	Base-in	Base-out
5 △ Exo	X / 10 / 5	10 / 20 /8

由表 6-3 可知，此受測者的負融像力破裂點爲 10 個稜鏡（基底朝內），如圖 6-42 方塊（■）表示。而正融像力模糊點也是 10 個稜鏡（基底朝外），如圖 6-42 圓圈（●）表示。總共的融像聚散力爲 20 個稜鏡，但因爲此受測者爲 5 個稜鏡的外斜眼位，如圖 6-41 叉叉（×）表示。所以受測者的正融像聚散力共有 15 個稜鏡，但這其中的 5 個稜鏡是爲了使眼睛維持正位而保持融像的融像需求力，剩下的 10 個稜鏡則是續存力。

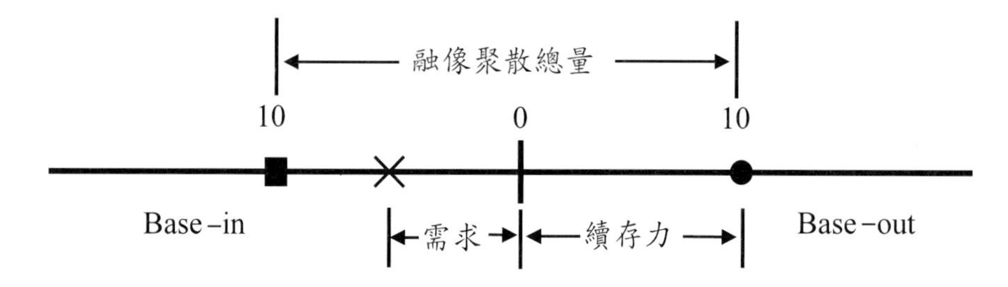

圖 6-42　融像聚散力的需求與續存力間的關係

又假設一受測者在 40 公分處所測得的眼位及聚散力，如表 6-4 所示。

表 6-4 假設一受測者在 40 公分處所測得的眼位

Phoria	Base-in	Base-out
3 △ Eso	7 / 20 / 10	15 / 24 /12

與前述相同，方塊表示負融像力的極限，圓圈表示正融像力的極限，叉叉表示眼位，如圖 6-43 所示。此受測者的融像總量是 22 個稜鏡，但此受測者爲 3 個稜鏡的內斜眼位，所以受測者的負融像力共有 10 個稜鏡，其中 3 個稜鏡是爲了使眼睛維持正位而保持融像的融像需求力，剩下的 7 個稜鏡則是續存力。

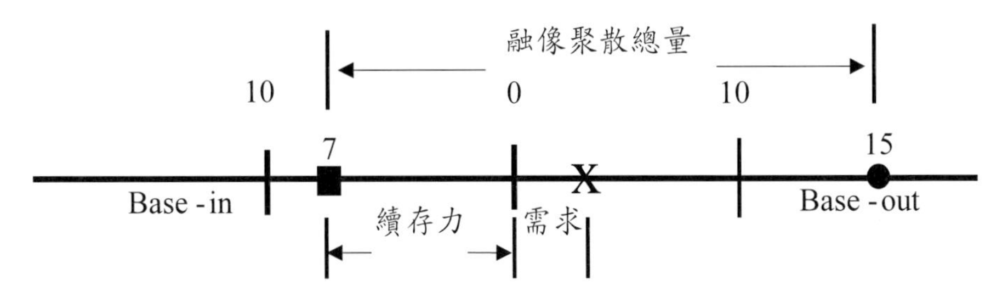

圖 6-43 融像聚散力的需求與續存力間的關係

第7章　神經視覺

江芸薇

視網膜依據細胞的組織結構可分爲十層，其中最外的一層爲視網膜色素上皮層，在視光學上的功能是吸收散色的光線，使光線不會任意在眼內產生折射提升視覺品質。而另外九層主要是由神經性細胞所組成，包括感光細胞、水平細胞、雙極細胞、無軸突細胞、神經節細胞。當眼睛感受到光線或看到圖案時，這些神經性細胞會將這些光能量轉換成電位後透過視覺路徑傳到大腦皮質，使能分辨看到的顏色與圖案。本章節將介紹與神經相關的視光學及相關的神經性視覺測驗。

第一節　視覺路徑

以人類而言，總共有12對腦神經，從第1對到第12對依序是：嗅神經、視神經、動眼神經、滑車神經、三叉神經、外旋神經、顏面神經、聽神經、舌咽神經、迷走神經、副神經、舌下神經。了解這些腦神經，在視光的臨床檢查症狀或病灶都是很有幫助的，其中的視神經、動眼神經、滑車神經、外旋神經與視光學的相關性最爲密切。

動眼神經（第3對腦神經）起源於中腦腹面，從上眼眶裂穿出到達眼睛，可以分爲兩個主要作用的核：動眼核與副交感神經核（Edinger-Westphal核）。動眼核主要位於中腦的上丘，負責支配的肌肉有上直肌、內直肌、下直肌、下斜肌、提上眼瞼肌和控制瞳孔縮小的括約肌。而副交感神經核則是位於動眼核後方，負責接收來自頂蓋核的神經纖維來做光的反射動作，以及接收近調節反射的皮質神經纖維，所以動眼神經的損傷可能造成眼睛複視現象、調節能力喪失及上眼瞼下垂。滑車神經（第 4 對腦神經）起源於中腦背面，通過上眼眶裂進入眼窩，負責支配上斜肌：上斜肌也通過滑車軸，而滑車神經損傷，可能造成眼睛複視，並喪失向下和內旋轉能力。外旋神經（第 6 對腦神經）起源於下橋腦，與滑車及動眼神經一樣，從上眼眶裂進入眼窩。負責支配外直肌，當外旋神經受傷，會造成眼睛外展受限，也可能導致內斜視。所以當在測驗眼球運轉能力（Extraocular motilities, EOM）時有疼痛感或複視等異常狀況，表示可能相關支配的腦神經有問題。

以眼球解剖生理學而言，視覺路徑是存在於眼球的每個地方，而視覺路徑的延伸是經由大腦的視覺皮質傳遞，以下從視神經（Optic nerve）、視交叉（Optic chiasm）、視徑（Optic tracts）、外側膝狀體（Lateral geniculate nuclei）、視放射（Optic radiations）到視覺皮質（Visual cortex）的視覺路徑作介紹。如圖 7-1 所示。

視神經是 12 對腦神經中的第 2 對，視網膜的神經節細胞纖維聚集後連接到視神經，而視神經由眼眶蝶骨小翼的視神經孔穿出。視神經主要可以分爲四個部分：眼內段、眶內段、管內段及顱內段。眼內段長度大約 1 mm，包含視神經盤處（包括視網膜神經節細胞的軸突和向後延伸到篩板處）。眶內段長度大約 25 mm，有隨鞘包覆。眶內段離視神經孔超過 8 mm，這是一段讓眼球有緩衝的空間。管內段離視神經孔位置約 5 mm，這段神經容易受創傷。

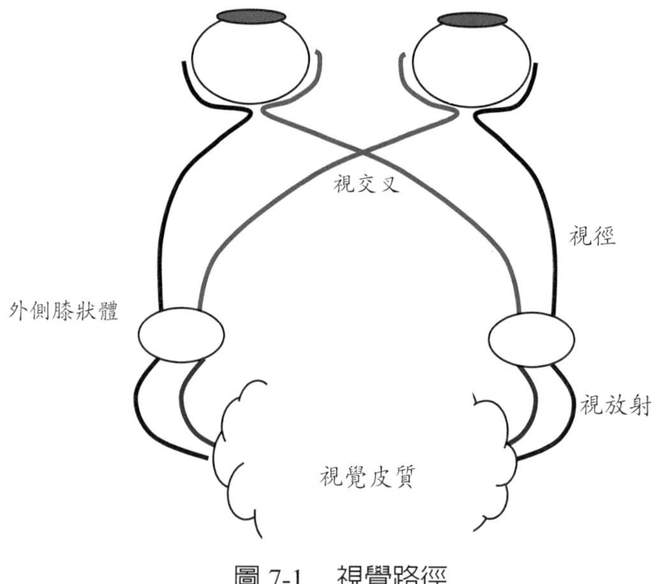

圖 7-1　視覺路徑

顱內段約長 12～16 mm，向後上方延伸連接到視交叉。視神經主要負責視覺訊息傳遞、視神經路徑的損傷，會造成視覺損失。而視交叉前損傷造成的視覺損失只會出現在該側眼。

視交叉位於腦垂體上方，腦垂體位於蝶骨上的蝶鞍。在視交叉處，右眼鼻側的視網膜神經纖維會交叉至左側，右眼顳側視網膜神經纖維則不交叉，向後延伸至視徑。而左眼鼻側視野的視網膜神經纖維也會交叉至右側，左眼顳側視網膜神經纖維則不交叉，向後延伸至視徑。這樣的交叉在立體視覺中扮演重要角色。網膜對應點上的神經纖維會交叉後，在視徑相互接合，使眼睛有深度知覺。

視徑是連接視交叉與外側膝狀體之間的神經段，右側視徑的神經纖維是來自左眼鼻側及右眼顳側的視網膜神經纖維，而左側視徑的神經纖維是來自右眼鼻側及左眼顳側的視網膜神經纖維，所以當左側視徑有受損時，可能會造成左眼鼻側及右眼顳側視野缺損。

外側膝狀體位於丘腦的枕葉表面，膝狀體核可以被區分成 6 層神經。其中第 1、4、6 層是對側眼的神經纖維的突觸所組成；而同側眼的神經纖維則組成外側膝狀體核的第 2、3、5 層，所以每個外側膝狀體核都可以接收到兩眼的神經訊息，如圖 7-2 所示。這些分層的神經細胞又可進一步地被區分爲巨細胞與小細胞層來傳遞視覺訊息，巨細胞負責快速移動但較不精細的訊息傳遞，小細胞則負責移動速度慢但精細的訊息傳遞。

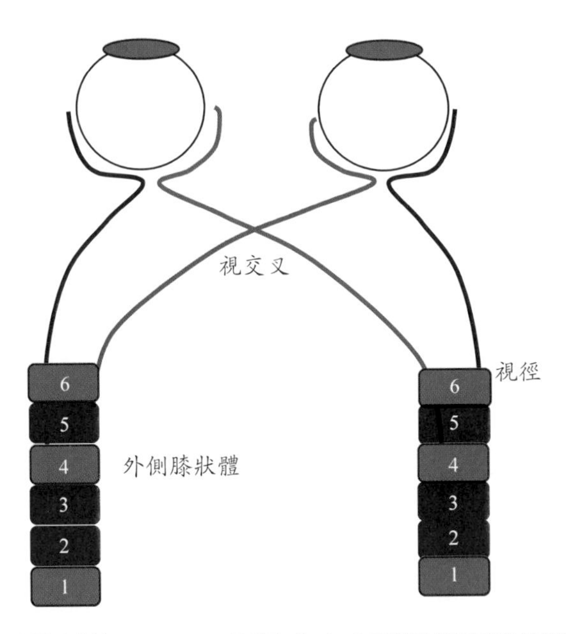

圖 7-2　外側膝狀體第 1、4、6 層接收來自對側視眼的網膜神經纖維，第 2、3、5 層接收來自同側眼的網膜神經纖維

視放射的神經訊息是來自外側膝狀體，視放射的上側是接收視網膜下方的神經纖維訊息，此區的神經訊息會通過頂葉然後終止於上唇距狀裂（Calcarine fissure）。視放射下側則是接收視網膜上方

的神經纖維訊息，從顳葉的下方及外側通過，並終止於下唇「距狀裂」。黃斑纖維從視放射的上側及下側之間通過。

視覺皮質位於枕葉，可以被區分爲初級視覺區及次級視覺區。初級視覺區都是表現對側的視野，此外，上方的視野會表現在下方的「禽距溝」（Calcarine sulcus），下方的視野則會表現在上方的禽距溝。次級視覺區圍繞著初級視覺區的外側及內側，協助辨識影像。

第二節　視野

視野檢查被列爲眼初步檢查的其中一個項目，當然若欲得知詳細的視野檢查是需要依賴精密儀器且較耗費時間的，除非是有預期的視野缺損疾病，如青光眼，就需要安排詳細地視野檢查。而在臨床視光學上初步的篩檢視野測驗是很快速的，且不需要太多儀器設備即可以檢查，透過視野篩檢可以爲後續的視覺功能檢查提供有效的參考數據。

在視野的檢查中，一定是個別單眼分開來檢查，以避免只有單一眼的視覺缺損抑制而忽略。依據視野範圍可以分爲中心視野及周邊視野。在臨床視光學中可以「對坐法」（Confrontation）簡單且迅速的方式篩檢周邊視野是否有缺損，此測驗方式主要是以檢查者的視野去對照受測者的視野是否缺損，所以此檢查的限制條件是檢查者的視野必須是正常無缺損的。

對坐法顧名思義即是檢查者需與受測者面對面，對坐距離約 1 公尺。受測者以遮眼棒遮住一眼，檢查者也需以單眼視野檢查受測者的單眼視野。而受測者必須持續注視著檢查者睜開的眼睛，並請受測者以餘光去感受可見視野內是否有刺激物出現，檢查方位需包含有 8 個大方位：0 度、45 度、90 度、135 度、180 度、225 度、270 度、315 度。

對坐法可以使用不同的刺激物作爲篩檢工具，如珠狀筆、手指頭，使刺激物在檢查者與受測者之間。使用珠狀筆則需有不同大小的珠狀筆 2 mm、5 mm、10 mm（可以手指頭代替），從較大體積的珠狀筆開始操作，由外側向視野內移動，直到受測者表示有物體進入視野內爲止，再逐漸減小刺激物體積，以刺激物出現的範圍估測受測者的視野範圍。

視野對坐法也有使用數指的方式來測量視野，檢查者用手指分別在 8 大方位指出不同的指頭數，指頭數量固定只有 1、2、5，並請受測者描述手指頭數量，根據受測者回答來判定是否有某一方位的視野缺損。

在臨床視光學中常見的中心視野檢查方式可以使用正切視野檢查（Tangent screening）測驗及阿姆氏勒方格（Amsler grid）來檢測。

正切視野檢查是一種利用將不同的視標大小在不同方位移動，使受測者自覺地反應是否看到視標，再依據受測者回答的位置，繪出受測者的視野範圍。此檢查方式會需要一個不會反光的黑色屏幕，屏幕上的中央需要有一個固視點，且有一圈圈的同心圓圍繞著固視點，這些同心圓被設計在距離 1 公尺注視時，其圓圈之間的間隔會對應成視網膜 5 度角，正切視野檢查範圍爲中心 30 度視野，故會有 6 個同心圓在此檢查屏幕上。

正切視野檢查過程中受測者必須持續地注視固視點，用餘光去感覺周邊的視標存在與否，若感覺到視標存在則需向檢查者表示

「看到了」；反之，感覺到視標不存在也必須向檢查者表示「不見了」。

正切視野檢查主要可以分為兩個部分，分別是顳側視野及鼻側視野。在正常的情況下，人類的生理性盲點會位於顳側視野，因此，檢查顳側視野時需在盲點周圍重複檢測，以確認盲點的輪廓範圍。無論是顳側或鼻側視野都必須測出其視野範圍的極限，特別是在上、下的垂直視野及左、右水平方向的邊界視野，需在這幾個邊界位置每隔 5 度角就測量一次視野邊界範圍，每邊界測出 3 個邊界點。其他方位則分別在 45 度、135 度、225 度、315 度測出 1 個邊界點作為紀錄，如圖 7-3 所示。

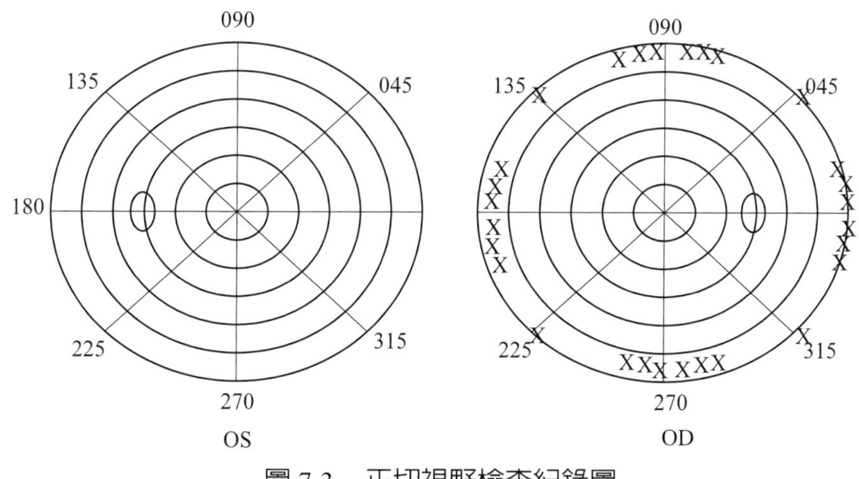

圖 7-3　正切視野檢查紀錄圖

阿姆氏勒方格檢查，是一個簡單可以判斷受測者黃斑中心是否有損傷的一個檢查工具。阿姆氏勒方格檢查是由 Marc Amsler 所設計，是由硬紙板組合成的活頁書，共有 7 種不同設計的方格，但不用每一種方格都使用到，可依據受測者狀態變換不同的方格設計。

阿姆氏勒方格檢查不一定是每一位受測者都必須做的檢查，但建議在老年人的常規視覺檢查中執行或在受測者有下列的情形時就必須執行：(1) 非預期的視力值損失；(2) 在遠距離或近距離抱怨視物有扭曲變形；(3) 在視網膜眼底鏡檢查中發現有異常狀況時。

每一頁阿姆氏勒方格是由 5 mm×5 mm 的小方格所組成，長與寬各有 20 格，總共爲一個 10 cm×10 cm 的方格圖，如圖 7-4 所示。當使受測者在這樣的方格設計下，於 30 公分處注視著方格中心時，方格所對應的視網膜區域可以延伸到從黃斑中心往視神經乳頭這段距離，整體的方格會代表著整個黃斑中心的視野，如圖 7-5 所示。

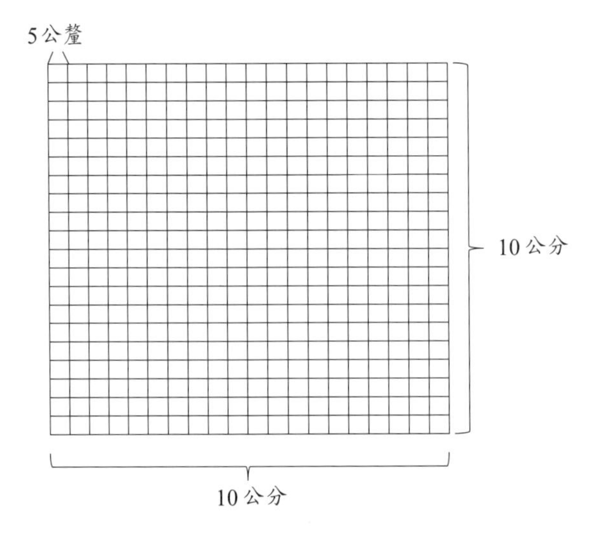

圖 7-4 阿姆氏勒方格由5 mm×5 mm的小方格所組成，長與寬各有20格，總共為一個 10 cm×10 cm 的方格圖

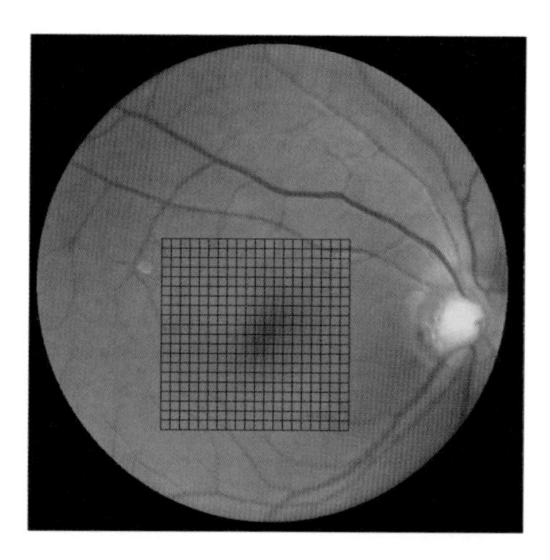

圖 7-5　當注視阿姆氏勒方格中心時，整體的方格會反映出黃斑中心視野狀態

阿姆氏勒方格上的每一小格對應到視網膜表示爲 1 度的視野，故共可測量中心視野 20 度。阿姆氏勒方格共有 7 頁不同設計的方格，分別做以下說明：

1. 標準的阿姆氏勒方格視標，有黑底白字並且在方格中心有一注視點，在大部分的受測者中就有足夠的功能可以執行檢查，如圖 7-6 所示。

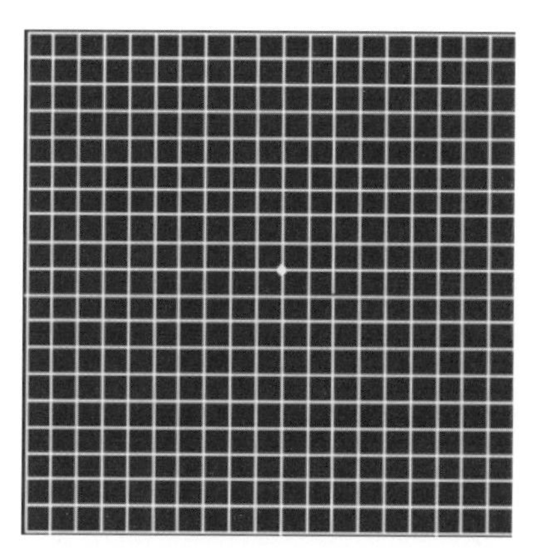

圖 7-6　阿姆氏勒方格的基本視標

2. 與第一頁視標類似，但是多了兩條幫助注視中心點的線條箭頭。適用於有中心盲點的人，如圖 7-7 所示。當要測量此受測者是否有中心盲點時，可以透過詢問：這兩條助視線的相交點在哪裡？以受測者的回答加以判斷。

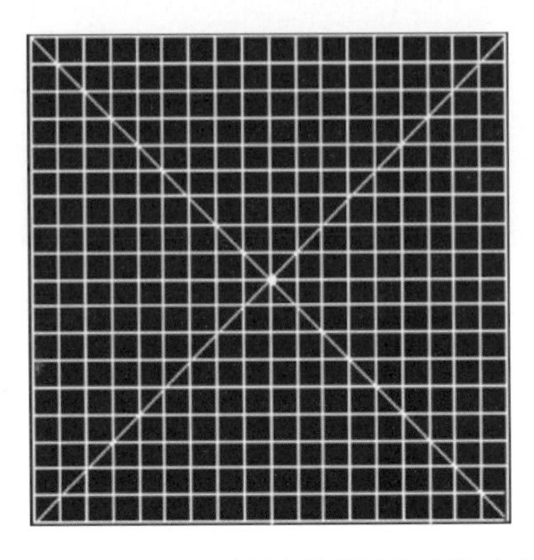

圖 7-7　多了助視線的阿姆氏勒方格

3. 設計爲紅框黑底的阿姆氏勒方格，如圖 7-8 所示。可用來檢查因爲顏色而造成的盲點。如毒性黃斑部病變、視神經病變、視覺路徑損傷。

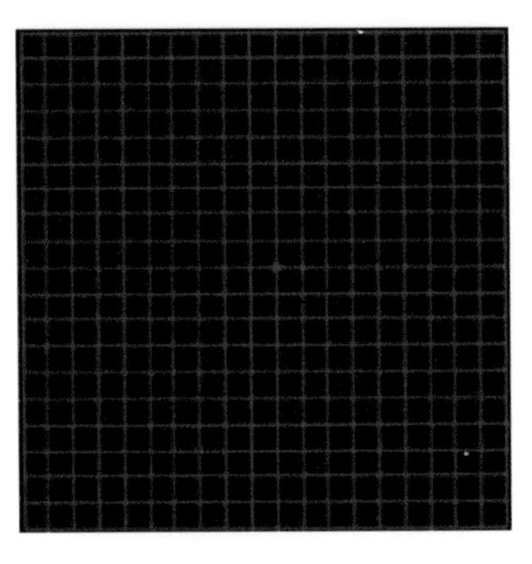

圖 7-8　紅框黑底的阿姆氏勒方格

4. 不是方格線組成的阿姆氏勒圖，而是使用亂點組成的視標圖，如圖 7-9 所示。此圖偵測盲點或視物變形的敏感度可能會較前 3 張標準圖來的低。

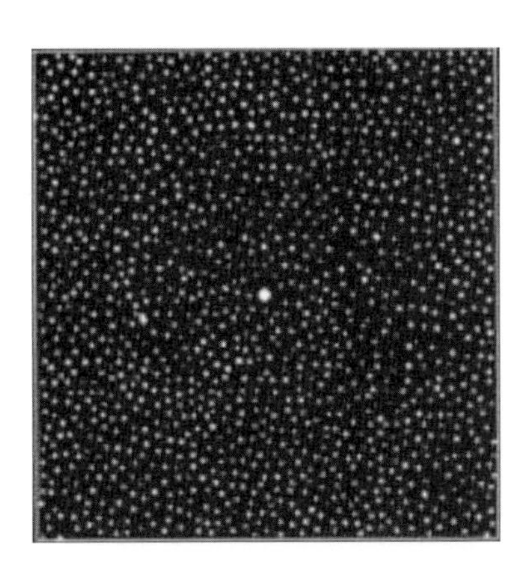

圖 7-9　由亂點組成的阿姆氏勒圖

5. 只有平行線條所組成的阿姆氏勒視標圖，如圖 7-10 所示。當受測者疑似有水平、垂直或斜向等方向的視物變形，可將此視標旋轉成受測者變形的方向再測量一次，如若有該方向的視物變形，此視標會有放大變形位置的效果。

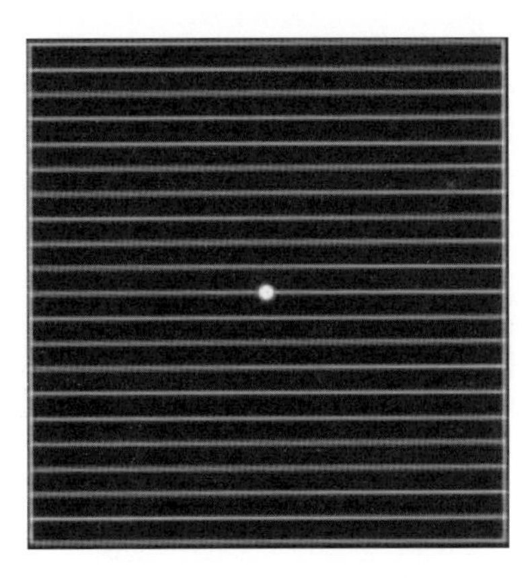

圖 7-10　平行線條所組成的阿姆氏勒視標圖

6. 與第 5 張功能一樣的設計，但是白底黑字，且在注視點的上方及下方有 0.5° 的附加線，可以測得中央位置更細節的部分，如圖 7-11 所示。

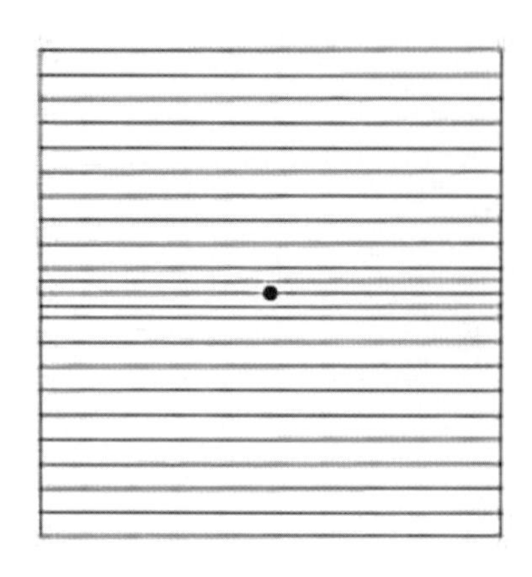

圖 7-11　平行線條所組成且中央有更細節設計的阿姆氏勒視標圖

7. 在中央 8° 視野有更細解的方格設計，設計爲每 0.5° 視角就有一小方格，如圖 7-12 所示。

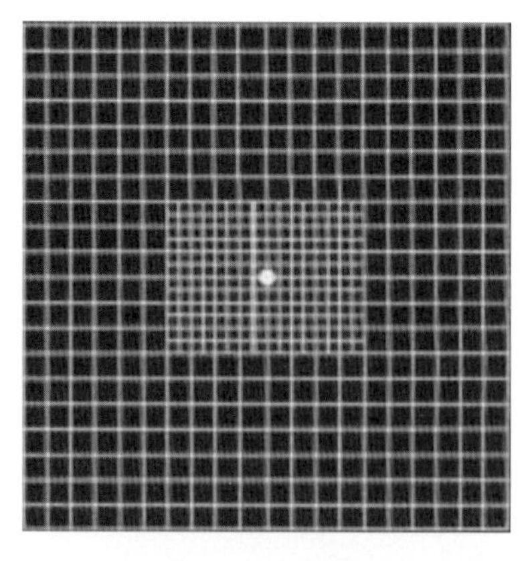

圖 7-12　中央視野更細節檢查的阿姆氏勒方格圖

青光眼是一個被預期有很大機率導致視野缺損的疾病，但其他眼睛構造的相關疾病也可能造成視野缺損，如脈絡膜、視網膜，但這些疾病都可以透過視網膜眼底鏡檢查評估出視野受損位置。

青光眼所造成的視野缺損通常是源於視乳頭的損傷，視乳頭的神經纖維是視網膜上的神經節細胞纖維的最後匯聚處。大致上可以分爲三個區域：(1) 視乳頭處，是黃斑處的神經節細胞纖維所組成；(2) 放射狀的纖維，來自於鼻側周邊的神經節細胞纖維；(3) 弓形的纖維，來自於顳側周邊的神經節細胞纖維。弓形的神經纖維從周邊視網膜上方和下方進入視乳頭，當眼壓升高時會是第一個受到傷害的神經部位。當眼壓升高壓迫到視神經及血管，視神經前的篩板、辛氏環的動脈和視乳頭旁脈絡膜的血液循環會減少，會從較周邊的視網膜神經細胞開始凋亡，而產生視野缺損。在開放性隅角青光眼的早期，視野缺損會發生在盲點並有垂直缺損的延伸，如圖 7-13 所示。或是在鼻側向上或向下的神經纖維束缺損，又可稱爲 Bjerrum’s 盲點，如圖 7-14 所示。比較晚期的開放性隅角青光眼就會有兩倍的 Bjerrum’s 盲點。

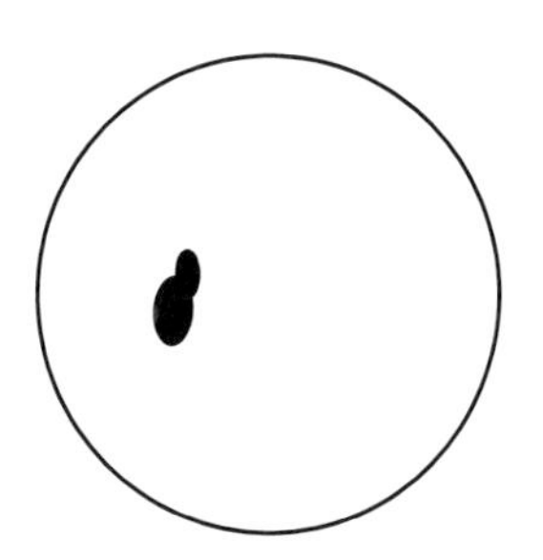

圖 7-13　開放性隅角青光眼，盲點處有垂直缺損的延伸

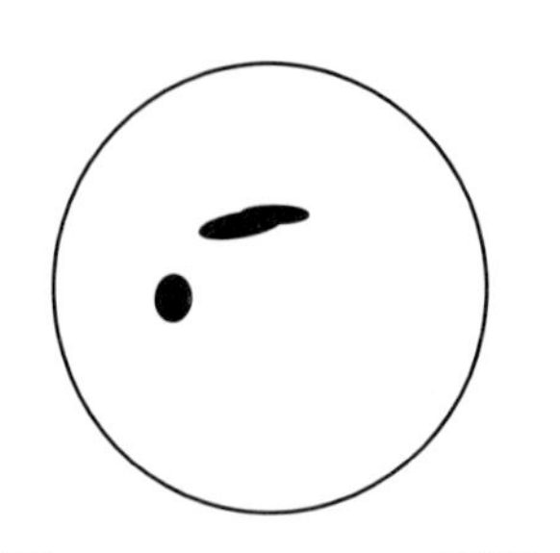

圖 7-14 Bjerrum's 盲點

病歷的陳述在視野缺損的診斷上也扮演著重要的部分，不同的陳述可以與其他相似的病徵做出清楚的判別。單側的視覺缺損，表示的可能與眼球或視神經的損傷較有相關，而雙眼的視覺缺損，則與後面的視覺機制較有相關。通常單側的視神經病理變化會導致嚴重的單側視野缺損，上、下側的視野缺損通常與眼前部視神經缺血性病變有關，而單側區域性的視野缺損則與視網膜疾病有相關性，例如，視網膜病變、視網膜靜脈阻塞等。

也可以從視覺缺損的速度來判別可能的病徵，如果是突然的或是短暫的視野缺損，表示與缺血性的病變有關，尤其是顳側的動脈炎和視乳頭水腫會引起斷斷續續的視覺損失，長期下來則會導致永久性的視野缺損。若是緩慢的視野缺損，則屬於典型的漸進式疾病造成。若視覺的缺損持續好幾週，那麼就是屬於典型的視覺神經系統問題，如果缺損的情形有自發性的改善，是屬於視神經缺血性相關的病變。

光線的特性之一是以直線行進，所以從顳側視野而來的光線將落在鼻側視網膜，而不會落在顳側視網膜。上顳側視野的光線則會落在下鼻側的視網膜。了解視網膜與視野相對應的關係後，則可以經由視野缺損的型態，大致的了解是視覺路徑上的哪個環節出了問題。視神經的發炎可能發生在視乳頭或眼球後方的視神經，無論是上述哪種狀況都會造成中心盲點並可能伴隨著周邊視野的缺損。若視神經發炎的部位有多個點，那麼病患會有自覺性的盲點（Positive scotoma）。

若是在視交叉處有腫瘤或其他的病變，會造成半側偏盲（Hemianopia），如圖 7-15 所示。半側偏盲可以用視野的垂直中線去判斷屬於右半邊或左半邊視野的缺損。有一些型態的腦垂體腫瘤，會使視野從顳側上方開始缺損，慢慢地增加缺損範圍到鼻側下方。

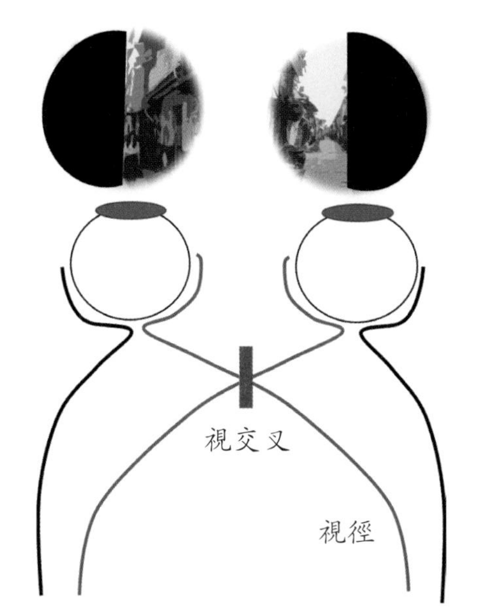

圖 7-15　視交叉受損時，造成同側偏盲

在視交叉之後的右側視徑是起源於每一眼視網膜右半部的神經纖維，而左側視徑是起源於每一眼視網膜左半部的神經纖維，因此，當左側視野缺損時其損傷部位應是在右側的視徑，如圖 7-16 所示。反之若爲右側視野缺損時，其損傷部位應是在左側視徑。

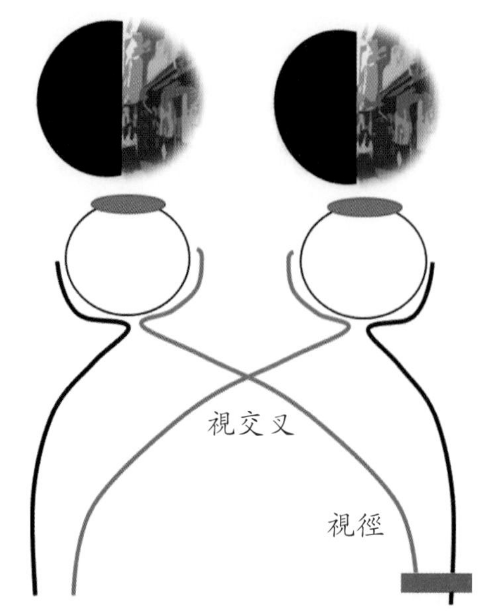

圖 7-16　右側視徑會導致左側視野缺損

第三節　色彩視覺

視網膜的錐細胞約有六百萬個，主要分布在黃斑部，提供精細視覺與色彩能力。因此色彩視覺測驗，基本上是一種黃斑部與視神經功能的檢測。色彩視覺測驗亦被列爲是基本視覺檢查的一部分，是一種需單眼分開測量的檢查。在孩童的色彩視覺測驗，主要觀察是否有先天性的紅綠辨色異常，在成人的色彩視覺檢查，則是需注重是否是後天造成的辨色異常，在視覺神經上的病變，除了導致不同程度的視力值損失外，通常也會造成色彩辨識能力變差，可能是紅綠或藍黃辨色異常。

人眼對於不同頻率的可見光會有不同的色彩感受，大多數的顏色可以透過光的三原色：紅、綠、藍，依照不同比例混合而成，如圖 7-17 所示。以解剖生理學而言，人眼是透過錐細胞（Cone cell）來辨識不同的顏色，依據錐細胞可以接收的三原色波段長，一般可以分為 3 種不同類型的錐細胞，分別是：短波長錐細胞（Short cone），負責辨識的波長範圍是 380nm～490nm，辨識最靈敏的波段是 440nm，能辨識的色彩範圍較偏向藍色；中波長錐細胞（Medium cone），負責辨識的波長範圍是 490nm～600nm，辨識最靈敏的波段是 540nm，能辨識的色彩範圍較偏向綠色，以及長波長錐細胞（Long cone），負責辨識的波長範圍是 600nm～700nm，辨識最靈敏的波段是 570nm，能辨識的色彩範圍較偏向紅色。約 92% 的人口擁有正確的色彩視覺，在有異常的三色視覺（Anomalous trichromat）的眼睛而言，也擁有這三種類型的錐細胞，但其中某一個類型的錐細胞所負責接收的光波段涵蓋的範圍與大多數人不同而導致。異常的三色視覺又可以分為紅色弱（Protanomalous）和綠色弱（Deuteranomalous）。

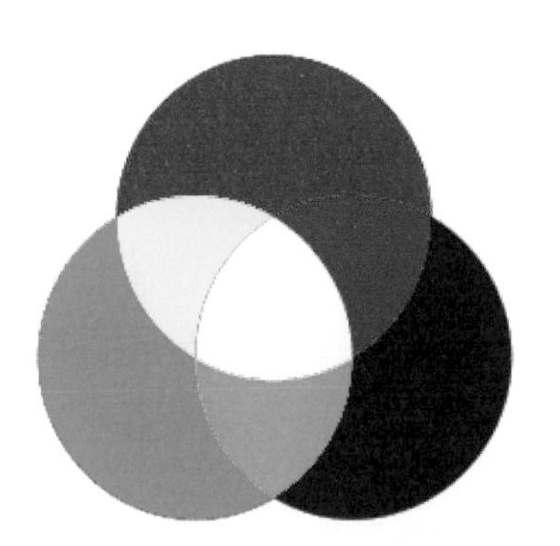

圖 7-17　光的三原色

正常的色彩視覺是三色覺，透過三原色的互相疊加形成各種不同色彩的刺激。在有正常色彩視覺的人而言，要辨識黃色時他們的眼睛會有相對應的錐細胞來組成黃色覺（紅色與綠色）。若有紅色弱的人，在長波長錐細胞接收的光波段沒有到達負責的波段，因此辨識有紅色成分的能力會較弱，需要輔助更多的紅色，如紅色濾片，其辨色力才會與期望的色彩視覺相同。有綠色弱的人，在中波長錐細胞接收的光波段涵蓋的波段靈敏度較差，因此辨識有綠色成分的能力會較弱，需要輔助更多的綠色，如綠色濾片，其辨色力才會與期望的色彩視覺相同。

雙色覺的人，其眼睛只有兩種類型的錐細胞，可以分爲：紅色盲（Protanope）及綠色盲（Deuteranope）。Rushton（1962）的研究指出，紅色盲的人，眼錐細胞缺乏了可以吸收紅色波段的紅敏素（Erythrolabe），綠色盲的人，眼錐細胞缺乏了可以吸收綠色波段的綠敏素（Chlorolabe）。紅色與綠色光的刺激對於雙色覺的人而言是一樣的顏色，但是他們還是可以接收不同量的紅色或綠色光，去感受黃色的不同亮度。

先天性的紅綠辨色異常是色彩視覺異常中常見的狀況，以性別來區分會發現，男性異常的比例比女性高，因爲先天性紅綠辨色異常是屬於隱性的性聯遺傳（Sex-linked）。在個體中決定性別的染色體是第 23 對性染色體，男性的性染色體組成是 XY，女性的性染色體組成是 XX。而有紅綠辨色異常的基因會出現在 X 染色體上，因爲屬於隱性遺傳，所以在女性個體上必須兩個 X 染色體基因都有辨色異常的基因，女性個體才會有辨色異常的表現。反觀男性個體只有一個 X 染色體，所以只要有辨色異常的基因，就會直接表現出來。舉例來說：有一家族成員分別是：爸爸、媽媽、1 個女兒及 2 個兒子，這對父母、女兒及大兒子都沒有辨色異常的表現，而小兒子有辨色異常的表現，可以從性聯遺傳中推測出，家族的媽媽帶有的 X 染色體有辨色異常的基因（以 ~~X~~ 表示），而若假設該家族女兒也帶有辨色異常的隱性基因，又與一有辨色異常的男性結婚，則就有可能產生帶有辨色異常的女性，如圖 7-18 所示。

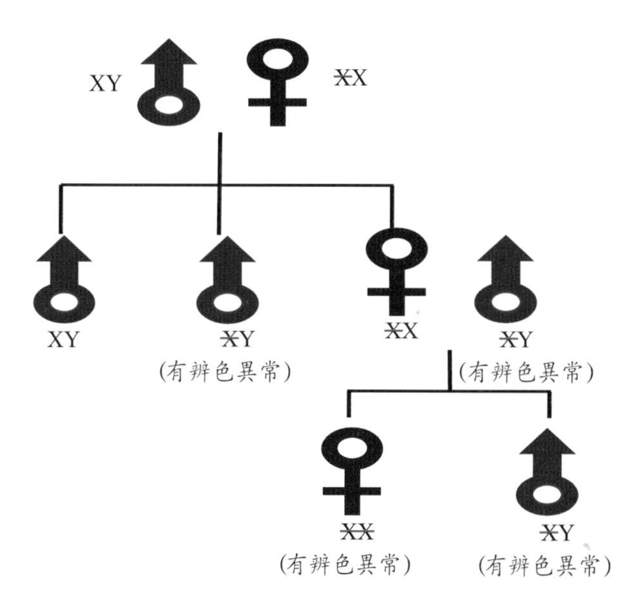

圖 7-18　依據性聯遺傳推測辨色異常基因

先天性的藍黃辨色異常可以分爲藍黃色弱（Tritanomaly）或藍黃色盲（Tritanopia），藍黃色盲屬於雙色覺的一種。以流行病學而言，發生的頻率較紅綠辨色異常來得少，發生異常的基因也不是性染色體，而是常染色體。

單色覺（Monochromatism）是所有辨色異常中，唯一可以用色盲（Achromatopsia）來形容的一種辨色異常，發生的流行率只有百萬分之一。對單色覺的人而言，所有的顏色都是同一個色調，只有深淺之分。單色覺的人可依據在出生時視網膜的感光細胞分布狀態分爲典型與非典型兩種形式的單色覺：

1. 典型單色覺：又可稱爲桿單色視覺（Rod monochromatism），在視網膜的黃斑中心小窩處只有桿細胞沒有錐細胞，這類型的單色覺通常在視力值的表現不好且有中央盲點，並可能併有其他視覺功能問題，如眼震顫。

2. 非典型單色視覺：在視網膜的黃斑中心小窩處有一種類型的錐細胞表現，這種類型的單色覺在視力值的表現與正常人無異。

後天的辨色力異常有可能只表現在單一眼，且通常是因爲眼睛相關的疾病而導致，如鞏膜、視網膜、視神經相關的疾病。不同部位受損可能會有不同的辨色力異常表現，鞏膜類的疾病通常會導致藍黃辨色異常，視網膜類疾病則可能造成藍黃或紅綠的辨色異常，視神經損傷則會導致紅綠辨色異常。

色彩視覺測驗必須要在自然燈光下做測驗，以避免不同色調的燈光影響測驗結果。假同色板（Pseudoisochromatic plates, PIPs）是一個常見且受歡迎的色彩視覺測驗工具。石原氏（Ishihara）和 Dvorine 都是屬於假同色板設計的色彩視覺測驗，是一本由紙板組合成的書冊，每頁紙板上設計有大小不一的點，點會組成字或曲線的圖樣，圖樣點的顏色會與背景點顏色不同，但是彼此間的亮度是相同的。例如，當背景是橘色的點，那麼組成圖樣的點就會是綠色的，在有正常色彩視覺的人看起來就可以分辨其中的數字，但對於只有雙色覺的人來說則無法辨識，如圖 7-19 所示。此類型的色彩視覺測驗工具的第一頁，通常都是示範教學用，無論是否有辨色異常，都可辨識。但這兩款工具只能用來篩選紅綠辨色異常，無法檢查出是否有黃藍辨識異常的人。

圖 7-19　石原氏橘底綠字

檢查是否有藍黃辨色異常可以使用美國光學「哈－藍－里」三氏測驗本（Hardy-Rand-Rittler, H-R-R），此測驗本也是假同色板的設計，它同時也可以測量紅綠辨色異常。H-R-R 假同色板上的圖案是圖形的設計，如三角形、圓形、方形，因此很適合作爲尚不會辨認數字的孩童做測驗。每一頁假同色板的圖形會隨機分布在四個方位，所以檢查時必須請受測者明確說出看到的圖形及位置，如右上方圓形，左下方三角形。

假同色板設計的色彩視覺測驗都會附帶有指導手冊，可以依據指導手冊內容判斷受測者的辨色力是屬於正常或異常，異常的辨色力又是屬於何種異常，異常程度是嚴重的或輕微的。

以石原氏檢查爲例，如表 7-1。指導手冊表會標示出正常色彩視覺、紅 / 綠辨色異常或全色盲的人，在辨識某頁數時所對應的數字。除了第 1 頁是無論是否異常，都可以辨識出一樣的數字 12 外，其他頁數都不進相同。以第 2 頁爲例，擁有正常色彩視覺的受測者辨識的數字爲 8，可能有紅 / 綠辨色異常的人會辨識成數字 3，全色盲的人則無法辨識，以 X 表示。以此類推的判斷方式進行檢查。一般檢查程序只需檢測前 11 張色板，若受測者回應的正確率低於

8 張以下，則需往後的 12～14 頁進一步檢查判斷，受測者屬於紅或綠的辨色異常，及其辨色異常的程度。以第 12 頁爲例，若受測者只能辨識數字 5，那麼受測者屬於嚴重的紅色弱，如果受測者可以勉辨識出數字 3，則受測者屬於輕微的紅色弱。

表 7-1　石原氏色彩視覺檢查指導手冊表

<table>
<tr><th>頁數</th><th>正常辨識的數字</th><th colspan="4">紅／綠辨色異常的辨識狀況</th><th>全色盲的辨識狀況</th></tr>
<tr><td>1</td><td>12</td><td colspan="4">12</td><td>12</td></tr>
<tr><td>2</td><td>8</td><td colspan="4">3</td><td>X</td></tr>
<tr><td>3</td><td>5</td><td colspan="4">2</td><td>X</td></tr>
<tr><td>4</td><td>29</td><td colspan="4">70</td><td>X</td></tr>
<tr><td>5</td><td>74</td><td colspan="4">21</td><td>X</td></tr>
<tr><td>6</td><td>7</td><td colspan="4">X</td><td>X</td></tr>
<tr><td>7</td><td>45</td><td colspan="4">X</td><td>X</td></tr>
<tr><td>8</td><td>2</td><td colspan="4">X</td><td>X</td></tr>
<tr><td>9</td><td>X</td><td colspan="4">2</td><td>X</td></tr>
<tr><td>10</td><td>16</td><td colspan="4">X</td><td>X</td></tr>
<tr><td>11</td><td>從 X 延伸到 X</td><td colspan="4">X</td><td>X</td></tr>
<tr><td colspan="2" rowspan="2">嚴重</td><td colspan="2">紅辨色異常</td><td colspan="2">綠辨色異常</td><td rowspan="5"></td></tr>
<tr><td>輕微</td><td>嚴重</td><td>輕微</td><td></td></tr>
<tr><td>12</td><td>35</td><td>5</td><td>(3)5</td><td>3</td><td>3(5)</td></tr>
<tr><td>13</td><td>96</td><td>6</td><td>(9)6</td><td>9</td><td>9(6)</td></tr>
<tr><td>14</td><td>可以辨識兩條線</td><td>紫線</td><td>紫線
（紅線）</td><td>紅線</td><td>紅線
（紫線）</td></tr>
</table>

Farnsworth D-15 是一個雙色覺測驗，如圖 7-20 所示。可以快速地分類受測者是正常色覺或是屬於哪一種雙色覺異常。這個測驗由 15 個色塊組成，每個色塊下方都有一個編號。受測者必須在沒有看到編號的情況下，將這 15 個色塊從暖色系到冷色系平順的排列成一直線，檢查者再依照受測者排列的順序編號記錄於特定的紀錄紙上。

圖 7-20　Farnsworth D-15 色彩測驗工具

若是有正常的辨色力，則編號會是按照順序的 1～15，在紀錄紙上會呈現一個圓形。若有異常的辨色力，則可以觀察到其記錄的線條與紀錄紙上的哪一雙色覺平行，來判斷之。例如，有紅色辨色異常的受測者，所排列出的色塊編號記錄起來與 Protan 的線條平行，如圖 7-21 所示。

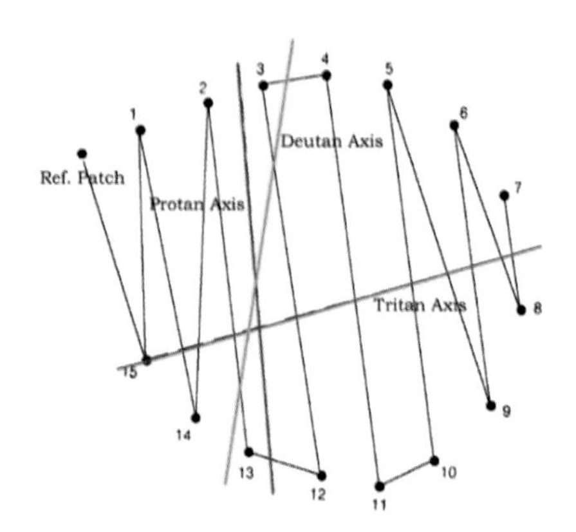

圖 7-21　D-15 檢測結果與 Protan 的線條平行表示有紅色辨色異常

第四節　瞳孔測驗

瞳孔是由虹膜內側邊緣圍繞而成的孔洞，眼睛可藉由環狀肌（括約肌）及放射肌控制瞳孔大小，當環狀肌收縮時瞳孔會縮小；當放射肌收縮時瞳孔則會呈現放大狀態。根據臨床研究表示：隨著年齡的增加，瞳孔會有縮小的趨勢，造成的原因可能是虹膜組織硬化及肌肉組織的退化，或神經生理等因素。

在正常的清況下，瞳孔會有基本的視覺反射動作：光反射（light reflex）及調節反射（accommation reflex）。光反射主要是虹膜肌肉對光線的調節，少部分的視神經會連接到中腦位置上丘構造的前頂蓋區神經核與縮瞳 E – W 核，並與動眼神經並行，藉以調節瞳孔大小。光反射路徑：視網膜接收光的刺激，發出訊息經視神經至中腦→前頂蓋區神經核→縮瞳 E – W 核→副交感的睫狀神經節→短睫狀神經→虹膜括約肌收縮。

當眼睛看近距離的物體時，眼睛會產生 3 個連動的生理機制：

1. 內聚：雙眼內直肌收縮，外直肌放鬆，眼睛內轉使物像可以落在黃斑中心。
2. 水晶體屈光度增加：睫狀肌收縮使水晶體屈光度增加，讓物像可以聚焦在視網膜上。
3. 瞳孔收縮：使進入眼睛的光線減少。

調節反射路徑為：視網膜接收訊息→視神經→視交叉→視徑→外側膝狀體→視放射→視覺皮質→上丘／前頂蓋核區→縮瞳 E－W 核和動眼核→經由動眼神經支配相關肌肉收縮。因此，在調節反射的視覺路徑與光反射的路徑並不相同，最大的差異性是調節反射需要經過視覺皮質。其中調節反射經過縮瞳 E－W 核會經由短睫狀神經節支配睫狀肌收縮，使懸韌帶放鬆，水晶體變厚，使近物能聚焦在視網膜上。經過動眼核則促使動眼神經興奮，使內直肌收縮，眼球向內轉，使物像落在黃斑區。

瞳孔功能性測驗都是在沒有配戴眼鏡的狀態下測量，測量內容包括瞳孔大小（Pupil size）、暗－亮瞳孔反應（Dim－bright test）、直接反應（Direct）、間接反應（Consensual）、交替照射反應（Swinging flashlight）、調節反射，以下分別說明之。

瞳孔大小的測量單位通常是使用 mm，需要分別測量在亮室及暗室下的大小。正常而言，亮室下的瞳孔會小於暗室，而在相同亮度的環境下，兩眼的瞳孔大小會一樣。若測量結果發現受測者兩眼的瞳孔大小差異超過 0.5 mm 時，有瞳孔不等大的情形（anisocoria），最好的方式是請受測者提供過去的照片，以確認受測者的瞳孔是一直都是不等大的狀態，或是最近才有的。也可以進一步測量暗－亮瞳孔反應的測驗，此測驗方式為在暗室的環境下，距離受測者約 1 公尺處使用直接眼底鏡照射受測者眼睛，觀察鏡燈光關弱，並同時觀察兩眼反射光的面積變化是否一致。

觀察受測者的直接、間接及交替照射反應時，需在一個暗室的環境下，並給受測者一個遠方的注視標，使用筆燈來給予照射光刺激。直接反應是觀察被筆燈照射的眼睛收縮反應，主要檢查眼睛傳入系統的路徑是否有問題，檢查路徑爲：第二對腦神經→中腦→前頂蓋核區如圖 7-22 所示。間接反應則是觀察沒有被筆燈照射的眼睛收縮反應，主要測量傳出系統的路徑是否有問題，檢查路徑爲：E-W 核副交感神經→短節狀神經→瞳孔括約肌如圖 7-23 所示。交替照射反應則是先將筆燈照射在受測右眼，再迅速將筆燈移至左眼，這樣快速地重複交替照射眼睛，並觀察眼睛瞳孔狀態。在正常的狀況下，瞳孔受到光刺激，會呈現收縮的狀態，但若有 Marcus Gunn的瞳孔，當眼睛受到光刺激時，瞳孔則會呈現在放大的狀態。

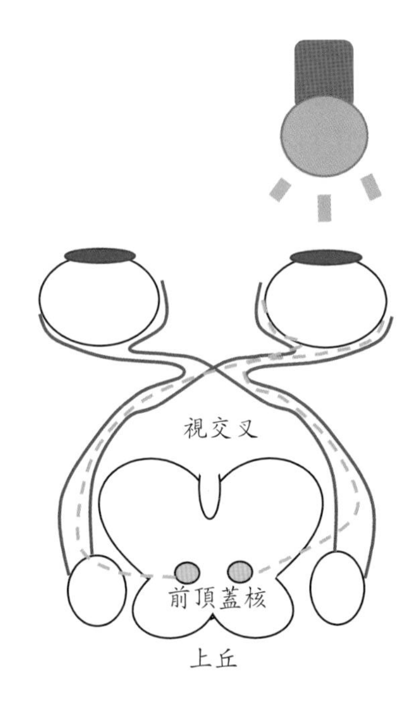

圖 7-22　眼睛傳入路徑：第二對腦神經→中腦→前頂蓋核區

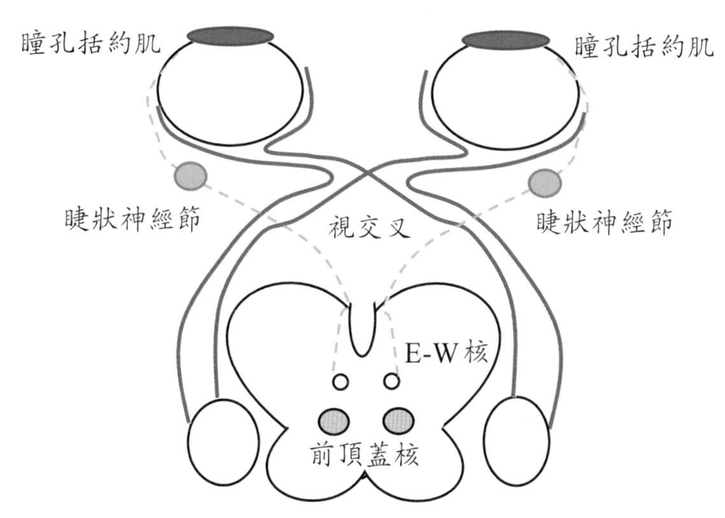

圖 7-23　眼睛傳出路徑：E-W 核→副交感神經→短睫狀神經→瞳孔括約肌

調節反射檢查需在一個燈光充足的環境下測量，並同時給受測者一個遠方視標及一個近方視標，近方視標需注意放在受測者可以注視清楚的範圍。請受測者先注視遠方視標 3～5 秒後再注視近方視標，這樣動作重複 2～3 次，觀察受測者瞳孔的縮放狀態，正常的狀態下眼睛在注視近方時瞳孔時會呈現縮小。

以下整理臨床瞳孔相關疾病及瞳孔表現：

愛迪氏強直瞳孔（Adie's tonic pupil），是當瞳孔照光時，瞳孔會單側的散大或對光沒有反應，但是在瞳孔近反射會有遲緩的反應，這樣的症狀可能是源自於睫狀神經節的損傷，常發生在 20～30 歲的女性且沒有其他身體狀況。

黑矇性瞳孔（Amaurotic pupil）的眼睛，無論是在直接或間接照射的檢查中，對光都沒有收縮反應，但另一眼對光的反應是正常的。假設一受測者的右眼有黑矇性瞳孔的症狀，當執行直接照射檢查時，會發現右眼沒有收縮的反應，此時觀察左眼可以發現也沒有間接反應的表現。當筆燈照射左眼時，發現左眼對光照有直接反應，此時觀察右眼一樣沒有間接的收縮反應。但在瞳孔調節反射檢查時，兩眼都會是正常的表現。

Marcus Gunn 瞳孔也可稱爲傳入性的瞳孔缺陷，是一種視神經的損傷所導致，主要是透過交替照射瞳孔測驗中所檢測出來的一種，瞳孔異常狀態。假設受測者的左眼有傳入性的瞳孔缺陷，在測驗過程會發現，當用筆燈照射右眼時，右眼有正常的傳入與傳出系統，瞳孔會收縮，而左眼雖然有異常的傳入性問題，但仍有正常的傳出系統，左眼仍會正常收縮。但將筆燈照射左眼時，左眼有異常的傳入性系統，光照並無法藉由神經系統傳入來引起光反射，所以左眼及右眼瞳孔都不會收縮，如圖 7-24 所示。

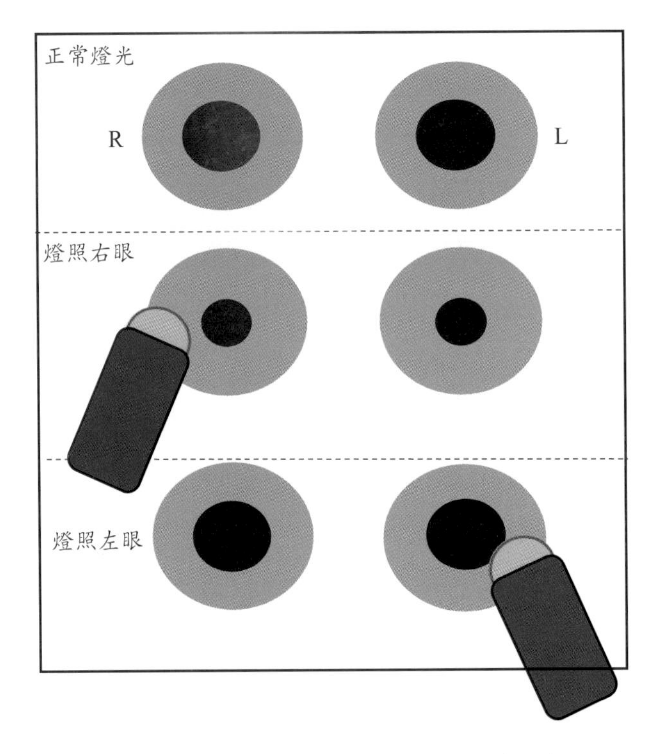

圖 7-24　Marcus Gunn 瞳孔筆燈檢測示意圖

霍納氏症（Horner's syndrome）是由於眼球的交感神經麻痺而使瞳孔無法放大，所以有瞳孔縮小、上眼瞼下垂和明顯的眼球內陷等症狀。先天性的霍納氏症是因爲眼球本身缺乏交感神經支配而導致，通常伴隨有虹膜異色症（Heterochromia irides），虹膜異色症爲有一眼的虹膜可能是藍白色而另一眼虹膜爲咖啡色。若霍納氏症是發生在 20～50 歲的病患身上，必須要懷疑受測者有惡性腫瘤的可能。

赫欽森瞳孔（Hutchinson's pupil），通常是單側發生，會固視、瞳孔會有散大的表現，是由於中樞神經系統的損傷壓迫到視神經而造成的一個現象。

光一近反應分離（Light – near dissociation），指的是瞳孔對光反射沒有反應，但當雙眼內聚時瞳孔卻會有縮小的動作，常見於神經梅毒（Neurosyphilis）所引起的症狀，診斷是否爲神經梅毒需要詳細的病歷資訊、物理檢查測驗及實驗室培養檢查。神經梅毒也是阿蓋爾羅伯遜瞳孔（Argyll Robertson pupil）的其中一個導致因素，有 18% 的病例中因神經梅毒所引起的阿蓋爾羅伯遜瞳孔，但這些病例中有 80% 的人有異常的瞳孔反應 。

第三對腦神經異常增生（Aberrant regeneration of cranial nerve III），有可能在第三對腦神經受傷的幾個月後才表現出來，會有假性的阿蓋爾羅伯遜瞳孔表徵。

參考文獻

Primary care optometry .fifth edition Theodore Grosvenor.

Nearpoint of Convergence: Test Procedure, Target Selection, and Normative DataSCHEIMAN, MITCHELL OD, FAAO; GALLAWAY, MICHAEL OD, FAAO; FRANTZ, KELLY A. OD, FAAO; PETERS, ROBERT J. OD, FAAO; HATCH, STANLEY OD, FAAO; CUFF, MADALYN OD; MITCHELL, G. LYNN MAS, FAAO Optometry and Vision Science: March 2003 - Volume 80 - Issue 3-p 214-225.

Research in binocular vision. Philadelphia: Saunders, 1950.

Visual pigments in man. Sci Am., Vol. 207, pp. 120-132, November 1962.

第8章 眼外肌與眼球運動

林蔚荏

第一節 眼外肌概述

一、眼外肌、附著點與作用

一個完整的視覺反應需要許多的條件配合，而其中若是沒有眼睛的協調運動便無法完成，雙眼的協調運動能力則需倚靠眼外肌的配合。眼外肌位於眼眶骨內，其主要功能爲統合眼球運動、維持注視位置及保持雙眼視機能中的運動性融像。此外，眼球必須要具備能夠追蹤物體及快速地變化焦點的能力。上述這些能力需藉由相當複雜的眼球運動控制系統操控，而眼外肌則是執行這些指令的最終組織。整體眼球運動共有 6 條眼外肌參與其中（圖 8-1、圖 8-2）。其中包含 4 條直肌（上、下、內、外直肌），其主要是起源於眼眶總腱環並且向前延伸附著於眼球中線以前的鞏膜上，距離輪部位置約 4～8 mm。直肌的附著位置爲其對於眼球運動控制的一個很重要的因子。一般研究認爲，延伸向前的是肌鍵部分，內直肌與外直肌的組成可能含有能直接延伸至鞏膜的肌纖維，同時這也是臨床上對於斜視手術切口位置的一個重要考量。4 條直肌的附著點是沿著角膜輪部成圓弧狀圍繞，依其與輪部位置相比，內直肌距離最短，上直肌距離最長。臨床上的研究指出，由角膜輪部測量至直肌附著點之距離如下：內直肌距離爲 6.2±0.6 mm、下直肌距離爲 7.0±0.6 mm、外直肌距離爲 7.7±0.7 mm、上直肌距離爲 8.5±0.7 mm。

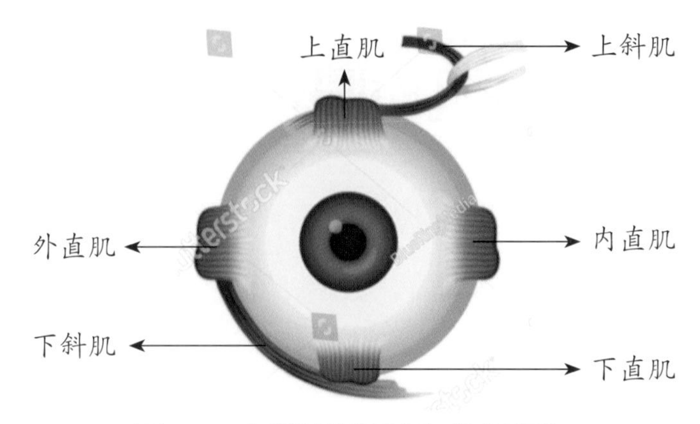

圖 8-1 六條眼外肌圖示（正面圖）

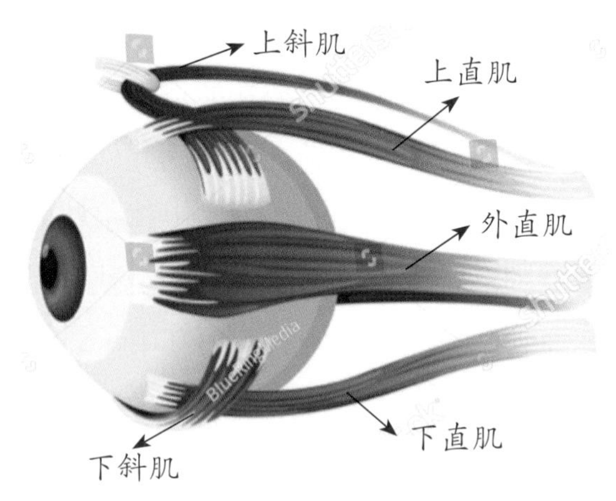

圖 8-2 六條眼外肌圖示（縱面圖）

另外兩條眼外肌則爲斜肌（上、下斜肌），其與直肌相比爲不同的路徑。上斜肌起源於眼框內襯的緻密結締組織骨膜，並沿眶頂和內側壁間向前延伸。大約在眼眶邊緣 10～15 mm 後方成爲肌鍵並進入滑車部分，軟骨及緻密的結締組織結構則與骨膜相連。由滑車出現的上斜肌與眼球注視位置呈 51 度夾角向眼球後方附著於鞏膜上。滑車部分提供一個實際上的起點，創造出一個力道去促使眼球運動。上斜肌的附著點爲眼球上半部頂點位置，且於上直肌的下方，但與直肌不同之處在於斜肌是附著在眼球中線的後半部。下斜肌爲眼外肌中唯一不起源於總腱環之肌肉，其起源位置爲眼眶的前內側下方。下斜肌通過下直肌的後下方，最後附著於眼球中線的後半部。

二、眼外肌的神經支配

12 對腦神經支配許多人體多樣化的功能。除了支配軀幹、內臟等神經訊息之傳入與傳出外，眼外肌運動中的調控也與腦神經有關。臨床上許多有關眼外肌之相關疾病檢測也會與神經支配有關連性，因此，了解眼外肌之神經支配便極爲重要，同時能提供臨床檢查者一有用資訊（參考表 8-1）。

表 8-1　眼外肌與其相對應之神經支配

眼外肌	支配神經
內直肌	動眼神經（CN Ⅲ）
外直肌	外旋神經（CN Ⅵ）
上直肌	動眼神經（CN Ⅲ）
下直肌	動眼神經（CN Ⅲ）
上斜肌	滑車神經（CN Ⅳ）
下斜肌	動眼神經（CN Ⅲ）

（一）動眼神經（第 3 對腦神經）

動眼神經爲支配眼外肌的最大神經，同時除了外直肌與上斜肌外，動眼神經亦支配剩餘的四條眼外肌。在眼眶中，鼻睫神經的通過將動眼神經分爲上下兩半部，上方支配上直肌。下半部則分成數個分支，支配內直肌與下直肌，且一較長的分支通過下直肌的外側向前延伸支配下斜肌。臨床上第 3 對腦神經受損時會有以下症狀產生：

1. 眼球向上、向下及向內能力受制。
2. 外斜視。
3. 複視。
4. 眼瞼下垂。
5. 瞳孔散大。
6. 調節能力低下。

（二）滑車神經（第 4 對腦神經）

滑車神經於眼外肌支配中只單純支配上斜肌。臨床上滑車神經不容易獨自受損，常伴有其他部分受損所影響。滑車神經受損後可能會導致上斜肌麻痺進而使得患者在向下看時產生複影，且當眼球向內轉時會有下轉不能的情況。患者習慣性藉由收下巴及偏斜頭頸部至未受影響側，以此補償下斜肌之過度運動。

（三）外旋神經（第 6 對腦神經）

外旋神經擁有腦神經中最長的顱內段，並通過總腱環進入顱內空間。相對而言，滑車神經於眶內爲最短的部分。由距離外直肌起源點三分之一處進入其表面支配。外直肌也是唯一由外旋神經所支配之眼外肌。臨床上當外旋神經受損時會影響到外直肌麻痺，因此，患者眼球無法外轉，導致出現內斜視的情況。

三、眼外肌的血液供應

在身體的血流系統中，有許多血管負責肌肉的養分供給。眼外肌的血液供給主要來自於肌肉動脈，肌肉動脈為眼動脈的分支，其又細分為外側與內側兩個主要分支。外側分支負責外直肌、上直肌、上斜肌及提上眼瞼肌的血液供給。內側分支則提供內直肌、下直肌及下斜肌的血液來源。除了眼動脈的分支外，來自其餘不同血管分支也同時提供眼外肌不同的支持。淚腺動脈提供外直肌與上直肌血液支應。眶上動脈幫助上直肌、上斜肌及提上眼瞼肌的血液支持。眶下動脈同樣提供下直肌和下斜肌的血液來源（整理如表 8-2 所示）。

表 8-2　眼外肌之血液支應來源

眼外肌	血液支應
內直肌	內側肌肉動脈
外直肌	外側肌肉動脈 淚腺動脈
上直肌	外側肌肉動脈 淚腺動脈 眶上動脈
下直肌	內側肌肉動脈 眶下動脈
上斜肌	外側肌肉動脈 眶上動脈
下斜肌	內側肌肉動脈 眶下動脈

第二節　眼球運動基本理論

一、眼外肌的基本運動

在眼球運動中，水平移動的控制是由內直肌及外直肌所操控。兩者間利用「作用—拮抗」的關係改變眼球的注視位置。內直肌控制眼球的內收；外直肌則控制眼球的外展。垂直運動的控制較爲複雜，上直肌及下直肌對於眼球移動方向的操控具有較複雜影響，其原因在於整個眼眶骨之於上下直肌並不互爲平行。在主要注視位置上，上直肌與下直肌分別與眼平面呈 23 度左右的偏斜，並不爲完全平行。當上直肌主要進行收縮時，其主要的動作爲使眼球上提，同時也會造成眼球的內收與內旋。內旋指的是以眼球上極爲中心向內旋轉。因此，當上直肌單獨作用時，眼球注視位置爲向上向內。下直肌的位置則與上直肌幾近平行，只是附著於眼球下方。因此，其造成的眼球主要動作爲下轉，同時伴有內收及外旋。外旋所指的是以眼球上極爲中心向外旋轉。由於其附著點附著於眼球中線之後，以及在眼框上內側滑車部位所帶來方向性的力道所影響，上斜肌對於眼球運動的主要作用爲內轉，同時也有下轉及外展的作用。所以在單一作用上，上斜肌所造成的注視位置爲下外側。下斜肌主要位置與上斜肌略呈平行，差別在於其附著於眼球下方。其主要作用爲外轉，同時也有上提及外展的作用（參考圖 8-3 及表 8-3）。

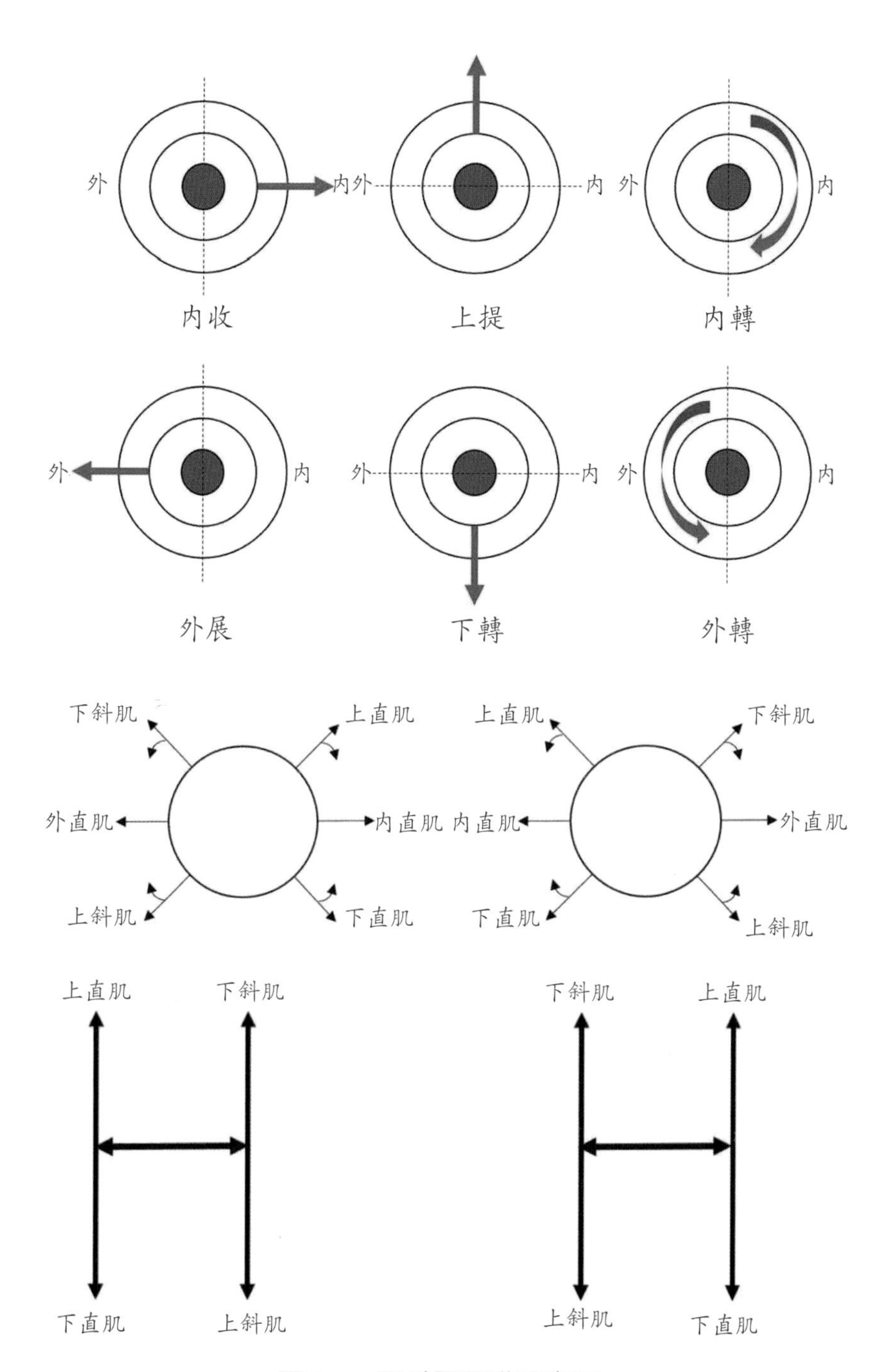

圖 8-3　眼外肌運動示意圖

表 8-3 眼外肌肉作用、神經支配與相關解剖數據

眼外肌	主要作用	次要作用	神經支配	拮抗肌	協同肌	肌肉附著位置（距角膜緣之距離）	肌肉長度
內直肌	內收	無	動眼神經	外直肌	上直肌 下直肌	5.6 mm	40 mm
下直肌	下轉	內收 外轉	動眼神經	上直肌	內直肌 上直肌 下斜肌 上直肌	6.6 mm	40 mm
外直肌	外展	無	外旋神經	內直肌	上斜肌 下斜肌	7.0 mm	40 mm
上直肌	上提	內收 內轉	動眼神經	下直肌	內直肌 下直肌 上斜肌	7.8 mm	41 mm
上斜肌	內轉	下轉 外展	滑車神經	上斜肌	下直肌 外直肌 下斜肌		32 mm（10mm 肌腱在纏繞滑車前的部分）
下斜肌	外轉	上提 外展	動眼神經	下斜肌	上直肌 內直肌 上斜肌		34 mm（肌腱極短，幾乎所有肌纖維附著於鞏膜）

二、Sherrington 法則

在凝視任何位置時，所有眼外肌的神經支配皆由中樞神經系統控制，且使每個肌肉都位於放鬆或收縮的一個階段上。根據 Sherrington 神經支配的運動法則（Sherrington's rule）：當其中一條眼外肌接收到神經訊號並收縮時，其拮抗肌應同時接收到抑制性的神經訊號而放鬆。如眼球內轉時，內直肌收縮，外直肌應同時放鬆。六條眼外肌組成了三對相互制約的主要拮抗肌（如表 8-4 所示）。

表 8-4　眼外肌運動法則

水平運動	垂直運動	旋轉運動
外直肌 內直肌	上直肌 下直肌	上斜肌 下斜肌

第三節　雙眼運動

眼球運動中，各單眼的移動應該是等量且對稱的（依據赫林氏定律，Hering's rule）。在共軛運動中，雙眼呈平行移動；在異向運動時（聚合與開散），雙眼朝相反的方向移動。在一般生理性休息眼位時，雙眼會略呈開散的情況。共軛眼球運動需要相對的眼外肌同時作用，因此，可稱爲在每個注視位置上的共軛肌。聚合眼球運動需要結合雙眼的內直肌共同作用，移動的程度則會依據每個人的聚合近點（約略爲眼前 5～10 cm，並且聚合近點不因年齡影響而改變）及遠點的不同而有所差異。共軛眼球運動又可分爲短而快速地移動—躍視（Saccades）或是持續性追蹤移動—追視（Smooth pursuit）。

第四節 臨床眼外肌檢測

眼外肌的運動會因許多的狀況產生異常現象，如神經麻痺、中風、外傷、腫瘤、全身性疾病、遺傳或代謝性疾病等，皆有可能造成其功能障礙。而眼外肌運動檢測（Extraocular motilities, EOM）是用來評估受測者進行眼球共軛運動的能力。透過此檢測可以了解受測者雙眼的內、外、上、下直肌，以及上、下斜肌之運動概況，如有異常則可再進行其他深入檢查，如肌肉、神經等。

一、H 檢測

H 檢測爲最常使用的眼外肌運動檢測，檢測時，檢測者面對受測者並移動目標物（通常爲筆燈燈光、小玩具等）至受測者前額平面，請受測者頭部不轉動，移動眼睛來追蹤目標物，檢測者必須雙眼觀察受測者眼睛的移動，檢查順序從起始位置依序爲向右、右上、右下、向上、向下、向左、左上、左下九個方向，如同 H 字母的樣式，測試位置的順序並不重要，重要的是每個注視位置。由於很難一次同時觀察受測者雙眼，可以做 2 次檢測，第一次觀察受測者右眼，第二次觀察受測者左眼。

此檢測用來檢查眼睛水平肌肉移動（受測者雙眼注視筆燈，向左及向右移動）及垂直肌肉移動，如上、下直肌及斜肌（受測者雙眼注視筆燈，向右、右上、右下及回到向右；向左、左上、左下及回到向左）。H 檢測可代表六條眼睛肌肉運動的範圍，此運動範圍意指某個肌肉會賦予某個區域之最大移動能力，例如，右眼外直肌運動範圍爲右邊區域，右眼內直肌運動範圍爲左邊區域；左眼的外直肌及內直肌則相反。

根據肌肉俯視圖來看 4 條直肌的運動範圍，當眼睛直視前方時，上直肌及下直肌的角度約爲向外 23 度，代表當右眼向外 23 度時，上直肌將單純扮演抬升眼球的角色，而下直肌則扮演單純向下的角色。因此，當我們要求受測者向右 23 度並向上看時，右眼向上的運動受限於右眼上直肌；相反地，當右眼向外 23 度並向下看時，右眼向下的運動會受限於下直肌。上斜肌及下斜肌依肌肉平面來看約呈 51 度，因此，當眼睛向內 51 度時，上斜肌扮演單純向下的角色，下斜肌扮演單純向上。所以，當眼睛向內看 51 度並向下或向上看時，會受上斜肌（向下）或下斜肌（向上）限制。施行 H 檢測時，不需要刻意使受測者向外 23 度或向內 51 度看，每個位置的角度爲 30 至 40 度，眼球運動受限制的因素就可以被檢測出來。

第9章　雙眼視覺

吳昭漢

在生物的演變過程中，若是處於被掠食者的角色，則會發展出極度寬廣的視野，好及早發現掠食者。被掠食者眼球通常長在頭的兩側，且各自朝外看，就好比一前一後的兩個行車記錄器，畫面是毫不相干的。而掠食者相對而言不用那麼警戒四周，但需要有良好的距離感，才可以在撲殺獵物時一擊命中！因此，掠食者的眼睛通常長在前面，兩眼視野會有部分重疊，重疊的部分於腦內進行融像來產生精確的空間感，就好比 3D 攝影機會有位置稍爲落差但總是朝著同一個方向拍攝的雙鏡頭一樣。而爲了更有效率地協調雙眼的工作，視覺系統存在著一些連動關係。掌握這些連動關係，來使配戴者得到清晰又舒適的視覺體驗，是驗光師所必須具備的專業技能。

第一節　調節與聚散

聚散（Vergence）早期被翻譯爲「輻輳」，但輻字指的是支撐車輪外框與輪軸的輻條，輻輳一詞爲自四面八方內聚集中之意。而內聚（Convergence）單指向內集中；開散（Divergence）單指向外展開。從英文拼法，可看出內聚與開散都是聚散（Vergence）一字再加入前贅詞而產生，故將其譯做聚散，取其包含內聚與開散之意。

人眼並不像監控螢幕一樣，各個攝影機各自獨立運作，呈現獨立畫面；相反地，雙眼的畫面在腦內會進行融合，使之成爲一個單一的、立體的畫面。正常的人眼，中央小凹對應到的目標爲影像的中心，兩眼的中央小凹會保持注視在同一點上。隨著物體距離自身越近，雙眼勢必要逐漸的內聚，繼續維持以中央小凹注視目標物。在這同時，睫狀肌也勢必要產生調節反應，改變水晶體的屈光度，來使影像能夠維持清晰對焦。因此，人體自然發展了一套連動機制：調節能夠帶動聚散，聚散亦可以帶動調節，如圖 9-1 所示。當影像失焦變得模糊，如果感受到的是更近的影像，則睫狀肌會用力，使水晶體膨脹贈加屈光度，重新對焦清楚：在此同時，神經訊號亦會傳達至眼外肌，讓兩眼產生內聚作用。又比如將東西拿遠，投影在眼中的影像產生偏位，因此爲了保持注視目標物投影在中央小凹，眼睛會開散：在此同時，一樣有神經訊號會傳遞至睫狀肌，通知它調節需要放鬆，來使物體維持對焦。在自然空間中，人眼應該始終都是看近調節用力並且內聚，看遠調節放鬆並開散。但我們使用光學來介入時，就可能產生調節需求與聚散需求分歧的結果：比如說過多的負度數，會令眼睛必須使用額外的調節來維持影像清晰，但此時物體實際的位置並沒有改變，眼睛並不需要內聚來對準目標物。調節帶動的內聚力在此時反而是多餘的，此時視覺系統會透過融像性開散力（Fusional divergence）去抵銷，使聚散系統依然維持單一視。在嬰幼兒的身上，融像性開散力尚未發育完全或能力不足，若是有先天性的中、高度遠視，爲了維持影像的清晰，調節系統會作用大量的調節，帶動到內聚系統。帶動的內聚量超出融像性開散力後，無法繼續維持注視，繼而導致其中一隻眼睛放棄注視並且內聚，因此形成調節性內斜視（Accommodative esotropia）。

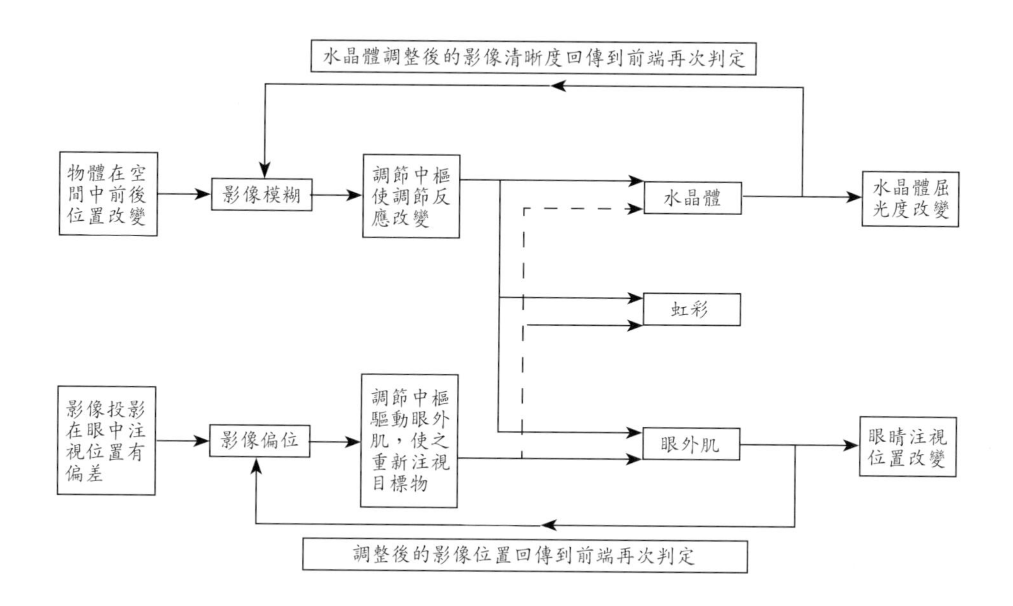

圖 9-1　聚散系統與調節系統的連動關係示意圖

一、AC/A 與 CA/C

調節與聚散的連動關係，在臨床上極具實用價值。如前述的調節性內斜視，通常只要解決原始的病因：遠視，就可以讓小朋友恢復正常的雙眼視覺。看近時有內斜位的人，如果給予近方加入度，調節系統放鬆的同時，也可以讓眼位從內斜修正為正位，降低融像性開散力的使用，來達到更加舒適以及持久的近距用眼。

當敘述調節與聚散系統的關係時，可以分別使用 AC/A：調節性內聚力（Accommodative convergence）與調節力（Accommodation）的比值，以及 CA/C：內聚性調節力（Convergence accommodation）與內聚力（Convergence）的比值來探討。AC/A 為每改變 1D 的調節力，其調節性內聚力所改變的量；而 CA/C 則是每改變 1 稜鏡度的內聚刺激，調節反應會連帶改變的量。由於臨床上測定不易，且意圖運用大量斜位改變來影響調節極端沒有效率，故主要還是以 AC/A 的運用爲較常見的作法。聚散系統的帶動並非百分之百依賴調節系統的回饋，其中還包括了近點感知等其他因素自然會帶動內聚。因此，雖然理論值 AC/A 比值約略爲 6（PD 64mm 的人看近 40 cm 時，內聚 15 稜鏡度，調節 2.50 D，故 15 / 2.50 = 6），臨床上實測的 AC/A 值通常約在 3～5 稜鏡度爲正常。

AC/A 值細分可分爲刺激性 AC/A（Stimulus AC/A）：以受到的調節刺激改變來測量，以及反應性 AC/A（Response AC/A）：以實際的調節反應來測量。然而臨床上，精確的調節反應難以測量，需使用視軸測定儀（Haploscope）才有可能得到足夠精密的數值。因此，臨床上多以刺激性 AC/A 的測量爲主，故其又名臨床 AC/A（Clinical AC/A）。而臨床上 AC/A 的測量法，又以斜度型 AC/A（Gradient AC/A）與計算型 AC/A（Calculated AC/A）最常使用。

1.斜度型 AC/A

斜度型 AC/A 簡單來說，就是直接改變調節刺激 1.00 D 以後，再次測量斜位量，並計算其間的差值。例如：

近距離加入度：–1.00 D　1 Δ exophoria

近距離加入度：0.00 D　4 Δ exophoria

近距離加入度：+1.00 D　8 Δ exophoria

若是以沒有加入度時與 -1.00 D 加入度比較，則其斜度型 AC/A 爲 3；若以沒有加入度時與 +1.00 D 加入度比較，則其斜度型

AC/A 為 4。斜度型 AC/A 的好處是可以實際測量加入度給予後的斜位狀態，若是有要給予加入度處置時不妨一測。

2.計算型 AC/A

計算型 AC/A 只需要遠方與近方斜位量即可計算，在測驗步驟上可以少一個程序，但卻需要對於 AC/A 的整個機制有較清晰的認識。AC/A 原本即為調節性內聚力與調節力的比值，因此計算型 AC/A 必須要知道受測者的內聚需求（Convergence demand）。內聚需求的計算可以透過圖 9-2 來理解。

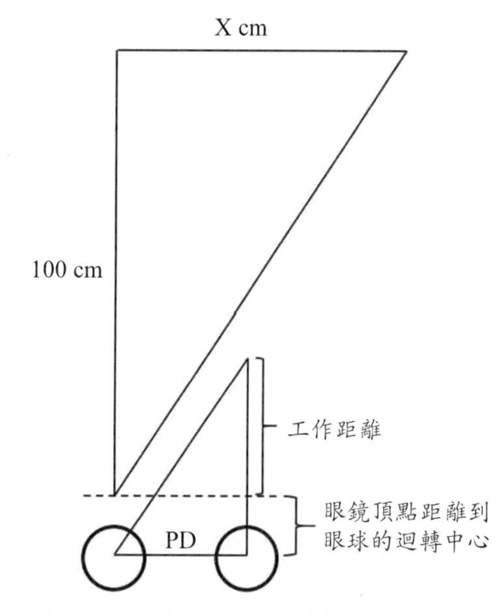

圖 9-2　內聚需求計算原理示意圖

由於稜鏡的處置必然製作在眼鏡上，故以眼鏡平面為基準點。眼睛的內聚需求以稜鏡量表示，稜鏡量的定義為 1 公尺（100 cm）的情況下，每位移 1 cm 即為 1 稜鏡度。當望遠凝視時視為 0，眼睛注視著工作距離時應兩眼同時內聚於正中間。但為了便於計算，將其視為右眼凝視正前方，完全由左眼內聚來使兩眼視線聚焦於工作距離。工作距離一般定義為物體至眼鏡平面的距離，而眼鏡平面至眼球的迴轉中心尚有一段間距：即眼鏡頂點距離加上眼球迴轉半徑，一般情況下將這段間距定義為 2.7 cm。如圖 9-2 所示，當眼睛內聚時，其轉動的幅度，可以等比例方式換算為距離 1 公尺時所移動的位移量，此即為眼睛的內聚需求。若以 PD 64 mm，工作距離 40 cm 為例，為使計算方便，單位皆換為 cm，即為：

$$40+2.7：6.4=100：X$$

$$X=\frac{6.4\times 100}{40+2.7}=14.98$$

由於一般習慣，PD 皆使用 mm，工作距離皆使用 cm，將其依照一般習慣重新整理後可得此公式：

$$內聚需求=\frac{PD\times 10}{工作距離+2.7}$$

在此公式，一切單位皆依臨床習慣即可運用：PD 採用 mm，工作距離採用 cm。40 cm 為多數情況下進行近距離測試的固定工作距離，若以該距離試算各種 PD 的內聚需求，則如表 9-1 所列：

表 9-1　內聚需求於 40 cm 處試算

PD	52	56	60	64	68	72	76
內聚需求	12.2	13.1	14.1	15.0	15.9	16.9	17.8
近似值	12	13	14	15	16	17	18

由表 9-1 得知，內聚需求從 PD 52 開始，概略係以 PD 每增大 4mm，內聚需求即會增加 1，且 PD 52 至 76 已囊括幾乎所有人的瞳距範圍。因此，僅限定測驗距離為 40 cm 的條件下，內聚需求可以有更簡便的公式計算：

$$內聚需求\ @40cm=(PD\div 4)-1$$

AC/A 的計算不考慮融像性聚散力的介入，因此起訖點應以眼位點爲標準。在遠距離時，眼位若爲外斜，則內聚需求增加；若近距離眼位爲外斜，則內聚需求減少。在遠距離時，眼位若爲內斜，則內聚需求減少；若近距離眼位爲內斜，則內聚需求增加。一般定義內斜位爲正，外斜位爲負。故調節性內聚力可整理成公式如下：

$$\text{調節性內聚力} = \text{內聚需求} - \text{遠距眼位} + \text{近距眼位}$$

$$= \frac{PD \times 10}{\text{工作距離} + 2.7} - (\text{遠距眼位} - \text{近距眼位})$$

$$= \frac{(PD \times 10) - [(\text{遠距眼位} - \text{近距眼位}) \times (\text{工作距離} + 2.7)]}{\text{工作距離} + 2.7}$$

AC/A 的定義爲調節性內聚力與調節力的比值。一般計算性 AC/A 採用的遠點與近點分別爲 6 公尺處與 40 cm 處，6 公尺的調節刺激視爲 0，故調節力可視爲是工作距離的倒數。因此，AC/A 的計算可視爲：

$$AC/A = \frac{\text{調節性內聚力}}{\text{調節力}}$$

$$\frac{(PD \times 10) - [(\text{遠距眼位} - \text{近距眼位}) \times (\text{工作距離} + 2.7)]}{\text{工作距離} + 2.7} \div \frac{100}{\text{工作距離}}$$

$$= \frac{(PD \times 10) - [(\text{遠距眼位} - \text{近距眼位}) \times (\text{工作距離} + 2.7)]}{\text{工作距離} + 2.7} \times \frac{\text{工作距離}}{100}$$

若將頂點距離至眼球迴轉中心的距離忽略，則可整理得到 AC/A 的簡化公式爲：

$$\text{AC/A（簡化）} = \frac{(\text{PD} \times 10) - 〔（\text{遠距眼位} - \text{近距眼位}）\times \text{工作距離}）〕}{\text{工作距離}} \times \frac{\text{工作距離}}{100}$$

$$= \text{PD(cm)} - 〔（\text{遠距眼位} - \text{近距眼位}）\times \text{工作距離（m）}〕$$

此即爲傳統教學上 AC/A 之簡化公式的推導。但臨床實務上工作距離常固定爲 40 cm，假設不同 PD 的受測者，遠距皆爲正位，使用 AC/A（簡化）公式，以及僅在內聚需求改爲簡略算法，依然使用原始定義計算，以及使用原始定義計算，三者試算出結果如表 9-2 所示：

表 9-2　不同算法計算 AC/A 之結果

PD	52	56	60	64	68	72	76
簡化公式	5.2	5.6	6.0	6.4	6.8	7.2	7.6
部分簡化	4.8	5.2	5.6	6.0	6.4	6.8	7.2
原始定義	4.9	5.2	5.6	6.0	6.4	6.7	7.1

以原始定義的正解，可以發現僅簡化內聚需求計算的方法，可得到更佳的精確度。故重新修正後 AC/A 公式的簡化計算應以下列公式計算爲主：

$$\text{AC/A} = \frac{[(\text{PD} \div 4 - 1)] - \text{遠距眼位} + \text{近距眼位}}{2.5}$$

PD 的單位依臨床習慣使用 mm 即可，遠距眼位外斜爲負，內斜爲正，且僅適用於計算工作距離爲 40 cm 時的 AC/A。

雖然計算型 AC/A 在測驗步驟上會較爲簡略，但由於近感知內聚力（Proximal convergence）的存在，導致計算型 AC/A 可能無法正確預期近方加入度給予後對眼位的影響。斜度型 AC/A 的數據採樣皆在同一距離下進行測驗，變因只有調節刺激，因此可較爲眞實的反應調節刺激對於聚散系統的改變；計算型 AC/A 的數據爲一遠一近，在近方的斜位量還包含了近感知內聚力帶來的影響。一般而言，計算型 AC/A 所得的數値會較大；而斜度型 AC/A 所得的數値會較小。當一個 PD 64mm，遠距離正位，近距離 10Δ 內斜位的受測者，其計算型 AC/A 爲 10，但很有可能給予其 1.00 D 的近方加入度時，他依然還會殘留有 3～4 Δ 的內斜位。故如果評估過後需要運用 AC/A 的機制給予加入度修正眼位時，應將加入度放入，並透過實測再次檢定，以確保有達到預期的效果。

第二節　圖像分析介紹

圖像分析（Graphical analysis）是完整了解受測者雙眼視狀態的好方法，可以將眼位（Phoria）、聚散區間（Vergence range）、調節幅度（Amplitude of accommodation）、內聚幅度（Amplitude of convergence）、相對性調節（Relative accommodation）等檢測結果全都描繪於圖上，並標示出受測者的清晰單一雙眼視區域（Zone of clear single binocular vision, ZCSBV），來了解受測者的雙眼視機能全貌。但繪製詳細的圖表需時過久，且雜亂的線條反而造成分析困難。最低限度的分析則需繪製眼位線以及模糊線（遠近同側聚散區間模糊點的連線，若遇到沒有模糊點的場合，以破裂點代之）。圖像分析多沿用 1975 年 T. Grosvenor 的圖表進行分析

（圖 9-3）。該圖表的格線設計以 PD 64 的受測者，近方測試距離 40 cm 爲標準。當 PD 不爲 64 時，理論上需要重新設計圖表，但圖表分析通常只用來了解受測者的狀態，並不會直接以做圖方式決定處方，所以即使 PD 不是 64 時通常也照樣使用，影響不大。

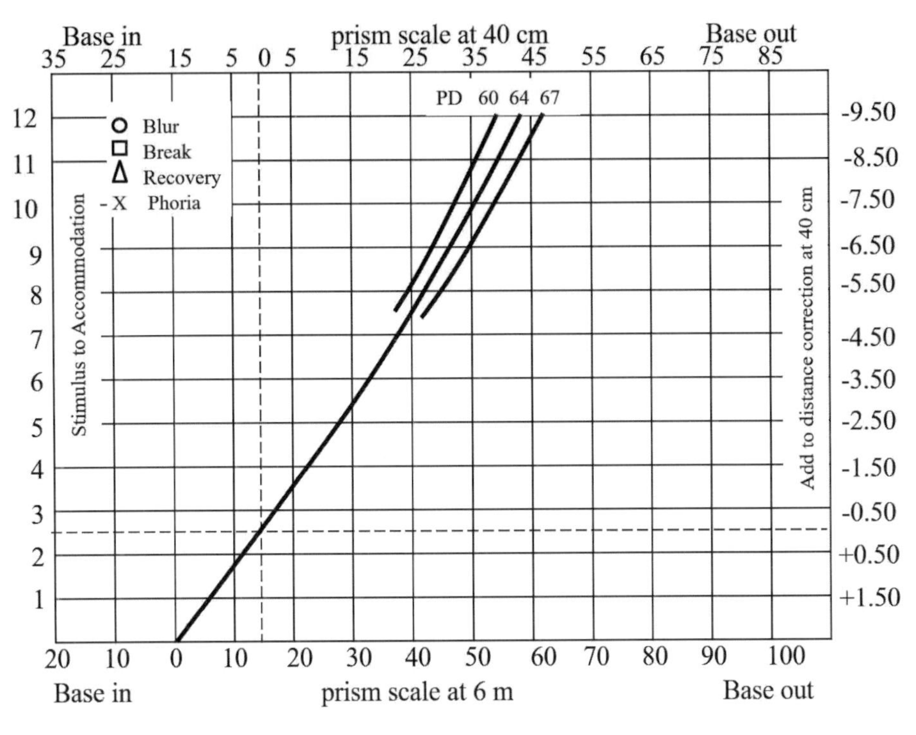

圖 9-3 圖像分析使用的圖表

圖 9-3 的下方是遠距離的稜鏡量，上方則是近距離的稜鏡量。基底朝內（Base In, BI）稜鏡對應到左側爲負值，基底朝外（Base Out, BO）對應到右側爲正值。看 40 cm 時的正位，相當於遠距離眼位內聚 15 個稜鏡度，因此近距離的 0 會對應到遠距離的 15，並有一條虛線輔助線來當作參考。圖 9-3 的左側代表眼睛所接受調節

刺激的量，以常用的 40 cm 的測試距離而言，會產生 2.50 D 的調節刺激，故 2.50 D 處亦有一條虛線輔助線。沿此虛線對應到圖右側，爲零加入度的標記。當給予 +1.50 D 的加入度，調節刺激即減少 1.50 D，僅餘 1.00 D。右側的標記，是爲了便於在綜合驗光儀給予加入度時，對應到調節刺激使用。中央的實體黑粗斜線，爲內聚需求基準線（Demand line），爲 PD 64 的受測者在各個調節刺激下，內聚需求的連線。

左上角分別律定了各種常用的記號，包括了模糊點（Blur, 以○標記）、破裂點（Break, 以□標記）、還原點（Recovery, 以△標記）、眼位點（Phoria, 以 X 標記）。模糊點、破裂點、還原點是指聚散區間測試所得到的數值。當逐漸給予稜鏡去解離影像時，在一定範圍內融像性聚散力會去調整，以使實際上分離的影像在受測者的主觀意識中維持單一。此時，由於聚散狀態的改變，調節力亦會連動牽引產生改變，導致影像失焦。失焦模糊的影像，又會再次驅動調節系統進行調整，直至最後聚散系統與調節系統取得平衡，維持在單一清晰雙眼視的結果。多數情況下，維持單一影像是優先於維持影像清晰的。因此，隨著稜鏡量逐漸加大，調節誤差先超出景深範圍，導致受測者感覺到影像變模糊，此時的稜鏡量即爲模糊點。持續加大稜鏡量，連維持單一影像都做不到時，影像會一分爲二，此時爲破裂點（在某些例子中，會於破裂的同時發生抑制，受測者不會感受到影像分裂爲二個，但會看到影像在移動）。破裂點發生後，減少給予的稜鏡量，並鼓勵受測者嘗試融像，恢復爲單一影像時的稜鏡量即爲還原點。習慣上聚散區間測試的數值會採取：模糊點 / 破裂點 / 還原點的方式記錄（如 16/24/20）。而在遠距離給予基底朝內稜鏡（BI 稜鏡）進行聚散區間測試時，由於遠距離處方正常來說本已將調節放鬆，因此一般而言不會有模糊點，則記錄爲 X/14/8。若進行遠距離 BI 稜鏡測試時，受測者反應有模糊點，則代表原測試處方可能尚有過多負度數存在。

將遠、近的眼位線與遠、近對應的聚散區間模糊點連線，可說是圖像分析最基本的運用。如圖 9-4 所示：

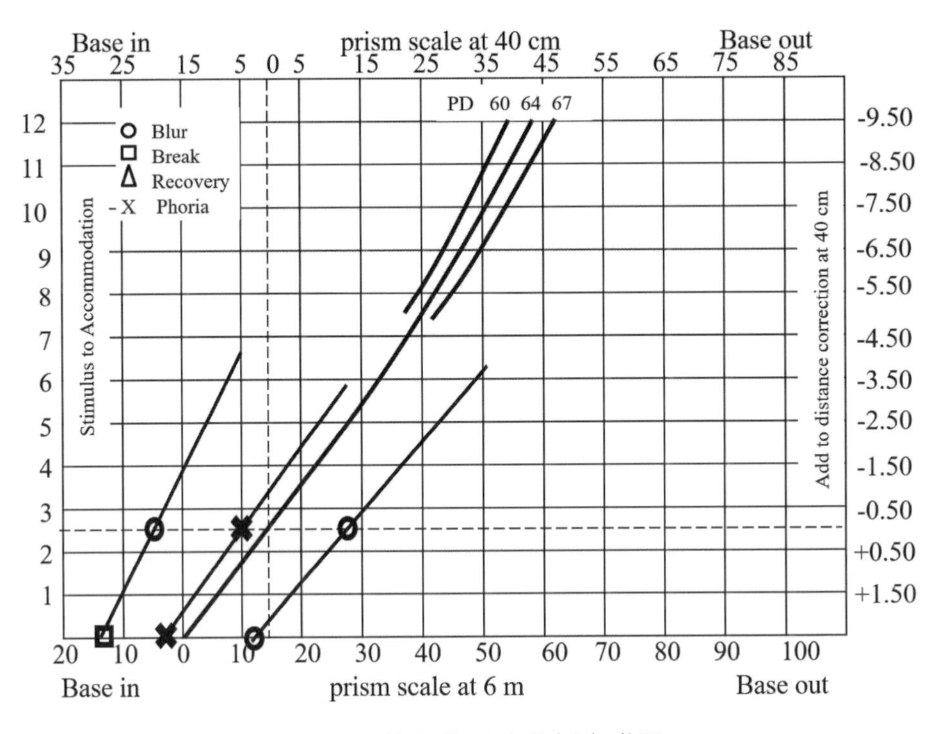

圖 9-4　簡單的圖表分析完成圖

如圖 9-4 所示，遠距離眼位爲 3ΔBI，近距離眼位爲 5ΔBI；遠距離 BI 破裂點爲 13Δ，BO 破裂點爲 12Δ；近距離 BI 破裂點爲 20Δ，BO 破裂點爲 14Δ。以眼位點（X）連結的眼位線，若斜度趨近於內聚需求基準線，則代表有正常的 AC/A 值。若眼位線趨向垂直，則代表 AC/A 值偏低；趨向水平，則代表 AC/A 值偏高。模糊點的連線包圍了一塊區域（遠距離 Base In 的模糊點不存在時，以破裂點代替），此即為清晰單一雙眼視區域（Zone of clear single binocular vision, ZCSBV）。這個區域尚可進一步以正、負相對性調節力測試（Negative/Postive relative accommodation, NRA/PRA）、調節幅度（Amplitude of accommodation, AA）等測試結果填入縮限，得到更精確的 ZCSBV 範圍。如圖 9-5 所示：

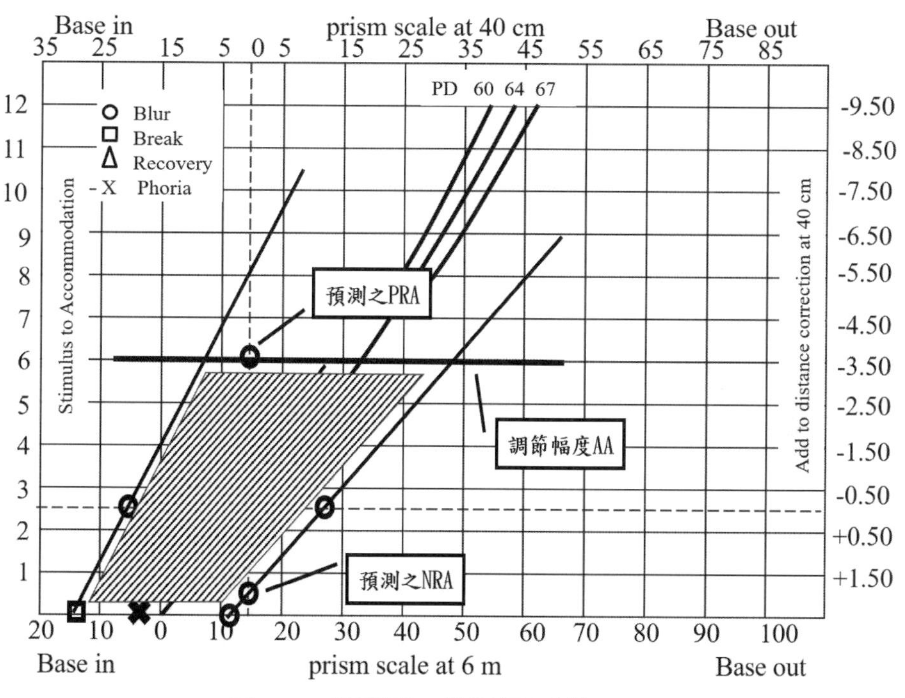

圖 9-5　清晰單一雙眼視區域標示圖

當調節幅度爲 6 D 時，ZCSBV 區域即爲斜線區塊。同時從此圖表亦可推測，實測之 NRA 數值可能落在 +2.00 D，PRA 可能會落在 -3.50 D。繪製圖像分析，亦有檢測測驗數值是否正常的用途。一般繪製出來的圖表或多或少具有預測的效果（如圖 9-5 預測分析 NRA/PRA 的數值），繪製完成後不合理的數值會顯得非常突兀，此時可針對該項目再次檢測。

第三節　雙眼視異常分類

屈光異常的矯治爲一切視覺機能異常的基礎。而視覺機能的異常又可區分爲：調節力異常、雙眼視異常、立體感異常、色覺異常、對比敏感度異常等等。色覺與對比敏感度的異常，通常對應至病理因素，多半難以改善；調節力異常與雙眼視異常，通常可藉由視力訓練、或是處方調整等方式，使不舒適的狀況得到改善。立體感可視爲是視覺系統的最終表現，當一切異常均受到妥善處置時，通常立體感會逐步加強改善；然而，臨床上亦有在成長發育期錯失良機，因此，雖然之後將所有問題都做了妥善處置，但立體視一直無法提升的案例。

由於調節系統與聚散系統的連動關係，進行雙眼視異常的診斷時，第一步是要先確認問題係屬調節系統或聚散系統所產生。最簡單的方法就是在單眼狀態與雙眼狀態分別進行檢測。調節系統的症狀無論是單眼狀態或雙眼狀態都會持續存在，但聚散系統的問題只會在雙眼狀態下產生，改成單眼視時，由於無需刻意維持融像，即會恢復正常。舉例而言，當受測者是雙眼注視時，進行動態網膜鏡 MEM 法測試，觀察到有大量的調節遲滯（Accommodative lag）現象。此時將受測者的單眼遮蓋住再次檢測，如果依然呈現明顯的調節遲滯，則可能是調節力不足、老花等因素；如果再次檢測的結果，調節狀態明顯好了許多，則受測者可能有大量的近方內斜位，爲了維持融像，融像性開散力運作強迫雙眼外開，因此帶動調節放鬆導致調節遲滯。

雙眼視異常，一般可歸納整理爲六大類：基本型外斜（Basic exophoria）、基本型內斜（Basic esophoria）、內聚不足（Convergence insufficiency, CI）、內聚過度（Convergence excess, CE）、開散不足（Divergence insufficiency, DI）、開散過度（Divergence excess, DE）。可大致使用遠、近距離眼位進行初步判斷（如表 9-3 所示）。

表 9-3　雙眼視異常分類表

	遠方內斜	遠方正位	遠方外斜
近方內斜	基本型內斜 Basic Esophoria Normal AC/A	內聚過度 Convergence Excess High AC/A	
近方正位	開散不足 Divergence Insufficiency Low AC/A	正位	開散過度 Divergence Excess High AC/A
近方外斜		內聚不足 Convergence Insufficiency Low AC/A	基本型外斜 Basic Exophoria Normal AC/A

需要注意的是，上述所謂的內斜、外斜，並非只要有就算，還需要看具備的程度。如一般人近距離會有 2~5 Δ 的微量外斜，並不能因此就逕爲判定內聚不足；一位受測者遠距離有 3 Δ 外斜，近距離爲 12 Δ 外斜，則他會被歸類爲內聚不足，而非基本型外斜。另外，進行雙眼視分析前，正確的屈光矯正相當重要。如一個輕度內聚過度的患者，若本身有遠視未矯正，則可能因爲調節誘發的內聚，導致遠近都呈現內斜位，而誤判爲基本型內斜。

一、基本型外斜

當一位患者在遠方與近方皆有明顯的外斜位，且融像性聚散力儲備（Fusional vergence reserves）不足時，其有可能在遠距與近距感到用眼疲勞或是複影。評估外斜位者的融像儲備力時，通常採用謝爾德準則（Sheard's criterion），意即融像性聚散力至少保留眼位量的兩倍以上。對外斜的人而言，BO 聚散區間的數值如果小於眼位量的兩倍，則代表平時觀看時患者需要使用超過 1/3 的總融像性內聚力，因此容易感到疲累或甚至疲累過頭就會產生複影。

如圖 9-6 所示，基本型外斜者眼位線概略平行於內聚需求基準線，表示具有一般的 AC/A 比。BO 模糊線非常接近眼位線，代表在沒有輔助的一般情況下，患者使用了大量融像性內聚力來保持單一視。從圖上對照，可以預測患者會有較低的 NRA 值（約莫 +0.75 D），這表示對於外斜患者而言，主動給予近方加入度反而會有讓影像模糊或是增加內聚系統負擔的問題。

由於遠近的稜鏡量大致一致，若採取稜鏡處方的方式處理，通常可以遠近通用。使用 BO 稜鏡訓練使 BO 模糊線再往外，增加正

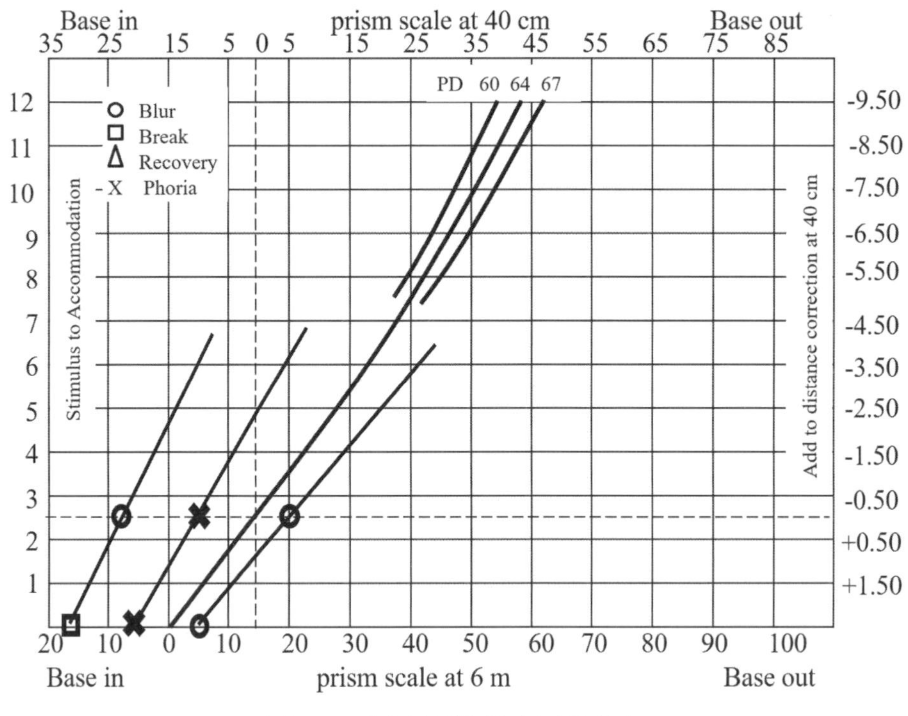

圖 9-6　基本型外斜的圖像分析

融像內聚力（Postive fusional convergence）的成功率也頗高的。一般而言，爲了降低稜鏡適應（Prism adaptation）的發生機會，通常會以訓練爲主，並給予最少量可舒緩症狀的稜鏡量。

二、基本型內斜

相對於基本型外斜，患者是在遠近皆有明顯的內斜位，且融像性聚散力儲備不足時，則稱爲基本型內斜。除了疲勞或複影外，還可能有頭痛的現象。臨床上遇到基本型內斜的患者（特別是屈光度數呈現遠視或正視的時候），必須要懷疑是否有隱藏性遠視存在，散瞳驗光可能是必須的處置。如果有隱藏性遠視，應將之全矯正後，再行評估。內斜的稜鏡評估通常採用珀希瓦準則（Percival's criterion），意即使眼位落在整個 BI、BO 聚散區間的中間三分之一。除此之外，1 比 1 規則也是用來替內斜進行處置的準則之一，意即透過稜鏡調整，使內斜量與 BI 還原點的數值保持在 1：1 的配置法。

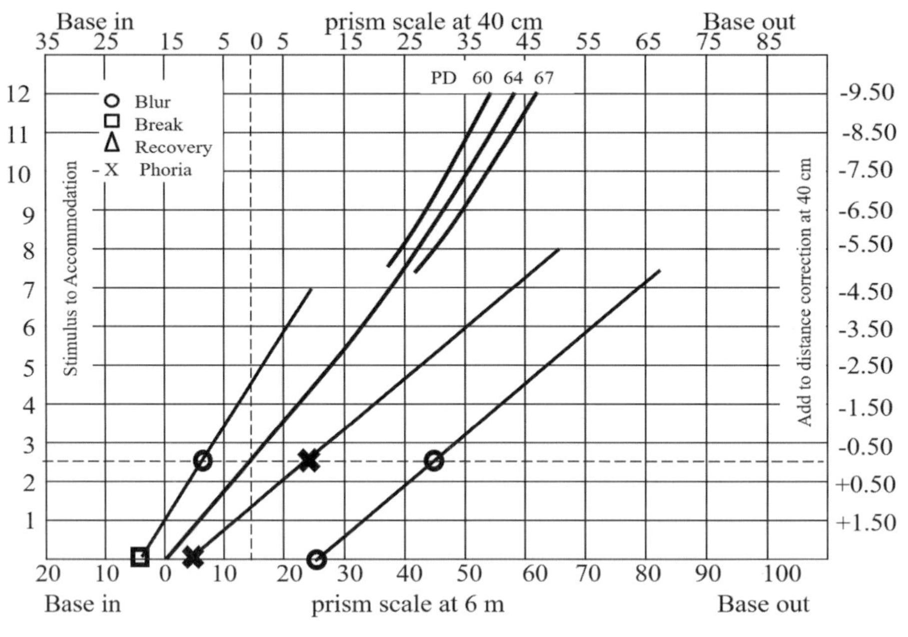

圖 9-7　基本型內斜的圖像分析

基本型內斜者平時就會需要使用融像性開散力來維持單一視。然而，雙眼開散的動作相對於內聚來說是更加困難的，因此，不舒適感會比起基本型外斜來得更加明顯。由於遠近的內斜量趨近，通常使用同樣稜鏡量即可。如果患者近距離的內斜量比遠距離更大，則可能要合併使用多焦點鏡片來改善近方的用眼狀況。從圖 9-7 可以看得出來，預期會呈現較低的 PRA，同時給予加入度可以改善近方工作的舒適性，因此常會與老花混淆。鑑別方式很簡單，老花是調節問題，無論單眼與雙眼時困擾或模糊皆會存在；而內斜位所造成的用眼問題，在單眼觀看時即會解除。

三、內聚不足

內聚不足是指遠距離爲正位或輕微外斜，但近距離有明顯外斜的現象。大部分的症狀都會在近距離用眼時發生：疲勞、間歇模糊、閱讀無法專心等等，但在充分休息後，這些症狀沒那麼容易出現，故患者常以爲是單純的疲累造成。僅用斜位來判斷內聚不足是不恰當的，因爲調節不足時，亦會產生同樣的眼位現象與症狀，此又被稱爲假性內聚不足（False convergence insufficiency），如圖 9-8 所示。但假性的內聚不足可透過調節幅度測試，發現與年齡不符的調節力低落，此時透過調節力訓練即可改善。除此之外，假性的內聚不足具有正常的融像聚散區間，因此眼位線的延伸會與 BI 模糊線產生交會點，形成雖然是正位但是會模糊的矛盾預測，這也可以作爲判斷假性內聚不足的方法。

內聚不足的典型現象包括較低的 AC/A 值（3 或以下），近方外斜量比遠方外斜量還要多 8Δ 或更多。除此之外，NPC 測試也會發現明顯的距離拉遠，進行 BO 聚散區間測試時數值明顯低落，從圖 9-9 上亦可預測到較低的 NRA 表現。由於低度的 AC/A 值，以度數嘗試進行輔助通常不會有效。值得慶幸的是，在內聚不足的患者身上，內聚訓練通常成效顯著。常見的訓練方式包含有鉛筆

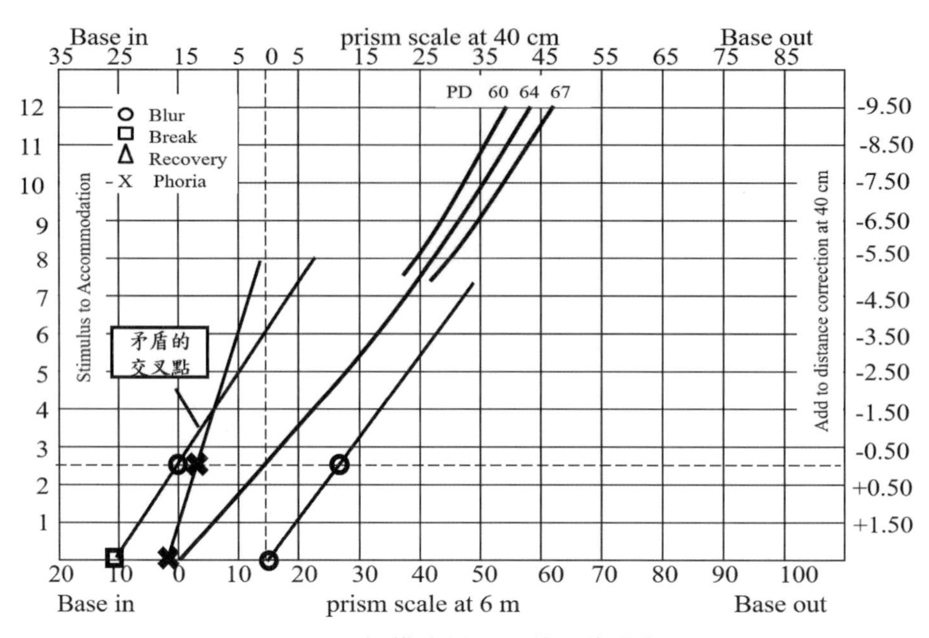

圖 9-8　假性內聚不足的圖像分析

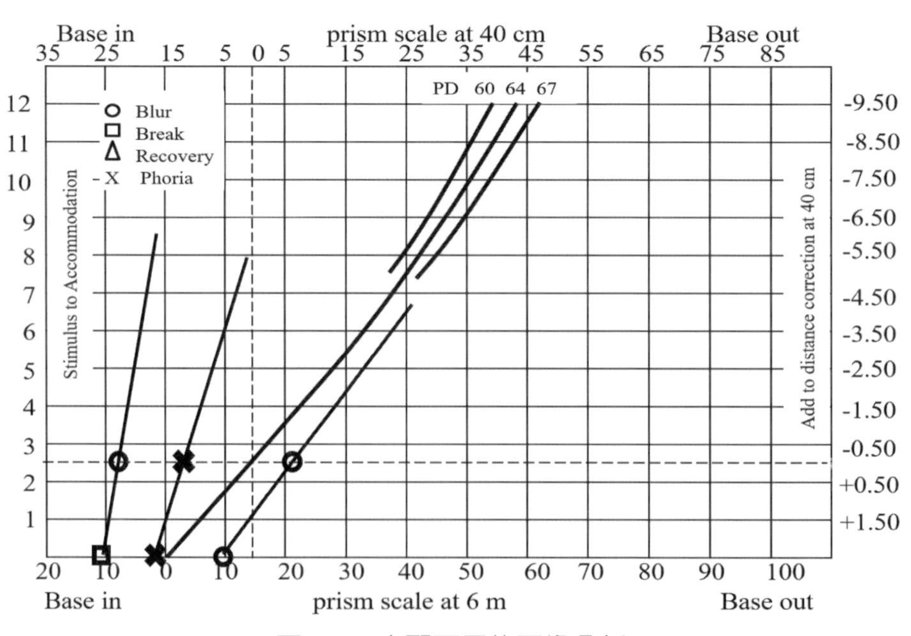

圖 9-9　內聚不足的圖像分析

推進法（Pencil push-ups，患者注視著筆尖，並將筆尖朝向患者移動，患者要嘗試始終維持單一影像，並來回訓練嘗試讓筆尖可以更貼近患者）、跳動內聚力測試（Jump convergence test，將兩支筆一前一後手持，並輪流注視筆尖使之輪流維持單一影像）、BO 翻轉鏡訓練等等方式。當訓練沒有成效或無法訓練時，才考慮給予近用的 BI 稜鏡處方。當給予 BI 稜鏡時，會使遠方被誘發成類似內斜位的狀態，故此處方通常無法遠近通用。

四、內聚過度

內聚過度的典型現象爲高 AC/A，遠方趨近正位，近方則有明顯的內斜位（可能高達 10Δ 甚至以上）。也因此，近距離用眼容易抱怨疲勞、模糊、無法專心，或複影等現象，且不像內聚不足僅需充分休息就不易發作，相關不適常常只要短時間的近距離工作就會誘發產生。如果問題發生在小朋友身上，可能會表現爲抗拒近方遊樂，無法專心等等。

透過圖 9-10 分析可以發現，此案例中給予 Add 1.00 D 時，約莫可使眼位回到正位。可以給予這個加入度並檢測其眼位是否如預期變化（類似檢測斜度型 AC/A）。內聚過度的處置通常會利用其高 AC/A 值的特性，以加入度來修正眼位：對於遠視者，可能要使用多焦點或雙光鏡片；對於正視眼者，給予近用閱讀眼鏡；對於輕度近視者，則建議閱讀時取下眼鏡。如果有必要時，給予近方稜鏡處方也是一個方法。雖然有人會主張所有雙眼視問題都應先嘗試訓練以避免稜鏡適應，但一般而言，內聚過度的訓練成效並不理想。

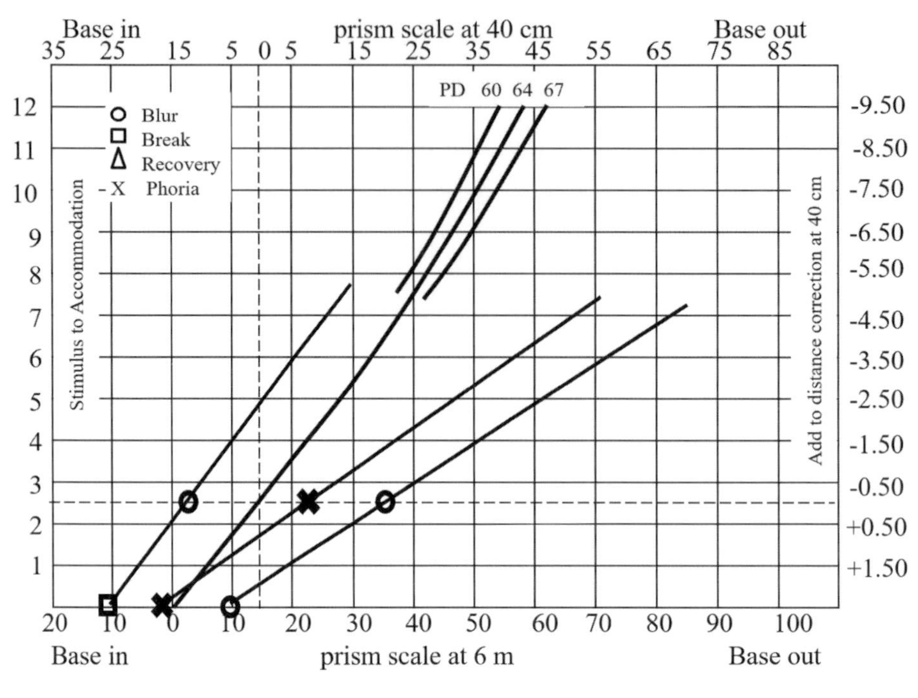

圖 9-10　內聚過度的圖像分析

五、開散不足

開散不足描述的是遠距離呈現明顯較多內斜，而近距離的內斜量較不明顯的狀態（圖 9-11）。具體症狀通常發生在遠距離，包括間歇性的複視、遠近交替注視困難、畏光、容易暈車等等。患者也有可能直接抑制，形成遠距離的內斜視而不自知。

評估雙眼視機能前必定要先進行屈光矯正，而遇到內斜位時更要審慎評估有無隱性遠視的可能。經過完整屈光檢查與處置後，在遠距離依然呈現內斜位，給予更多的正度數對於這類患者沒有幫助（不只是由於 AC/A 值太低，且遠距離調節已放到最鬆，再給予正度數只會更模糊，不會放鬆調節），給予 BO 稜鏡通常是唯一解。

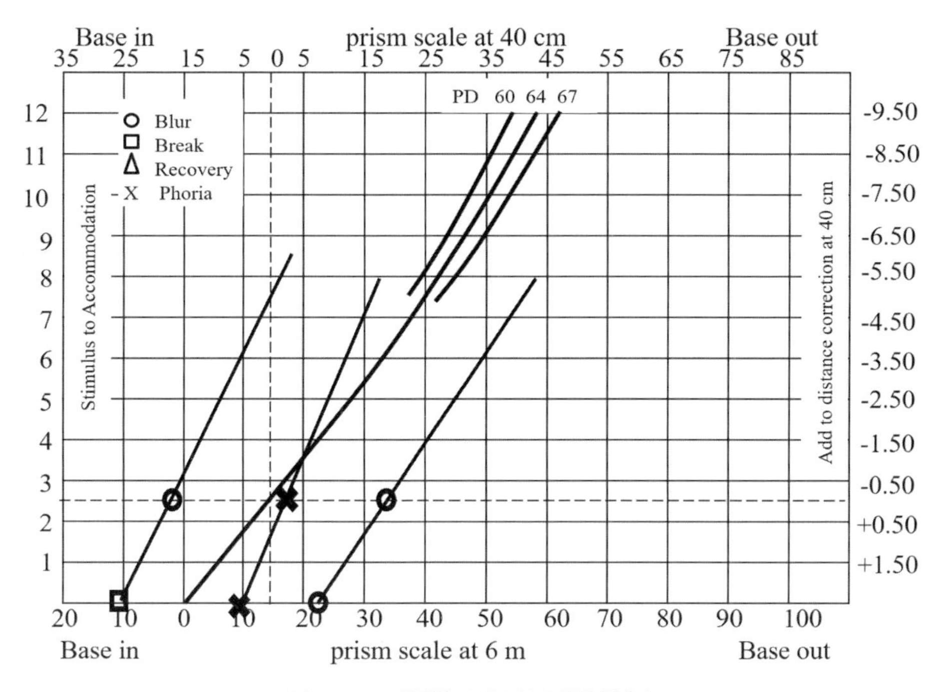

圖 9-11　開散不足的圖像分析

但是對患者的近距離用眼而言，BO 稜鏡會形成近方的外斜位。所幸多數患者對於近方的外斜適應良好，較易克服；如果出現不適，就需透過視覺訓練強化近方的 BO 稜鏡容忍度。

六、開散過度

開散過度的特徵是遠方呈現外斜，近距離則趨近正位（圖 9-12）。可以推測患者應該會在遠距離呈現複視、不適、疲勞等現象。但相反的，多數患者很少有自覺症狀，因爲會運用抑制機制，直接使遠距離發展成外斜視。開散過度的患者常常是由周遭親友發現他有外斜視，才被引薦來檢查的。

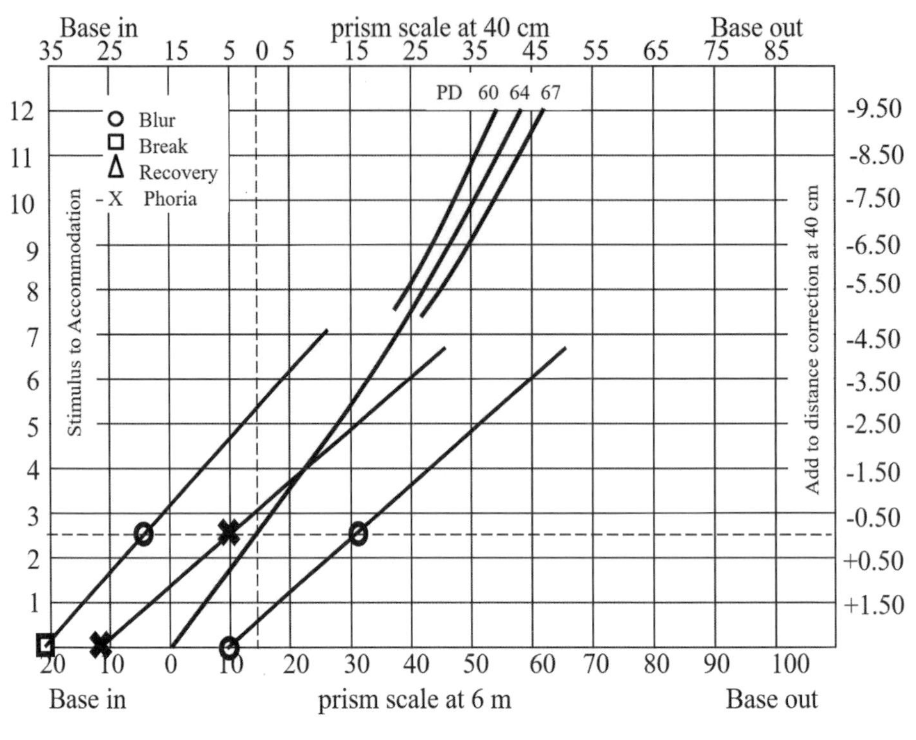

圖 9-12　開散過度的圖像分析

開散過度的患者由於其高度外斜位，誘發融像性內聚力，進而帶動調節。這種患者可能在單眼的時候度數比較正，而在雙眼時需要更多的負度數才能維持清晰。受益於高 AC/A 值，要達到符合謝爾德準則的修正量不需要太多的負度數。儘管如此，給予負度數依然會造成調節的負擔，因此，這樣的處置比較適合年輕的患者。無論使用負度數或稜鏡處置，都要注意會不會讓近距離變爲內斜位。如果會使近距離成爲內斜眼位，但遠距離的稜鏡或負度數處方又無法調降，則雙光鏡片或多焦點鏡片的合併使用就是必須的。

第四節　雙眼視異常的處置原則

雙眼視異常的處置方式，不外乎訓練、度數調整及稜鏡處方。而在稜鏡處方的部分，由於稜鏡適應（Prism adaptation）的現象，令很多驗光師在下稜鏡處方時會猶豫再三。稜鏡適應是一種視覺機能配合處方改變的現象。例如，原本給予 2Δ BI 的處方，於下次回診時重新檢測，發現變成需要處方 4Δ 的稜鏡量。然而，如果回去追溯病例，發生稜鏡適應的案例通常一開始並沒有任何雙眼視症狀的抱怨。因此，避免稜鏡適應的第一要件，在於不給予沒必要的稜鏡處置。所有稜鏡處置應奠基在受測者有感受到確切的改善，並給予滿足需求的最少稜鏡量爲原則。

稜鏡的處置一般會遵循三種準則：謝爾德準則（Sheard's criterion）、珀希瓦準則（Percival's criterion）、1 比 1 規則（1:1 Rule）。三種準則得到的稜鏡量應該相差不多，但一般而言，推薦計算外斜處方時使用謝爾德準則，計算內斜處方時使用珀希瓦準則和 1 比 1 規則。

一、謝爾德準則

謝爾德準則認爲，融像性聚散力至少保留眼位量的兩倍以上。也就是若以眼位完全正位爲基準點，眼睛所擁有的全部融像性聚散力，僅能使用最多 1/3。例如，當一位患者外斜 8Δ，BO 模糊點爲 10Δ，則相當於患者的全部融像性內聚力有 18Δ，但最多僅能使用 1/3 也就是 6Δ，因此需要補充 2 BIΔ，使患者耗用的融像性內聚力減少到符合謝爾德準則。可將稜鏡處置的計算簡化爲公式：

$$\frac{\text{2 倍的眼位} - \text{眼位對側的聚散區間模糊值}}{3}$$

二、珀希瓦準則

珀希瓦準則認爲，融像性聚散力無論如何使用，都必須保持在總融相聚散區間的中間 1/3。例如，一位患者的 BI 模糊點是 26Δ，BO 模糊點是 6Δ，其中央 1/3 的區塊就位於 BI 5~15Δ 處，因此最少要給予 5Δ 才能滿足柏希瓦準則。簡化後的計算公式爲：

$$\frac{\text{大的模糊點} - \text{2 倍小的模糊點}}{3}$$

三、1 比 1 規則

不同於上述兩個準則，1:1 規則看的是還原點。也就是斜位量與對側的還原點應維持在 1:1 的比例。例如，一位患者內斜 12Δ，BI 還原點爲 8Δ，則處方 2 BOΔ。計算公式爲：

$$\frac{\text{眼位} - \text{對側的聚散區間還原值}}{2}$$

上述準則如果計算出來是負值，則代表符合準則無需稜鏡處置，而非給予反向稜鏡。除了依照準則計算稜鏡量，視覺訓練、稜鏡處方、度數調整何者優先，亦是一門學問。

人的雙眼生於正面，不同於牛馬等生於兩側極端擴大視野，雙眼重疊的視野極多，產生良好的立體感。日常生活正常的用眼動作中，雙眼可同上、同下、向左、向右、內聚。然而，並無任何情境可以讓人眼進行一上一下，或是雙眼外開的動態。因此，各種眼位中，人眼最難承受的爲垂直眼位，其次就是內斜眼位（強迫外開）。即使是 1Δ 的垂直眼位，通常都會造成患者明顯不適，必須加以矯治。而內斜眼位，雖然有可能訓練成功，但多數而言成效不彰，因此，內斜的處置多以稜鏡或是給予加入度爲主。透過度數調整眼位是非常經濟實惠的作法，但當不具備高 AC/A 值的條件時，要達到預期的眼位調整目標，可能需要變動大量的度數，反而造成調節系統負擔或視遠模糊的困擾。總整起來，進行雙眼視的處置時，有四項基本處置原則：

1. 高 AC/A 值得以度數調整。
2. 外斜以訓練爲主，內斜以舒緩爲主。
3. 近距離可以訓練，遠距離訓練不易。
4. 處置了近（遠）的，別忘了考慮對遠（近）的影響。

透過這四項原則來對六類聚散系統問題的處置方式做檢視，即可豁然開朗。

1.基本型外斜

外斜以訓練爲主，通常僅需對近距離做訓練，遠距離亦會逐漸收到功效。如果訓練成效不彰，或是病患舒適度已經很差，可以先給予少量 BI 稜鏡舒緩症狀。

2.基本型內斜

內斜以稜鏡處置爲主，且遠近一致故稜鏡處方可以安心配戴。AC/A 值並不算高，且度數調整對於遠距離的斜位並無法產生影響效果，因此度數調整並非最佳選項。

3.內聚不足

近距離的外斜以訓練爲主，通常進行訓練即可收到不錯的成效。萬一訓練成效不彰時，低度的 AC/A 值使它不可能使用度數調整（必須給予大量的負度數才能把眼位調整至預期，但又會造成調節負擔）。因此，給予近距離閱讀專用的稜鏡處方是訓練效果不彰的下一個作法。要記得向病患強調是近距離配戴用，因爲已經可以預期這付處方用以看遠時，反而會使病患成爲內斜眼位，因此用於看遠應該會有不適的感覺。

4.內聚過度

近距離的內斜，且又具備高 AC/A 值，透過度數調整既可放鬆調節負擔，亦可處理眼位問題，可說是上上之選。然而，給予正度數會造成視遠模糊，所以一般會以多焦點或雙光鏡片的方式處置。如果病患沒有屈光不正，平時無需配戴眼鏡，通常病患會更傾向於選擇單純近用的閱讀眼鏡。

5.開散不足

遠距離的內斜，訓練沒有成效，又是低 AC/A 值，稜鏡處置是僅餘的唯一解。但給予 BO 稜鏡後，有可能使近距離從正位變爲外斜位。如果反而在近距離產生問題，鍛鍊近方內聚力可以解決此問題。

6.開散過度

遠距離的外斜，想訓練也無從下手。高度 AC/A 值代表只需要故意多給一些負度數，就可以改善眼位問題（但僅限於調節力充足的年輕人可以這樣做）。給予 BI 稜鏡處置當然可以，但無論是負度數或是 BI 稜鏡，都會導致近距離內斜位的產生，因此，搭配雙光鏡片或多焦點鏡片就很可能是必須的處置。如果病患只在特定狀況下需要（例如開車），單純的遠用處方也是可以考慮的。

另外，尚有一類較少見的斜位異常，稱爲迴旋眼位。眼球的移動除了上下左右外，亦包含了旋轉。多數情況下旋轉的影響微乎其微，但在迴旋眼位異常者身上，融像後的眼球角度與單眼檢測時會有所不同。可以用雙馬篤氏鏡測驗來確認有無此情形：兩眼都擺放垂直的馬篤氏鏡，使其看到水平的光線（必要時可給予垂直稜鏡讓兩條光線分離比較好辨認），若兩條光線互相平行，則沒有迴旋眼位的問題；若是相互有交錯，則代表有迴旋眼位的現象。迴旋眼位者較易合併有垂直眼位（反之，觀察到垂直眼位時，亦要懷疑有迴旋眼位的可能性），垂直眼位的部分可以稜鏡矯正，但迴旋本身無法透過稜鏡處置。迴旋斜位者，應採用雙眼屈光法進行驗光檢查，讓雙眼在融像的情況下進行散光角度的檢測，可以測得病患眞正平常雙眼視的散光角度。

國家圖書館出版品預行編目資料

視光學／尤振宇等著. 一一初版. 一一臺北市：五南圖書出版股份有限公司, 2020.03
面； 公分
ISBN 978-957-763-289-0（平裝）

1.眼科 2.眼科檢查 3.驗光 4.視力

416.7 108001757

5J86

視光學

作 者 — 尤振宇、江芸薇、吳昭漢、林蔚荏
孫涵瑛（177.6）、陳雅郁、葉上民、蔡政佑
（依姓名筆畫排序）
發 行 人 — 楊榮川
總 經 理 — 楊士清
總 編 輯 — 楊秀麗
副總編輯 — 王俐文
責任編輯 — 金明芬
封面設計 — 王麗娟
出 版 者 — 五南圖書出版股份有限公司
地 址：106臺北市大安區和平東路二段339號4樓
電 話：(02)2705-5066 傳 真：(02)2706-6100
網 址：https://www.wunan.com.tw
電子郵件：wunan@wunan.com.tw
劃撥帳號：01068953
戶 名：五南圖書出版股份有限公司

法律顧問：林勝安律師事務所 林勝安律師

出版日期：2019年 2 月初版一刷
2021年 8 月初版四刷
定 價：新臺幣580元

經典永恆・名著常在

五十週年的獻禮——經典名著文庫

五南，五十年了，半個世紀，人生旅程的一大半，走過來了。
思索著，邁向百年的未來歷程，能為知識界、文化學術界作些什麼？
在速食文化的生態下，有什麼值得讓人雋永品味的？

歷代經典・當今名著，經過時間的洗禮，千錘百鍊，流傳至今，光芒耀人；
不僅使我們能領悟前人的智慧，同時也增深加廣我們思考的深度與視野。
我們決心投入巨資，有計畫的系統梳選，成立「經典名著文庫」，
希望收入古今中外思想性的、充滿睿智與獨見的經典、名著。
這是一項理想性的、永續性的巨大出版工程。
不在意讀者的眾寡，只考慮它的學術價值，力求完整展現先哲思想的軌跡；
為知識界開啟一片智慧之窗，營造一座百花綻放的世界文明公園，
任君遨遊、取菁吸蜜、嘉惠學子！